二十五史藝文經籍志
考補萃編

第七卷

後漢藝文志

〔清〕姚振宗 撰
馬小方 整理

王承略　劉心明　主編

清華大學出版社　北京

圖書在版編目(CIP)數據

二十五史藝文經籍志考補萃編. 第七卷/王承略,劉心明主編. --北京：清華大學出版社,2011.10

ISBN 978-7-302-26975-5

Ⅰ. ①二…　Ⅱ. ①王…②劉…　Ⅲ. ①中國－古代史－紀傳體②二十五史－研究　Ⅳ. ①K204.1

中國版本圖書館 CIP 數據核字(2011)第 208532 號

責任編輯：馬慶洲
責任校對：王鳳芝
責任印製：楊　艷
出版發行：清華大學出版社　　　地　　址：北京清華大學學研大厦 A 座
　　　　　http://www.tup.com.cn　郵　　編：100084
　　　　　社 總 機：010-62770175　郵　　購：010-62786544
　　　　　投稿與讀者服務：010-62776969,c-service@tup.tsinghua.edu.cn
　　　　　質 量 反 饋：010-62772015,zhiliang@tup.tsinghua.edu.cn
印 刷 者：清華大學印刷廠
裝 訂 者：三河市金元印裝有限公司
經　　銷：全國新華書店
開　　本：148×210　印　張：12.625　字　數：370 千字
版　　次：2011 年 10 月第 1 版　　印　　次：2011 年 10 月第 1 次印刷
印　　數：1～3000
定　　價：39.00 元

產品編號：040806-01

後漢藝文志

清·姚振宗 撰

馬小方 整理

底本：《適園叢書》本

校本：1955 年中華書局影印《二十五史補編》本

目　録

後漢藝文志敘錄

阮孝緒《七錄·敘目》曰:"及後漢蘭臺,猶爲書部,又于東觀及仁壽閣譔集新記,校書郎班固、傅毅並典祕籍。"

《隋書·經籍志》敘曰:"光武中興,篤好文雅,明章繼軌,尤重經術。四方鴻生鉅儒負袠自遠而至者,不可勝算。石室、蘭臺彌以充積,又於東觀及仁壽閣集新書,校書郎班固、傅毅等典掌焉。並依《七略》而爲書部。"

　按《七錄》及《隋志》所云,則東京亦嘗依《七略》編集東觀、仁壽閣所有書名。蘭臺書部、東觀新記、仁壽閣新記,其書亡於董卓之亂。

嚴可均《全後漢文編》曰:"按《蔡邕傳》,邕上書自陳奏其所著十意。案文有《律曆意》、《禮意》、《樂意》、《郊祀意》、《天文意》、《朝會意》、《車服意》、《五行意》,僅有八意。其餘二意無考,蓋《地理》、《藝文》也。"

　按嚴氏謂蔡中郎十志中有《藝文志》,其稿悉燬於董卓、李傕、郭汜之亂。當時諱志,故稱意。

《七錄·序目》又曰:"其後有著述者,袁山松亦錄在其書。"又曰:"王儉《七志》條《七略》及二漢《藝文志》所闕之書。"

　按此云二漢者,謂班氏《漢書·藝文志》、袁山松《後漢書·藝文志》也。袁《志》亡於唐末五代之亂。

劉昭注補《續漢書》八志序:"沈松因循,尤鮮功創。時改見句,非更搜求。加藝文以矯前棄,流書品采自近錄。初平、永嘉圖籍焚喪,塵消煙滅,焉識其限? 借南晉之新虛,爲東漢之故實。是以學者亦無取焉。"

　　按晉祠部郎謝沈有《後漢書》，在袁山松之前，見《隋》、《唐》
　　《經籍》、《藝文志》。謝書中之志，篇目無攷。

又曰："范曄，《後漢》良史，誠跨衆氏，序或未周，志遂全闕。
尋本書當作《禮樂志》，其《天文》、《五行》、《百官》、《車服》爲
名則同。此外諸篇，不著紀傳，《律曆》、《郡國》，必依往式。
曄遺書自序，應編作諸志，《前漢》有者，悉欲備製，卷中發論，
以正得失。書雖未明，其大旨也。曾臺雲構，所闕過乎榱桷；
爲山霞高，不終踰乎一壇。鬱絕斯作，吁可痛哉！"

　　按范書十志中必有《藝文》，自蠟以覆車之後，并草創殘文，
　　亦不復見矣。

鄭樵《通志・校讐略》曰："王儉作《七志》已，又條劉氏《七略》
及二漢《藝文志》所闕之書爲一志。阮孝緒作《七錄》已，亦條
劉氏《七略》及班固《漢志》、袁山松《後漢志》所亡之書爲
一錄。"

　　按阮氏所條袁《志》亡書，今惟見《序目》所載一則，其書名
　　泯沒無聞。

嘉定錢師璟《錢氏藝文志略》曰："《補續漢書藝文志》二卷，錢
大昭字晦之號可廬撰。"

　　按錢氏是書，《書目答問》亦云二卷，未刊。今廣雅書局新
　　彫本止一卷，二十餘葉，上及西漢，下包三國，類例既極草
　　率，而不免重複誤收，漫無裁制。如《漢記》及《中興以來名臣烈士傳》
　　皆在《東觀漢記》中，而別出其目。又後魏甄叔遵《七曜本起》三卷，見《隋・經籍
　　志》，而誤以爲曹魏。且與錢氏《藝文志》及《書目答問》所云二卷
　　不相合，似非其手訂本。

番禺侯康君謨《補後漢書藝文志》四卷，道光庚戌南海伍崇曜
朶入《嶺南遺書》。跋云："原本無卷數，茲釐爲四卷，校訂以
付梓人。"

按侯氏是書，略依《隋·經籍志》四部之體，至子部小說家而止。而子部編目，如兵家、曆算、五行、醫方、雜藝五類無一書。集部與佛道二錄，則皆未嘗措手焉。葢其編輯未竣之初稾，非爲完書。今所輯稱侯《志》者，卽是其本。

新編《後漢藝文志》四卷。因覽錢、侯二《志》之敚略不完，故別自爲編。不云補者，不自以爲補舊史之闕也。其人物譔著，悉以獻帝遜位之年爲斷。其卒在是年之前，則無論乃心魏室，如王粲、陳琳；盡事吳朝，如張紘、陸績，皆比之諸侯王官屬，不以漢之統系豫假於魏、吳，故亦闌入。《三國志》所載，非牽合時代，漫無限斷。其門類則以書之有無爲斷，如經部之五經總義，史部之載記、史鈔、史評，子部之雜藝術，集部之文史，皆後起之目，而東都人士實有其書，故立此數類，以著其朔，亦非雜糅古今，漫無區別焉。綜四部，爲類四十有二，附以佛、道，凡四十四類。光緒己丑歲孟夏之月，山陰姚振宗漫識。

後漢藝文志卷一

經之類十有一：曰易，曰書，曰詩，曰禮，曰樂，曰春秋，曰孝經，曰論語，曰五經總義，曰小學，曰讖緯。

景鸞　易說

范書《儒林傳》：景鸞字漢伯，廣漢梓潼人也。少隨師學經，涉七州之地。能理《施氏易》，作《易說》。州郡辟命不就，以壽終。

《華陽國志》：漢伯少與廣漢郝伯宗、蜀郡任叔本、潁川李仲、_{敓一字}渤海孟元叔游學七州，遂明經術。太守命爲功曹，察孝廉，舉有道，博士徵，不詣。然上陳時政，言經得失。又戒子孫人紀之禮，及遺令：期死葬，不設衣衿，務在節儉，甚有法度。卒終布衣。

武進張惠言《易義別錄·序》曰："施氏之後，有彭宣、戴崇作《易傳》，景鸞作《易說》。"

　右《施氏易》一家一部。

洼丹　易通論七篇

范書《儒林傳》：洼丹字子玉，南陽育陽人也。世傳《孟氏易》。王莽時，嘗避世教授，專志不仕，徒眾數百人。建武初，爲博士，稍遷，十一年，爲大鴻臚。作《易通論》七篇，世號《洼君通》。丹學義研深，《易》家宗之，稱爲大儒。十七年，卒官。

張惠言《易義別錄·序》曰："孟氏之後，有洼丹作《易通論》。"

袁京　易難記

范書《袁安傳》：安字邵公，汝南汝陽人也。子京、敞最知名。京字仲譽，習《孟氏易》，作《難記》三十萬言。初拜郎中，稍遷侍中，出爲蜀郡太守。

張惠言《易義別錄・序》曰：“孟氏之後，有洼丹作《易通論》，袁氏作《難記》。”按此作袁良，與范書異，似誤。

　　按安祖父良，平帝時太子舍人，習《孟氏易》。安少傳良學。京弟敞，少傳《易經》，教授。京子彭，少傳父業。彭弟湯，少傳家學，並見范書。袁氏世傳《孟氏易》，自良至湯凡六人。又按《唐・世系》，良二子昌、璋，昌成武令，生漢司徒安。

　　右《孟氏易》二家二部。

鄭眾　周易注

范書《鄭興附傳》：眾字仲師，河南開封人。通《易》、《詩》，知名於世。永平初，辟司空府，以明經給事中，再遷越騎司馬。使匈奴，繫廷尉，會赦歸家，復召爲軍司馬。拜中郎將，遷武威太守，左馮翊。建初六年，爲大司農，八年，卒官。

又《儒林傳》曰：“陳元、鄭眾，皆傳《費氏易》。”

《釋文・敘錄》曰：“河南鄭眾，字仲師，大司農，傳《費氏易》。”

侯《志》曰：“鄭眾《易注》，諸家俱不著錄。《左傳序》疏云：‘鄭眾、賈逵、虞翻、陸績之徒，以《易》有箕子之明夷、東鄰殺牛，皆以爲《易》之爻辭，周公所作。’此或是鄭眾注《左傳》之文，無以必其爲《易注》。至史徵《口訣義・觀》大象、《震》九四、《兌》大象，凡三引鄭眾說，則眾於《易》似有成書。本傳稱眾兼通《易》，《儒林傳》稱眾傳《費氏易》，其言又相合也。今刜錄其書，亦過而存之之意云。”

馬融　周易傳十卷

范書本傳：融字季長，扶風茂陵人也，將作大匠嚴之子。按嚴，援兄余之子。從京兆摯恂游學，博通經籍。恂奇融才，以女妻之。大將軍鄧騭召爲舍人。永初四年，拜校書郎中，詣東觀典校祕書，十年不得調。因兄子喪，自劾歸。鄧太后怒，令禁錮之。安帝親政，召還郎署，復在講部。出爲河閒王厩長史，召拜郎中。及北鄉侯卽位，移病去，爲郡功曹。陽嘉二年，詔舉敦樸，徵詣公車，對策，拜議郎。大將軍梁商表爲從事中郎，轉武都太守。三遷，桓帝時爲南郡太守。忤梁冀旨，免官，髡徙朔方。自刺不死，得赦還，復拜議郎，重在東觀著述，以病去官。融才高博洽，爲世通儒，教養諸生，嘗有千數。涿郡盧植、北海鄭玄，皆其徒也。年八十八，延熹九年卒於家。

又《儒林傳》曰："陳元、鄭衆皆傳《費氏易》，其後馬融亦爲其傳。"

荀悅《漢紀》曰："孝桓帝時，故南郡太守馬融著《易解》，頗生異說，頗行於世。"

《釋文·敘錄》：扶風馬融爲《易傳》。又曰："馬融《傳》十卷，《七錄》云九卷。"《隋書·經籍志》：梁有漢南郡太守馬融注《周易》一卷，亡。按此引《七錄》與《釋文》九卷異，或是經與傳各自爲編。《七錄》別有此一本。《唐·經籍志》：《周易》十卷，馬融章句。《唐·藝文志》：《周易》馬融章句十卷。

歷城馬國翰輯本序曰："《周易》馬氏傳，宋、元以來無傳，茲就《釋文》、《正義》、《集解》三書所引，并他書間見者，輯錄爲三卷。"又有張惠言《易義別錄》、平湖孫堂《漢魏廿一家易注》輯本各一卷。

荀爽　周易傳十一卷

范書《荀淑傳》：淑，潁川潁陰人，荀卿十一世孫也。有子八人：儉、緄、靖、燾、汪、爽、肅、專，並有名稱，時人稱之"八龍"。爽字慈明。一名諝，幼而好學，耽思經書，慶弔不行，徵命不應。延熹九年，太常趙典舉爽至孝，拜郎中。對策陳便宜，奏聞，卽棄官去。後遭黨錮，隱於海上，又南遁漢濱，積十餘年，以著述爲事，遂稱爲碩儒。黨禁解，五府並辟，司空袁逢舉有道，不應。獻帝卽位，董卓復徵之。爽欲遁命，吏持之急，不得去，因後就拜平原相。行至苑陵，復追爲光祿勳。視事三日，進拜司空。爽自被徵命及登台司，九十五日。因從遷都長安。爽見董卓忍暴滋甚，必危社稷，其所辟舉皆取才略之士，將共圖之，亦與司徒王允及卓長史何顒等爲內謀。會病薨，年三十六。著《禮》、《易傳》。本紀：獻帝初平元年夏五月，司空荀爽薨。

又《儒林傳》曰："其後馬融亦爲其傳。融授鄭玄，玄作《易注》，荀爽又作《易傳》，自是《費氏》興，而《京氏》遂衰。"

荀悅《漢紀》曰："臣悅叔父故司空爽，著《易傳》，據爻象承應陰陽變化之義，以十篇之文解說經意。由是兗、豫之言《易》者，咸傳荀氏學。"

《吳志·虞翻傳》注：翻上奏曰："經之大者，莫過於《易》。自漢初以來，海內英才，其讀《易》者，解之率少。至孝靈之際，潁川荀諝號爲知《易》，臣得其注，有愈俗儒，至於說西南得朋，東北傷朋，顛倒反逆，了不可知。孔子歎《易》曰：'知變化之道者，其知神之所爲乎！'以美大衍四象之作，而上爲章首，尤可怪笑。又南郡太守馬融，名有俊才，其所解釋，復不及諝。"

王應麟《漢志考證》曰："秦漢之際，《易》亡《說卦》。宣帝時，河內女子發老屋得之。後漢荀爽《集解》，又得八卦逸象三十有一。"

《釋文·敘錄》：潁川荀爽爲《易言》。又曰："荀爽注十卷，《七錄》云十一卷。"《隋書·經籍志》：《周易》十一卷，漢司空荀爽注。《唐·經籍志》：《周易》十卷，荀爽章句。《藝文志》：《周易》荀爽章句十卷。

張惠言《易義別錄》曰："荀爽亦注《費氏易》者，其義又特異。"

馬國翰輯本序曰："惠氏棟《易漢學》列荀慈明一家，而佚文不具載。張氏惠言輯荀氏九家，佚文具載，而雜入九家中。今特別出爲三卷。鄒湛曰：《易》箕子之明夷，荀爽訓箕爲荄，詁子爲滋，漫衍無經，不可致詰。程迥曰：荀爽於《說卦》添物象以足卦爻。查元章謂不須添，添亦不盡。不知箕子之義，取蜀趙賓傳孟喜之說也。八卦逸象，《費氏》古文有之，三家敓佚耳。荀傳費學，參用《孟氏》，正其篤古之深，非有所失。況陰陽升降，洞見本原。[①] 虞仲翔謂馬融解釋復不及之，亦何可詆訾耶？"又有孫氏《漢魏易注》輯本一卷。荀氏添說卦物象凡三十一，在九家《易》解中，今見《釋文》。

鄭玄　周易注十二卷

范書本傳：玄字康成，北海高密人也。少爲鄉嗇夫，不樂爲吏，遂造太學受業，師事京兆第五元先，始通《京氏易》、《公羊春秋》、《三統曆》、《九章算術》。又從東郡張恭祖受《周官》、《禮記》、《左氏春秋》、《韓詩》、《古文尚書》。以山東無足問者，迺西入關，因涿郡盧植，事扶風馬融。游學十餘年，歸鄉里。嘗以書戒子益恩曰："吾坐黨禁錮十有四年，而蒙赦令，舉賢良方正有道，辟大將軍三司府，公車再召。吾自忖度，無任於此，但念述先聖之元意，思整百家之不齊，亦庶幾以竭吾才。"時大將軍袁紹總兵冀州，舉玄茂才，表爲左中郎將，皆不就。公車徵爲大司農，給安車一乘。玄迺以病自乞還家。建安五年春，寢疾。時袁、曹相距於官渡，紹令其子譚遣使逼玄隨軍，不得已，載病到元城縣，疾篤不進，其年六月卒，年七十四。《魏志·袁紹傳》注：《英雄記》載太祖作《董卓歌》，辭云："德行不虧缺，變故自難常，鄭康成行酒，伏地氣絕，郭景圖命盡於園桑。"如此之文，則玄無病而卒。餘書

---

①　"原"，原作"學"，據《二十五史補編》本（以下稱《補編》本）及清光緒長沙刻本《玉函山房輯佚書》改。

不見,故載錄之。凡玄所注《周易》、《尚書》、《毛詩》、《儀禮》、《禮記》、《論語》、《孝經》、《尚書大傳》、《中候》、《乾象曆》。玄經傳洽孰,稱爲純儒,齊、魯閒宗之。

又《儒林傳》曰:"陳元、鄭眾皆傳《費氏易》。其後馬融亦爲其傳,融授鄭玄,玄作《易注》。"

《魏志·高貴鄉公紀》:帝幸太學,問諸儒曰:"孔子作彖、象,鄭玄作注。今彖、象不與經文相連而注連之,何也?"《易》博士淳于俊對曰:"鄭玄合彖、象於經,欲使學者尋省易了也。"

《釋文·敘錄》:《周易》鄭玄注十卷,《錄》一卷。《七錄》云十二卷。《隋書·經籍志》:《周易》九卷,後漢大司農鄭玄注。《唐·經籍志》:《周易》九卷,鄭玄注。《唐·藝文志》:鄭玄注《周易》十卷。《宋史·藝文志》:鄭玄《周易文言注義》一卷。

《崇文總目》曰:《周易》一卷,鄭康成注。今惟《文言》、《說卦》、《序卦》、《雜卦》合四篇,餘皆逸。指趣淵確,本去聖之未遠。

張惠言《易義別錄》曰:"鄭《易》之於馬,猶《詩》之於毛。今馬《傳》既亡,所見僅訓詁碎義。就其一隅而返之,大抵以乾坤十二爻論消息,以人道政治議卦爻,此鄭所本於馬也。馬於象疏,鄭合之以爻辰。馬於人事雜,鄭約之以《周禮》,此鄭所以精於馬也。"遵義鄭珍《鄭學錄》曰:"康成自敘:爲袁譚所逼,來至元城,乃著《周易》。珍按著即注也。康成是年春已寢疾,至季夏遂卒,其在元城多不過四五月,而九卷《易注》成於病中。以知精力過人,臨死不衰如此。"又《年譜》曰:"建安五年,至元城,注《周易》,畢。知病不起,作自序。"

　按鄭氏《易》,今存宋王應麟輯本一卷,明姚士粦補輯二十五條,國朝惠棟輯本三卷,孫堂輯本一卷,臧鏞堂輯本九卷,丁杰、張惠言輯本十二卷。又按《周易正義》云:"鄭玄作《易贊》、《易論》。"《詩譜序》疏曰:"《易》有《序卦》,《書》有孔子作序,故鄭避之,謂之爲贊。贊,明也。明己爲注之意。"《鄭學錄》曰:"《易贊》、《書贊》,止是《易》、《書》注一序耳,非別一種。"按《易論》論《易》互體,或亦是《易贊》中一篇,或編入《六藝論》及本集,今不別出。

劉表　周易章句九卷　錄一卷

范書本傳:表字景升,山陽高平人,魯恭王之後也。黨禁解,辟大將軍何進掾。初平元年,長沙太守孫堅殺荆州刺史王叡,詔書以表爲荆州刺史。表遂理兵襄陽,以觀時變。及李催等入長安,冬,表遣使奉貢。催以表鎮南將軍、荆州牧,封成武侯。《釋文》云南城侯。建安十三年,曹操自將征表,未至,表疽發背卒。

《魏志》本傳注:謝承書曰:"表受學於同郡王暢。"《漢末英雄記》曰:"州界群寇既盡,表乃開立學官,博求儒士,使綦毋闓、宋忠等撰立《五經章句》,謂之《後定》。"

《釋文·敘錄》:劉表《章句》五卷。《中經簿錄》云注《易》十卷。《七錄》云九卷,《錄》一卷。《隋書·經籍志》:《周易》五卷,漢荆州牧劉表章句。《唐·經籍志》:《周易》五卷,劉表注。《藝文志》:《周易》劉表注五卷。

張惠言《易義別錄》輯本序曰:"景升《章句》缺略難攷。案其義於鄭爲近,大要《費氏易》也。"

馬國翰輯本序曰:"《周易劉氏章句》,在隋、唐時已非完帙,今更散佚無傳,惟就《釋文》及《正義》、李氏《集解》、晁氏、呂氏《古易》所引,錄爲一卷。"又有孫氏《漢魏易注》輯本一卷。

宋衷　周易注十卷

陸德明曰:"宋衷字仲子,南陽章陵人,後漢荆州五等從事。"按五等似"五業"之譌。

蕭常《續後漢書》曰："宋忠者，字仲子，南陽人。其子與魏諷謀誅曹操，不克，父子俱遇害。"_{按其時建安二十四年也。}《蜀志·先主傳》注引孔衍《漢魏春秋》曰："劉琮乞降，不敢告備。備亦不知，久之乃覺，遣所親問琮。琮令宋忠詣備宣旨。是時曹公在宛，備乃大驚駭，謂忠曰：'卿諸人作事如此，不早相語，今禍至方告我，不亦大劇乎！'引刀向忠曰：'今斷卿頭不足以解忿，亦恥大丈夫臨別復殺卿輩。'遣忠去。"又《尹默傳》注云："宋仲子後在魏。"《魏略》曰："其子與魏諷謀反，伏誅。魏太子答王朗書曰：'嗟乎！宋忠無石子先機之明，老罹此禍。今雖欲願行滅親之誅，立純臣之節，尚可得耶？'梓潼李仁、尹默並從宋忠受古學，王肅從宋忠讀《太玄》。衷之事蹟，略可攷見者如此。

《吳志·虞翻傳》注：翻又上奏曰："若乃北海鄭玄，南陽宋忠，雖各立注，忠小差玄，而皆未得其門，難以示世。"

《釋文·敘錄》：宋衷注九卷，《七志》、《七錄》云十卷。《隋書·經籍志》：梁有漢荊州五業從事宋忠注《周易》十卷，亡。《唐·經籍志》：《周易》十卷，宋衷注。《藝文志》：《周易》宋衷注十卷。

元和惠棟《易漢學》曰："忠注'見羣龍'一節，獨勝諸儒。"

張惠言《易義別錄》輯本序曰："李鼎祚、史徵皆詳引之，則唐初未嘗亡者。今以殘文推之，仲子言乾升坤降、卦氣動靜，大抵出入荀氏。虞君以為差勝康成者，或以此。大要《費氏易》也。"

馬國翰輯本序曰："《周易》宋氏注，唐時尚有傳本，今久亡。猶幸《釋文》、《集解》引有餘節，輯為一卷。_{又有孫氏《漢魏易注》輯本一卷。}

右《費氏易》六家六部。

樊英　易章句

范書《方術傳》：樊英字季齊，南陽魯陽人也。少受業三輔，習《京氏易》，兼明五經。又善風角、星算、《河》《洛》七緯，推步災異。隱於壺山之陽，受業者四方而至。州郡前後禮請不應，公卿舉賢良方正、有道，皆不行。安帝初，徵爲博士。至建光元年，復詔公車賜策書，徵英，不至。永建二年，順帝策書備禮，玄纁徵之。英不得已，到京，稱病不肯起。使就太醫養疾，月致羊酒。至四年三月，天子乃爲英設壇席，令公車令導，尚書奉引，賜几杖，待以師傅之禮，延問得失。英不敢辭，拜五官中郎將。數月，英稱疾篤，詔以爲光祿大夫，賜告歸。初，英著《易章句》，世名樊氏學，以圖緯教授。潁川陳寔少從英學。年七十餘，卒於家。陳郡郃巡學傳英業。

陸績　周易述十三卷　錄一卷

范書《陸康傳》：康字季寧，吳郡吳人也。少子績，仕吳爲鬱林太守，博學善政，見稱當時。幼年曾謁袁術，懷橘墮地者也，有名稱。

《吳志》本傳：績字公紀，博學多識，星曆算數無不該覽。虞翻舊齒名盛，龐統荆州令士，年亦差長，皆與績友善。孫權統事，辟爲奏曹掾。以直道見憚，出爲鬱林太守，加偏將軍，給兵二千人。績既有躄疾，又意在儒雅，非其志也。雖有軍事，著述不廢，作《渾天圖》，注《易》釋《玄》，皆傳於世。豫自知亡日，乃爲辭曰：“有漢志士吳郡陸績，幼敦《詩》、《書》，長玩《禮》、《易》，受命南征，遘疾遇厄，遭命不幸，嗚呼悲隔！”年三十二卒。

《釋文·敘錄》：後漢偏將軍鬱林太守陸績述十三卷，《七志》云《錄》一卷。《隋書·經籍志》：《周易》十五卷，吳鬱林太守陸績注。《唐·經籍志》：《周易》十三卷，陸績注。《藝文志》：陸績注十三卷。

《四庫提要》曰：“陸氏《易解》一卷，吳陸績撰。原本散佚，明姚士粦采《釋文》、《集解》及績《京氏易傳注》，輯爲此本，凡一百五十條。昔宋王應麟輯鄭氏《易注》，爲學者所重。士粦此本，雖不及應麐蒐討之勤博，而掇拾殘賸，①存什一於千百，亦可以見陸氏《易注》之大略矣。”

張惠言《易義別錄》輯本序曰：“明姚士粦采《釋文》、《集解》，合以《京氏易傳》之注，爲《陸氏易解》一卷。今《四庫》本是也。《易傳注》，世有其書，_{按見子部五行家。}又不宜入《易注》。其所采闕謬甚多，今正而補之，因論其義，爲一卷。公紀注《京氏易傳》，則其《易》京氏也。余嘗以爲京氏既爲《易章句》，又別爲《易傳》、《飛候》之書，以謂《易》合萬象，不可執一隅。然則積算之法，殆不用之。《章句》以《易傳》、《飛候》求《易》者，爲京氏者之末，失也。今觀公紀所述，凡納甲、六親、九族、四氣、刑德、生尅，未嘗一言及之。至言六爻，發揮旁通卦爻之變，有與孟氏相出入者。京氏自言其《易》卽孟氏學，公紀儻得之耶？《京氏章句》既亡，由公紀之說，京氏之大恉庶幾見之。公紀以少年與仲翔爲友，觀其書，亦幾欲與荀、虞頡頏矣。”又曰：“余嘗善陸績治《易》京氏，而其言純粹，與干寶絕不相類。”又有孫氏《漢魏易注》輯本一卷，馬氏玉函山房輯本三卷。

陸績　周易日月變例六卷

《隋書·經籍志》：梁有《周易日月變例》六卷，虞翻、陸績撰，亡。

張惠言《易義別錄》曰：“《隋·經籍志》云績又與虞翻同撰《日月變例》六卷。”

　　按陸公紀自稱“有漢志士”，其卒時必在建安中。《釋文》固稱爲漢人矣。

　　右《京氏易》二家三部。

---

①　“拾”，原脫，據《補編》本及中華書局 1965 年影印清浙刻本《四庫全書總目》補。

袁太伯　易章句

王充《論衡·案書篇》曰："東番鄒伯奇、臨淮袁太伯、袁文術、會稽吳君高、周長生之輩,位雖不至公卿,誠能知之囊橐文雅之英雄也。觀伯奇之《玄思》,太伯之《易章句》,文術之《箴銘》,君高之《越紐錄》,長生之《洞曆》,劉子政、楊子雲不能過也。"

馮顥　易章句

《華陽國志》:馮顥字叔宰,廣漢郪人也。少師事楊仲桓及蜀郡張光超,後又事東平虞叔雅。初爲謁者、成都令,遷越嶲太守。所在著稱,爲梁冀所不善。風州追之。隱居,作《易章句》,修黃老,恬然終日。

范書《西南夷傳》:邛都夷者,武帝所開。元鼎六年,以爲越嶲郡。後順、桓閒,廣漢馮顥爲太守,政化尤多異跡云。

右不知主何家,二家二部。

右易類,凡五門,綜一十三家一十四部。

孝明皇帝　五家要說章句

袁山松書曰:"明帝諱陽,一名莊,字子麗。"後漢諸史,今有《東觀記》、謝承書、薛瑩書、司馬彪書、華嶠書、謝沈書、袁山松書、張璠書輯本,并攟摭該備,考訂詳實。凡所采引,但著姓名,不復詳其所出。

范書本紀:帝十歲能通《春秋》,光武奇之。建武十九年,立爲皇太子,師事博士桓榮,學通《尚書》。又永平二年冬十月壬子,詔曰:"五更桓榮,授朕《尚書》。"

《東觀記》本紀曰:"治《尚書》,備師法,兼通九經,略舉大義,博觀羣書,以助術學,無所不昭。"

又《桓郁傳》曰:"上自制《五家要說章句》,令郁校定於宣明殿。上謂郁曰:'卿經及先師致復文雅。'其冬,按永平十四年也。上親於辟雍自講所制《五行章句》已,稯令郁説一篇。上謂郁曰：‘我爲孔子，卿爲子夏，起予者商也。’”

又《樊準傳》：準上疏曰：“孝明皇帝尤垂情古典，游意經藝，刪定乖疑，稽合圖讖，封師太常桓榮爲關內侯，親自制作《五行章句》。每享射禮畢，正坐自講，諸儒並聽，四方欣欣。是時學者大盛，冠帶搢紳游辟雍觀化者億萬計。”

華嶠書曰：“帝自制《五行章句》。”

范書《桓郁傳》：帝自制《五家要說章句》。章懷太子注曰：“此言五家，卽謂五行之家也。”

侯《志》曰：“此書未知宜何屬。以明帝從桓榮受《尚書》，又《尚書》有鴻範五行之學，故入書部。”

　按樊準疏言刪定乖疑，稽合圖讖，則碻爲五行傳記之書。漢以來爲此學者，伏生以下有夏侯始昌、夏侯勝、許商、劉向、劉歆諸人。似刪諸家之要，傅以圖讖，而又爲之章句歟？

桓君大太常章句
桓君小太常章句

范書本傳：桓榮字春卿，沛郡龍亢人也。少學長安，習《歐陽尚書》，事博士九江朱普。建武十九年，年六十餘，始辟大司徒府。時顯宗始立爲皇太子，選求明經，乃召榮，令說《尚書》，甚善之。拜議郎，入使授太子，爲歐陽博士。二十八年，以爲太子少傅。三十年，拜爲太常。顯宗卽位，拜爲五更，封關內侯。子郁，字仲恩，傳父業。永元四年，代丁鴻爲太常。明年卒。初，榮受朱普學章句四十萬言，浮辭繁長，多過其實。及榮入授顯宗，減爲二十三萬言。郁復刪省定成十二萬言。由是有桓君大小太常章句。

又《儒林傳》曰：“中興，沛國桓榮習《歐陽尚書》。榮世習相傳授，東京最盛。”按本傳，榮子郁，郁中子焉，能世傳其家學。焉孫典，復傳其家業。傳論曰：“自榮至典，世宗其道，父子兄弟，代作帝師。受其業者，皆至卿相，顯於當世。”

又《楊賜傳》：建寧初，靈帝當受學，詔太傅、三公選通《尚書》桓君章句宿有重名者，三公舉賜，乃侍講於華光殿中。

牟長　尚書章句

范書《儒林傳》：牟長字君高，樂安臨濟人也。少習《歐陽尚書》，不仕王莽。建武二年，大司空弘特辟，拜博士，稍遷河內太守，坐墾田不實免。著《尚書章句》，皆本之歐陽氏，俗號爲《牟氏章句》。徵爲中散大夫，賜告一歲，卒於家。

張奐　減定牟氏章句

范書本傳：奐字然明，敦煌酒泉人也。以功內徙屬弘農華陰，故始爲弘農人。奐少游三輔，師事太尉朱寵，學《歐陽尚書》。初，《牟氏章句》浮辭繁多，有四十五萬餘言，奐減爲九萬言。後辟大將軍梁冀府，乃上書桓帝，奏其《章句》，詔下東觀。以疾去官，復舉賢良，擢拜議郎。永壽元年，遷安定屬國都尉。延熹中，爲度遼將軍。建寧元年，爲少府，拜大司農，轉太常。宦官陷以黨罪，禁錮歸田里。光和四年卒，年七十八。

按奐傳云《牟氏章句》浮辭繁多，章懷注云“時牟卿受《書》於張堪，爲博士，故有《牟氏章句》”，以爲前漢之牟卿，《經義考》遂據以著錄。按牟卿習《大夏侯尚書》，見《漢·儒林傳》，亦不言其有章句。此牟長及奐並是歐陽家學，范書《儒林傳》云俗號《牟氏章句》，蓋自桓氏大小太常刪定之後，世俗別有此一家之學。奐所減定者，實牟長書，非牟卿書，章懷此注誤也。

張奐　尚書記難

范書本傳：時禁錮者多不能守靜，或死或徙。奐閉門不出，養徒千人，著《尚書記難》三十餘萬言。

按史言"養徒千人，著《尚書記難》"者，即記此徒眾問難，筆
之於書，黨禁時作也。

右《歐陽尚書》學五家六部。

周防　尚書雜記三十二篇

范書《儒林傳》：周防字偉公，汝南汝陽人也。年十六，仕郡小
吏。世祖巡狩汝南，召掾史試經，防尤能誦讀，拜爲守丞。防
以未冠，謁，去。師事徐州刺史蓋豫，受《古文尚書》。經明，
舉孝廉，拜郎中。撰《尚書雜記》三十二篇，四十萬言。太尉
張禹薦補博士，稍遷陳留太守，坐法免。年七十八，卒於家。

秀水朱彝尊《經義考》曰："東漢爲《古文尚書》者，不一家，有
蓋豫所傳，有杜林所得。初不本於孔安國，而孔穎達《正義》
謬稱孔所傳者。賈逵、馬融等皆是世儒，不察見古文字，即以
爲安國所傳，亦讝疏甚矣。"又曰："馬、鄭所注，實依杜林漆書
古文。"

衛宏　古文尚書訓旨

范書《儒林傳》：衛宏字敬仲，東海人也。少與河南鄭興俱好
古學。後從大司空杜林更受《古文尚書》，爲作《訓旨》。光武
以爲議郎。

又《杜林傳》曰："河南鄭興、東海衛宏等皆長於古學。興嘗師
事劉歆，林既遇之，欣然言曰：'林得興等固諧矣，使宏得林，
且有以益之。'及宏見林，闇然而服。"

張懷瓘《書斷》曰："衛密字次仲，東海人。官至給事中。修古
學，善屬文，作《尚書訓指》，師於杜林。後之學古文者，皆祖
杜林、衛密也。"惠棟《後漢書補注》云："《書斷》曰'宏官至給事中'，按許沖《上
說文表》稱'給事中議郎衛宏'，《書斷》所據本此。又宏作密，敬仲作次仲，與諸書
並異。"

臨海洪頤煊《讀書叢錄》曰："《說文》馞字注引衛宏說，《史

記·五帝本紀》集解引衛宏云‘摰立九年，而唐侯德盛，因禪位焉’，皆《古文尚書》說。"按《說文》用字注亦引衛宏說。

侯《志》曰："《前漢書·儒林傳》注引衛宏定《古文尚書》序文，《酒誥》釋文引‘衛、賈以成王爲戒成康叔以慎酒，成就人之道也，故曰成’，亦此書中語。"

徐巡　古文尚書說

范書《杜林傳》：濟南徐巡，始師事衛宏，後皆更受林學。林前於西州得漆書《古文尚書》一卷，常寶愛之，雖遭艱困，握持不離身。出以示宏等曰："林流離兵亂，常恐斯經將絕，何意東海衛子、濟南徐生復能傳之，是道竟不墜於地也。古文雖不合時務，然願諸生無悔所學。"宏、巡益重之，於是古文遂行。

又《儒林·衛宏傳》：宏後從杜林受《古文尚書》，爲作《訓旨》。時濟南徐巡師事宏，後從林受學，亦以儒顯。由是古學大興。

按徐巡與衛宏同受杜林《古文尚書》，史言宏有《訓旨》，而不言巡有書。按《說文·卤部》桌字下云："㮚，古文桌，從西從二卤。徐巡說木至西方戰桌。"又《阜部》云："陻，危也。從𨸏從毀省。徐巡以爲陻凶也。"此二字並見《尚書》，知當時徐氏、衛氏各有其書。許君左右采獲，杜伯山固言衛子、徐生復能傳之矣。《儒林傳》亦兼二人以爲說，《古文尚書》大興於世由此二人，似亦巡有書之一證。

賈逵　古文尚書訓

范書本傳：逵字景伯，扶風平陵人也。九世祖誼，文帝時梁王太傅。父徽，受《古文尚書》於塗惲。按《漢·儒林傳》及《釋文·敘錄》惲並作恽。逵傳父業，以《大夏侯尚書》教授。自爲兒童，常在太學，不通人閒事。顯宗時，拜爲郎，與班固並校祕書，應對左右。肅宗立，遷衛士令。和帝永元三年，以爲左中郎將。八年，復爲侍中，領騎都尉，兼領祕書近署。所著經傳義詁及論難百餘萬言，學者宗之，後世稱爲通儒。永元十三年卒，時年七十二。

又《儒林傳》：扶風杜林傳《古文尚書》，林同郡賈逵爲之作訓。

按《說文》犧、赴、迹、躇、謓、㮰、稽、囧、㬎、厄、豫、嬰、毒、陁、亞、曰、酏字下凡十七引賈侍中說，或由面質，或取是書。

賈逵　尚書古文同異三卷

范書本傳：蕭宗立，降意儒術，特好《古文尚書》。逵數爲帝言《古文尚書》與經傳《爾雅》詁訓相應，詔令撰《歐陽》、《大小夏侯尚書》、《古文》同異。逵集爲三卷，帝善之。

侯《志》曰：“《尚書·堯典》正義曰百篇次第，鄭依賈氏所奏《別錄》爲次。”又曰：“後漢初，賈逵奏《尚書》疏云：‘流爲烏。’《詩·齊風》正義曰：‘《洪範》稽疑論卜兆有五，曰圛。蓋古文作悌，今文作圛。賈以今文校之，定以爲圛。’及《商頌》疏引賈逵說五服，《五經異義》引賈逵說六宗，《魏志·高貴鄉公紀》引賈逵說‘若稽古’爲順考古道，《釋文》引賈逵說《酒誥》‘成王若曰’爲‘戒成康叔以慎酒，成就人之道，故曰成’。大約皆此書中語也。”

張楷　古文尚書注

范書《張霸傳》：霸，蜀郡成都人也。官侍中，卒，葬河南梁縣，因遂家焉。中子楷，字公超，通《嚴氏春秋》、《古文尚書》。司隸舉茂才，除長陵令，不之官。隱居弘農山，學者隨之，所居成市，後華陰山南遂有公超市。五府連辟，舉賢良方正，不就。漢安元年，順帝特下詔告河南尹以禮發遣，楷復告疾不到。性好道術，能作五里霧。時關西人裴優亦能爲三里霧。桓帝即位，優行霧作賊，事覺被考，引楷言從學術，坐繫廷尉詔獄，積二年，恆諷誦經籍，作《尚書注》。後以事無驗，見原還家。建和三年，詔安車備禮徵之，辭以篤疾，不行。年七十，終於家。

馬融　古文尚書傳十一卷　融始末見易類。

范書《儒林傳》：扶風杜林傳《古文尚書》，林同郡賈逵爲之作《訓》，馬融作《傳》。

《釋文·敘錄》：《古文尚書》馬融注十一卷。《隋書·經籍志》：《尚書》十一卷，馬融注。《唐·經籍志》：《古文尚書》十卷，馬融注。《藝文志》：馬融《傳》十卷。

《經義考》曰："馬氏《尚書注》本於杜林漆書，故多與今文異。其書唐初尚存，陸氏《釋文》采之。"

馬國翰輯本序曰："《尚書馬氏傳》，今佚。茲從《釋文》、《正義》、《史記集解》等采輯，分爲三卷。《正義》謂馬、鄭之徒，百篇之序爲一篇，《隋志》較《唐志》多·卷者，即《書序》也。更別輯錄，合爲四卷。"

侯《志》曰："馬《傳》，金谿王謨有輯本一卷，然尚多遺漏。"

劉陶　中文尚書

范書本傳：陶字子奇，一名偉，潁川定陰人，濟北貞王勃之後。游太學，舉孝廉，除順陽長。以病免。陶明《尚書》、《春秋》，爲之訓詁。推三家《尚書》及古文，是正文字三百餘事，名曰《中文尚書》。拜侍御史。靈帝時，封中陵鄉侯，拜侍中諫議大夫。上疏言天下大亂，皆由宦官。宦官事急，共讒陶與賊通情，收下黃門北寺獄，掠按日急。遂閉氣而死。本紀：靈帝中平二年冬十月，前司徒陳耽、諫議大夫劉陶坐直言下獄，死。

張懷瓘《書斷》曰："後漢杜北山嘗於西河得漆書《古文尚書》一卷。靈帝時，劉陶刪定古文、今文《尚書》，號《中文尚書》，以北山本爲正。陶亦工古文。"

惠棟《後漢書補注》曰："俗本作三百餘事，北宋本作七百餘事。《藝文志》曰：'劉向以中古文校三家經文，文字異者七百有餘。'葢古文與今文異者，本有此數，故陶從而是正也。"

侯《志》曰："《玉海·藝文》引陶《傳》，亦作七百。"

荀爽　尚書正經 <small>爽始末見易類。</small>

范書本傳：著《禮》、《易傳》、《詩傳》、《尚書正經》。

王應麟《玉海·藝文》曰："《尚書正經》，荀爽著。"

盧植　尚書章句

范書本傳：植字子幹，涿郡涿人也。少與鄭玄俱事馬融，能通古今，學好研精而不守章句。建寧中，徵爲博士。熹平四年，拜九江太守，以疾去官。作《尚書章句》。拜盧江太守。歲餘，徵爲議郎，與諫議大夫馬日磾、議郎蔡邕、楊彪、韓說等並在東觀，校中書五經傳記，補續《漢紀》。轉爲侍中，遷尚書。中平元年，拜北中郎將。後復爲尚書。董卓免植官，遂隱於山谷，不交人事。冀州牧袁紹請爲軍師。初平三年卒。

司馬彪書曰："植以老病去位，隱於上谷軍都山。"

鄭玄　古文尚書注九卷 <small>玄始末見易類。</small>

范書《儒林傳》：扶風杜林傳《古文尚書》，林同郡賈逵爲之作訓，馬融作傳，鄭玄注解。由是《古文尚書》遂顯於世。<small>《釋文》、《隋志》引並同。</small>

《釋文·敘錄》：《古文尚書》鄭玄注九卷。《隋書·經籍志》：《尚書》九卷，鄭玄注。《唐·經籍志》：《古文尚書》九卷，鄭玄注。《藝文志》：鄭玄注《古文尚書》九卷。

《鄭學錄》曰："唐陸元朗撰《釋文》，孔沖遠撰《正義》，皆偏孔傳爲主，鄭注由是寖亡。宋末王應麟采輯爲一卷。"

侯《志》曰："虞翻奏鄭注《尚書》違失四事，近王鳴盛、江聲、孫星衍、汪家禧、方觀旭、方廷瑚、趙坦皆申鄭難虞。"<small>按虞奏見《吳志》本傳注引《翻別傳》。</small>

又曰："《書·堯典》正義云：'鄭玄於伏生二十九篇之內分出

《盤庚》二篇、《康王之誥》，又《泰誓》三篇，爲三十四篇。更增僞書二十四篇，爲五十八。'按鄭所增益者，乃真古文，非張霸僞《書》。孔《疏》誤。鄭雖增此二十四篇，而作注則仍止三十四篇。馬季長所謂逸十六篇，絕無師說。十六篇卽二十四篇，蓋合《九共》九篇爲一也。故馬、鄭諸儒皆不注之也。"

又曰："王氏鄭注輯本，孫頤谷疑惠定宇託名，非深寧氏所輯。又《隋志》、《釋文》皆有鄭氏《尚書音》，然《釋文》云漢人不作音，後人所託。又《經義考》有康成《書贊攷》，《書序》正義云：'鄭玄避序名，故謂之贊。'則《書贊》非別一書。《書疏》又引康成《書論》，蓋皆在《書注》九卷之中。按《書論》或當在《六藝論》中。無容別出，故皆不著錄。"

曲阜孔廣林輯本序曰："王氏所采遺漏，因用其本爲主，而別取經疏史注、《水經注》諸書，蒐羅補綴，依鄭氏所訂三十四篇舊第，并《書序》爲九卷。而以《書贊》數條別爲一卷，附於後。"又羅江李調元《函海》中亦有鄭注輯本十卷。

鄭玄　尚書大傳注三卷

《玉海》三十七引《中興書目》鄭康成曰："伏生至孝文時，年且百歲，歐陽生、張生從學也。伏生終後，數子各論所聞，以己意彌縫其闕，而別作章句。又特撰其大義，因經屬指，名之曰傳。"劉子政校中書，奏此目錄，凡四十一篇。至康成始詮次爲八十三篇。按此疑《崇文總目》舊文，《中興目》鈔入之。

《隋書·經籍志》：《尚書大傳》三卷，鄭玄注。唐日本國人佐世《見在書目》著錄同。《宋史·藝文志》：伏勝《尚書大傳》三卷，鄭玄注。

《鄭學錄》曰："《尚書大傳注》，宋、元閒尚存，至明無見之者。《經義攷》已云佚。乾隆閒盧運使見曾於吳中得舊藏本，凡四卷，乃後人鈔撮而成，非復隋、唐完編書。唯《五行傳》首末具在。盧學士文弨作《攷異》、《補異》各一卷，行於世。"

　　右《古文尚書》學一十家一十二部。鄭氏《尚書大傳注》，非在古文之列。今并附之，不復分析。

王粲　尚書問二卷

　　《魏志》本傳：粲字仲宣，山陽高平人也。曾祖父龔，祖父暢，皆爲漢三公。父謙，爲大將軍何進長史。獻帝西遷，粲徙長安。年十七，司徒辟，詔除黃門侍郎，以西京擾亂，皆不就。乃之荆州依劉表。表以粲貌寢而體弱通侻，不甚重也。表卒，粲勸表子琮，令歸太祖。太祖辟爲丞相掾，賜爵關內侯。遷軍謀祭酒。魏國既建，拜侍中。建安二十一年，從征吳。二十二年春，道病卒，時年四十一。《文選·王仲宣誄》云："建安二十二年正月二十四日戊申，魏故侍中關內侯王君卒。"

　　《舊唐書·元行沖傳》：行沖著《釋疑論》曰："王粲稱伊、雒以東，淮、海以北，康成一人而已，莫不宗焉。咸云先儒多闕，鄭氏道備。粲竊歎怪，因求其學，得《尚書注》。退而思之，以盡其意，意皆盡矣。所疑之者，猶未喻焉。凡有二卷，列於其集。"

　　按元行沖言此二卷嘗編入本集，其後鄭氏弟子田瓊、韓益有《釋問》四卷，見《隋》、《唐志》，即爲此書而作。今入《三國藝文志》。

　　右不知主何學，一家一部。

右書類，凡三門，綜一十六家一十九部。　侯《志》有《尚書義問》三卷，乃晉人所編。今不錄。

伏黯　改定齊詩章句
伏黯　齊詩解說九篇

　　范書《儒林·伏恭傳》：恭，琅邪東武人，司徒湛之兄子也。湛弟黯，字稚文，以明《齊詩》，改定章句，作《解說》九篇。位至光祿勳。無子,以恭爲後。按黯,伏生九世孫也。

吳陸璣《詩疏》曰:"后蒼爲博士,授諫大夫翼奉、丞相匡衡,衡授大司空師丹、高密太傅伏理,由是《齊詩》有翼、匡、師、伏之學。其後伏黯傳理家學,改定章句,作《解說》九篇,以授嗣子恭。"

伏恭　減定齊詩章句

范書《儒林傳》:恭字叔齊,少傳黯學,以任爲郎。建武四年,除劇令。舉尤異,太常試經第一,拜博士,遷常山太守。敦修學校,教授不輟,由是北州人多爲伏氏學。永平二年,代梁松爲太僕。四年,拜司空。初,父黯《章句》繁多,恭乃省減浮辭,定爲二十萬言。在位九年,以病乞骸骨罷。建初二年冬,肅宗行饗禮,以恭爲三老。年九十。元和元年卒。

陸璣《詩疏》曰:"伏黯傳理家學,改定章句,以授嗣子恭。恭刪黯章句,定爲二十萬言。"

按伏氏世系伏生,八世理,九世湛,湛弟黯,黯子恭,十世隆,十三世無忌,十五世完。自伏生後,世傳經學。而《齊詩》章句自伏理至此,凡三定其本。

景鸞　詩解文句　鸞始末見易類。

范書《儒林傳》:能理《齊詩》,作《詩解文句》。

陸璣《詩疏》曰:"又蜀郡任末、廣漢景鸞皆以明習《齊詩》教授,著述而卒。"

按文句卽章句之異名。《隋志》禮家有皇侃《喪服文句義疏》十卷,此其證也。此殆彙眾家《詩》解而爲之章句歟?侯《志》據《經義考》題作《齊詩解》,以"文句"二字屬下讀。今考本傳云:"作《易說》及《詩解》,文字兼取《河》、《洛》,以類相從,名爲《交集》。"《華陽國志》云:"撰《禮略》、《河洛交集》。"則《河洛交集》別爲一書,此書名《詩解文句》審矣。

右《齊詩》學三家四部。

侯苞　韓詩翼要十卷

《隋書·經籍志》：《韓詩翼要》十卷，漢侯苞傳。《唐·經籍志》：《韓詩翼要》十卷，卜商撰。按此題卜商，誤。《藝文志》：《韓詩翼要》十卷。不著撰人。

侯《志》曰：“侯氏說見於《正義》者，《斯干》詩、《白華》詩、《江漢》詩、《抑》詩。又《隋書·禮樂志》云：‘牛弘修皇后房內之樂，據毛萇、侯苞、孫毓故事，皆有鍾聲。’”

馬國翰輯本序曰：“苞，不詳何人。今唯從《正義》及陳暘《樂書》輯錄四節。其說衣裼弄瓦，與毛《傳》合，意其以毛通韓，摘論節訓，故以‘翼要’爲名歟？”又王氏《漢魏遺書鈔》亦輯存數條。

按王謨輯本《敘錄》云：“今本《隋志》作侯苞，則是書或題侯苞，或題侯芭，自來不一。考《漢書·楊雄傳》云：‘鉅鹿侯芭，常從雄居，受其《太玄》、《法言》焉。’《七錄》儒家有侯苞注《法言》六卷，而《文選·王元長詩》注引侯芭《法言注》。按《法言注》實侯芭撰，而《七錄》作侯苞，《選》注又以芭爲巴。苞與芭形聲相近，非別爲一人，即楊雄弟子，鉅鹿人也。《論衡·按書篇》曰：‘子雲作《太玄》，侯鋪子隨而宣之。’則其字鋪子。唐王涯《說玄》又稱鉅鹿侯芭子常，則又字子常。由是知《楊雄傳》芭下敓子字。其原文則云：‘而鉅鹿侯芭子常，從雄居。’下文王邑、嚴尤謂桓譚曰：‘子常稱楊雄書，豈能傳於後世乎？’此稱子常，即謂侯芭，非稱桓譚。芭不知卒於何時，或當在中興之後。《經義考》列後漢之末，又作侯包，非是。”

薛漢　韓詩章句

范書《儒林傳》：漢字公子，淮陽人也。世習《韓詩》，父子以章句著名。漢少傳父業，教授常數百人。建武初，爲博士。當

世言《詩》者，推漢爲長。永平中，爲千乘太守。後坐楚事辭
相連，下獄死。弟子犍爲杜撫、會稽澹臺敬伯、鉅鹿韓伯高最
知名。

《隋書·經籍志》：《韓詩》二十二卷，漢常山太傅韓嬰，薛氏章
句。此或合薛氏父子之書以爲一編。

惠棟《後漢書補注》："《唐·世系》曰：'薛廣德生饒，長沙太
守。饒生願，爲淮陽太守，因徙居焉。生方丘，字夫子。方丘
生漢。'《經籍志》曰：'《韓詩》二十二卷，薛氏章句。'棟按唐人
所引《韓詩》，其稱薛君者，漢也。稱薛夫子者，乃方丘也。故
《馮衍傳》注有《薛夫子章句》，是也。傳不載漢父名字。後人
以《章句》專屬諸漢，[①]失之。"按《薛夫子章句》，今錄入《漢志拾補》中。

侯《志》曰："馮衍傳注引《薛夫子章句》，亦見《明帝本紀》注，
而引作薛君，則凡稱薛君者，亦有薛夫子說矣。"

馬國翰輯本序曰："《薛君章句》久佚，宋王應麟《詩考》輯附
《韓詩》，而尚多漏略。茲更補輯，別爲二卷。"

　按《唐書·世系表》，漢爲御史大夫薛廣德之孫。廣德治
《魯詩》，而漢亦傳《魯詩》。區大任《百越先賢志》云："澹臺
敬伯受韋氏《詩》於淮陽薛漢。"韋氏《詩》者，丞相韋賢治
《魯詩》，爲韋氏學，此其證也。范書但謂漢世習《韓詩》，未
爲詳盡。漢蓋家世《魯詩》，兼習《韓詩》者也。

杜撫　韓詩章句

范書《儒林傳》：撫字和叔，犍爲武陽人也。少有高才，受業於
薛漢，定《韓詩章句》。後歸鄉里教授，弟子千餘人。後爲驃
騎將軍東平王蒼所辟，及蒼就國，掾史悉補王官屬，未滿歲，
皆自劾歸。時撫爲大夫，不忍去，蒼賜車馬財物遣之。辟太

---

① "漢"，原作"侯"，據《補編》本及《粵雅堂叢書》本《後漢書補注》改。

尉府。建初中，爲公車令，數月卒官。

　　按此是杜氏刪定薛漢本以授其弟子者，馬竹吾謂卽薛君《章句》。侯《志》亦不別著錄。然薛氏父子既以章句著名，則亦自有其書。漢人能自立成一家，往往有書以名其學，此類是已，故別出之。

杜撫　詩題約義通

范書《儒林傳》：其所作《詩題約義通》，學者傳之，曰《杜君注》云。一本注作"法"。按作"法"者是也。

惠棟《後漢書補注》：《華陽國志》曰："撫，資中人。治五經。數應三公徵，撫侍送故公。作《詩通議說》。"案文當云其所作詩題曰通議也。

侯《志》曰："《華陽國志》作《詩通議說》，名似較順，然陸璣先於常璩，其稱名已同范史矣。"按陸氏《詩疏》云："所作《詩題約義通》，學者傳之，曰《杜君注》。"與范書無少差異。

趙曄　詩細

范書《儒林傳》：趙曄字長君，會稽山陰人也。少嘗爲縣吏，奉檄迎督郵，曄恥於廝役，遂棄車馬去。到犍爲資中，詣杜撫受《韓詩》，究竟其術。積二十年，絕問不還，家爲發喪制服。曄卒業乃歸。州召補從事，不就。舉有道。卒於家。曄著《詩細》、《歷神淵》。蔡邕至會稽，讀《詩細》而歎息，以爲長於《論衡》。邕還京師，傳之，學者咸誦習焉。按王充《論衡》，亦蔡中郎至會稽所得，傳之京師，故其言如此。

惠棟《後漢書補注》：《會稽典錄》曰："撫嘉其精力，盡以其道授之。撫卒，曄經營葬之，然後歸。"

《冊府元龜》學較部注釋類：趙曄撰《詩道微》十一篇。

　　按《詩道微》似卽《詩細》之異名，其書凡十一篇，惟見《冊府元龜》。其所據必有本，今莫得而詳矣。

趙曄　韓詩譜二卷

《隋書·經籍志》：梁有《韓詩譜》二卷，漢有道徵士趙曄撰，亡。

《經義考》曰：“趙氏曄《詩細》，《七錄》作《詩譜》二卷，佚。”

　　按朱氏謂《詩譜》即《詩細》，恐不然。侯《志》亦別出之。

趙曄　歷神淵一卷

《隋書·經籍志》：梁有《詩神泉》一卷，漢有道徵士趙曄撰，亡。《吳志·虞翻傳》注：《會稽典錄》曰：“初平末年，翻爲會稽太守王朗功曹，對王府君曰：‘有道山陰趙曄、徵士上虞王充，各洪才淵懿，學究道源，著書垂藻，駱驛百篇，釋經傳之宿疑，解當世之槃結，或上窮陰陽之奧祕，下據人情之歸極。’”

惠棟《後漢書補注》：“《經籍志》曰梁有《詩神泉》一卷，以歷言《詩》，猶《詩緯》之《汎歷樞》也。”

張匡　韓詩章句

范書《儒林·趙曄傳》：時山陰張匡，字文通，亦習《韓詩》，作章句。後舉有道，博士徵，不就，卒於家。

《冊府元龜》學較部注釋類：張正習《韓詩》，作章句。宋諱匡，故曰正。猶唐諱淵，改爲泉。

右《韓詩》學五家八部。

謝曼卿　毛詩訓

范書《儒林·衛宏傳》：初，九江謝曼卿善《毛詩》，乃爲其訓。宏從曼卿受學。

《釋文·敘錄》：毛公授貫長卿，長卿授解延年，延年授徐敖，敖授九江陳俠。俠爲王莽講學大夫。或云：陳俠傳謝曼卿。元始五年，公車徵說《詩》。

《隋書·經籍志》曰：“後漢有九江謝曼卿，善《毛詩》，又爲之訓。”

侯《志》曰：“陸元朗稱曼卿元始五年公車徵，又賈徽、衛宏後漢初人，皆受學於曼卿，則曼卿似前漢人。而《隋志》稱爲後漢，或曾入光武時也。"

衛宏　毛詩序　<small>宏始末見書類。</small>

范書《儒林傳》：九江謝曼卿善《毛詩》。宏從曼卿受學，因作《毛詩序》，善得《風》、《雅》之旨，今傳於世。

《隋書·經籍志》曰："趙人毛萇善《詩》，自云子夏所傳，先儒相承謂《毛詩序》子夏所創，毛公及敬仲又加潤益。"

《經義考》曰："《詩》之有序，不特《毛傳》爲然，說《韓詩》、《魯詩》者亦莫不有序，而論者多謂序作於衛宏。夫《毛詩》雖後出，亦在漢武時。《詩》必有序而後可授受，《韓》、《魯》皆有序，《毛詩》豈獨無序，直至東漢之世，俟宏之序以爲序乎？"

鄭眾　毛詩傳　<small>眾始末見易類。</small>

范書《儒林傳》：中興後，鄭眾、賈逵傳《毛詩》。<small>陸璣《毛詩草木鳥獸蟲魚疏》、《釋文·敍錄》引並同。</small>

《隋書·經籍志》曰："後漢鄭眾、賈逵、馬融並作《毛詩傳》。"

侯《志》曰："范蔚宗、陸璣、陸德明皆但云鄭眾傳《毛詩》，不言作《傳》。惟《隋志》有作《傳》之文，而亦不著其書。疑誤也。今亦未敢臆斷，姑錄之。其說今絕無存，惟旁見《周禮·宰夫之職》注、《典瑞》注、《大司馬》注，與毛《傳》、鄭《箋》俱異。至如《序官》、《膳夫》注、《廞人》注、《射人》注、《隸僕》注、《小司寇》注，則固無異解也。"

按鄭眾本傳云作《春秋難記條例》，兼通《易》、《詩》，則《隋志》之言，不爲無據。其但見於序，而不著於錄者，則其書久亡。《七志》、《七錄》所不載，故亦無從記述。侯氏疑其誤，非也。

賈逵　毛詩傳　<small>逵始末見易類。</small>

范書本傳：逵父徽，學《毛詩》於謝曼卿。逵傳父業。又《儒林傳》曰：“中興後，鄭眾、賈逵傳《毛詩》。”

《隋書·經籍志》曰：“鄭眾、賈逵、馬融並作《毛詩傳》。”

侯《志》曰：“《風俗通·祀典篇》引賈逵說靈星之義，當是《絲衣篇》注解。”

賈逵　詩異同

范書本傳：建初中，詔令撰《尚書古文同異》，帝善之。復令撰《齊》、《魯》、《韓詩》與毛氏異同。八年，乃詔諸儒各選高才生，受《左氏》、《穀梁春秋》、《古文尚書》、《毛詩》，由是四經遂行於世。

賈逵　毛詩雜義難十卷

《隋書·經籍志》：梁有《毛詩雜議難》十卷，漢侍中賈逵撰，亡。《唐·經籍志》：《毛詩雜義難》十卷。《藝文志》同。並不著撰人。

按本傳，逵所著經傳義詁及論難百餘萬言，此即論難之一也。

馬融　毛詩傳十卷　融始末見易類。

范書《儒林傳》：中興後，鄭眾、賈逵傳《毛詩》，後馬融作《毛詩傳》。

《釋文·敘錄》：《毛詩》馬融注十卷，無下袠。《隋書·經籍志》：梁有《毛詩》十卷，馬融注，亡。按馬《傳》原編當與鄭《箋》同爲二十卷，此無下袠，故存十卷。

馬國翰輯本序曰：“《毛詩》馬氏傳，《唐志》以下不復著錄，唯《正義》及《釋文》引十一節，酈道元《水經·溼水》注引一節，佚說之存者僅此。案鄭康成受業於融，箋《詩》應本師說，《正義》、《釋文》所引，特著其與鄭義異者耳。”

荀爽　詩傳　爽始末見易類。

范書本傳：著《禮》、《易傳》、《詩傳》。

荀悅《漢紀》曰："臣悅叔父故司空爽。著《詩傳》，皆附正義，無他說。通人學者多好尚之。然希得立於學官也。"

按《太平御覽》五百八十六引顏延之《庭誥》曰："荀爽云：《詩》者，古之歌章。"似卽《詩傳》中語。本傳不言爽治誰家《詩》，證以《漢紀》"希得立於學官"之語，則其爲毛氏《詩》審矣。陸元朗云："根牟子傳趙人孫卿子，孫卿子傳魯人大毛公。"是毛氏傳荀氏學，慈明爲荀卿十二世孫，傳《毛詩》卽所以傳其家學也。

鄭玄　作毛詩箋二十卷　玄始末見易類。

范書《儒林傳》：中興後，鄭眾、賈逵傳《毛詩》，後馬融作《毛詩傳》，鄭玄作《毛詩箋》。

《釋文·敍錄》："《毛詩故訓傳》二十卷，鄭氏箋。"又曰："鄭玄作《毛詩箋》，申明毛義，難三家，於是三家遂廢矣。"

《隋書·經籍志》：《毛詩》二十卷，漢河間太守毛萇傳，鄭氏箋。《唐·經籍志》：《毛詩詁訓》二十卷，鄭玄箋。《藝文志》：鄭玄箋《毛詩訓詁》二十卷。《宋史·藝文志》：《毛詩》二十卷，毛萇爲詁訓傳，鄭玄箋。

《四庫提要》曰："今參稽眾說，定作傳者爲毛亨。《隋志》題毛萇，誤也。《漢志》：《毛詩》二十九卷。《隋志》附以鄭《箋》，作二十卷，疑爲康成所併。康成發明毛義，自命曰箋，按《說文》曰：'箋，表識書也。'《六藝論》云：'注《詩》宗毛爲主。毛義若隱略，則更表明。如有不同，卽下已意，使可識別。'然則康成特因《毛傳》而表識其旁，如今人之籤記，積而成帙，故謂之箋。無庸別曲說也。"

《鄭學錄》曰："《釋文》、《隋》、《唐志》二十卷，唐孔沖遠撰《傳箋正義》，分爲四十卷，今列於學官。"

鄭玄　毛詩譜一卷

《序》曰：“夷、厲以上歲數不明，太史《年表》自共和始。歷宣、幽、平王而得春秋次第，以立斯譜。欲知源流清濁之所處，則循其上下而省之。欲知風化芳臭氣澤之所及，則旁行而觀之。此《詩》之大綱也。舉一綱而萬目張，解一卷而眾篇明。於力則鮮，於思則寡，其諸君子亦有樂於是歟？”

《詩譜序》疏曰：“鄭於三《禮》、《論語》爲之作序，此譜亦是序類。避子夏序名，以其列諸侯世及《詩》之次，故名譜也。”

《釋文·敘錄》：鄭玄《詩譜》二卷，徐整暢，大叔裘隱。《隋書·經籍志》：《毛詩譜》二卷，太叔求及劉炫注。《日本國見在書目》：《毛詩譜序》一卷，鄭玄撰，大叔求撰。《唐·經籍志》：《毛詩譜》二卷，鄭玄撰。《藝文志》：鄭玄《毛詩譜》三卷。《宋·藝文志》：鄭玄《詩譜》三卷。

《鄭學錄》曰：“孔沖遠撰《詩正義》，以《譜》說散置《風》、《雅》、《頌》諸題下而條疏之，其旁行者無從載。以後傳本浸佚，故宋《崇文總目》無之。至慶曆間，歐陽永叔於絳州得一本，其文有注，而不見名字。又首尾殘缺，國譜悉顛倒錯亂，因取已所注《詩圖》十四篇，以補譜之亡者。凡補譜十五，補文字二百七，增損塗乙改正八百八十三，而鄭譜復完。今行世者，皆歐陽本也。”王氏《漢魏遺書》有輯本一卷。

劉楨　毛詩義問十卷

《魏志·王粲傳》：始文帝爲五官將，及平原侯植皆好文學。粲與東平劉楨字公幹並見友善，太祖辟爲丞相掾屬。楨以不敬被刑，刑竟署吏。建安二十二年卒。文帝書與元城令吳質曰：“昔年疾疫，親故多離其災，徐、陳、應、劉一時俱逝。”范書《文苑·劉梁傳》：“梁，東平寧陽人，爲野王令。光和中卒。孫楨，亦以文才知名。”注引《魏志》云：“楨字公幹，爲司空軍謀祭酒，五官郎將文學，與徐幹、陳琳、阮瑀、應瑒俱以文章知名，轉爲平原侯庶子。"今按《魏志》，爲司空軍謀祭酒者，乃徐幹，非劉楨。爲五官將文學及平原侯庶子者，乃徐幹、應瑒，亦非劉楨。章懷此注或非今所傳之《魏志》。又裴松之注引《文士傳》云楨父名梁，與范書稱孫者亦不合，此則未詳爲孰是矣。

《隋書·經籍志》：《毛詩義問》十卷，魏太子文學劉楨撰。《唐·經籍志》：《毛詩義問》十卷，劉楨撰。《藝文志》：劉楨《義問》十卷。按建安二十二年，文帝始立爲太子。楨即於是年卒，此稱太子文學，或終於是官，或從後追題。

馬國翰輯本序曰："劉楨《毛詩義問》，《隋》、《唐志》並十卷。今從《水經注》、《北堂書鈔》、《初學記》、《藝文類聚》、《太平御覽》輯得十二節，訓釋名物與陸璣《疏》相似。"

右《毛詩》學八家一十一部。

右詩類凡三門，綜一十六家二十三部。《釋文·敘錄》有鄭玄《詩音》，《隋志》引《七錄》有鄭玄、王肅合注《毛詩》二十卷，並出後人所編，不錄。

杜子春　周官注

范書《儒林傳》：《周官經》六篇，前世傳其書，未有名家。

荀悅《漢紀》曰："劉歆以《周官》六篇爲《周禮》。王莽時，歆奏以爲《禮經》，置博士。"

馬融《周官傳》序曰："劉歆末年乃知其周公致太平之跡，跡具在斯，奈遭天下倉卒，兵革並起，疾疫喪荒，弟子死喪，徒有里人河南緱氏、杜子春尚在。永平之初，年且九十，家於南山，能通其讀，頗識其說。鄭眾、賈逵往受業焉。"

《釋文·敘錄》曰："王莽時，劉歆爲國師，始建立《周官經》，以爲《周禮》。河南緱氏杜子春，受業於歆，還家以教門徒。好學之士鄭興父子等多往師之。"又曰："鄭注《周官》，引杜子春、鄭大夫、鄭司農之義。"

馬國翰輯本序曰："《周禮》杜子春注，《隋》、《唐志》皆不載，佚已久。從鄭康成注中所引輯爲二卷。"

鄭興　周禮解詁

范書本傳：興字少贛，河南開封人也。更始時，拜諫議大夫、涼州刺史。坐免。西歸隗囂。建武六年，東還，以杜林薦，徵爲大中大夫。九年，使監征南、積弩營於津鄉。征南將軍岑彭、積弩將軍傅俊屯津鄉，以拒公孫述。領征南營，與大司馬吳漢擊公孫述。述死，留屯成都。坐左轉蓮勺令，以事免。興好古學，尤明《左氏》、《周官》，長於曆數，自杜林、桓譚、衛宏之屬，莫不斟酌焉。興去蓮勺，後遂不復仕，客授閿鄉，三公連辟，不肯應，卒於家。

鄭玄《周官序》曰：“世祖以來，通人達士，大中大夫鄭少贛名興，作《周禮解詁》。”

馬國翰輯本序曰：“《周禮》鄭大夫《解詁》，佚已久。今從康成注中輯錄，凡十五節。晁公武《讀書志》曰：‘鄭興、鄭眾傳授《周禮》，康成引之，以參釋異同。云鄭大夫者，興也。司農者，眾也。”

衛宏　周禮解詁　宏始末見詩類。

鄭玄《周官序》曰：“故議郎衛次仲作《周禮解詁》。”

范書《鄭興傳》：“興好古學，尤明《周官》，自杜林、桓譚、衛宏之屬，莫不斟酌焉。”注：“斟酌，謂取其意旨也。”

鄭眾　周禮解詁　眾始末見易類。

馬融《周官傳》序曰：“眾所解說，近得其實。獨以《書序》言‘成王既黜殷命，還歸在豐，作《周官》’，則此《周官》也，失之矣。”

鄭玄《周官序》曰：“世祖以來，通人達士，大中大夫鄭少贛名興，及子大司農仲師名眾，皆作《周禮解詁》。”又曰：“二鄭者，同宗之大儒，明理於典籍，愊識皇祖大經《周官》之義，存古字，發疑正讀，亦信多善，徒寡且約，用不顯於世。今讀而辨之，庶成此家世所訓也。"

范書《儒林傳》：中興以後，鄭眾傳《周官經》。

《釋文·敘錄》曰："鄭興父子並作《周禮解詁》。"

馬國翰輯本序曰："《周禮》鄭司農解詁，《隋》、《唐書》不著錄，佚已久。從鄭康成注裒輯六官各爲一卷，凡六卷。"

賈逵　周禮解詁　逵始末見易類。

范書本傳：逵父徽，從劉歆受《周官》。逵傳父業，作《周官解故》。

馬融《周官傳》序曰："杜子春能通其讀，頗識其說，鄭眾、賈逵往受業焉。眾、逵洪雅博聞，又以經書記轉相證明，杜氏爲解。逵解行於世，眾解不行。兼攬二家爲備，多所遺闕。"

鄭玄《周官序》曰："侍中賈君景伯作《周禮解詁》。"

《釋文·敘錄》曰："賈景伯亦作《周禮解詁》。"

馬國翰輯本序曰："賈公彥《疏》謂賈逵作《周禮解詁》，不言卷數。《隋》、《唐志》皆不著目，佚已久。茲就賈《疏》及諸書所引輯爲一卷。說多與馬季常同，引者往往並稱賈、馬。鄭康成於其說之不合者，時已意隱破之。"

張衡　周官訓詁

范書本傳：衡字平子，南陽西鄂人也。少遊三輔，觀太學，通五經，貫六藝。永元中，舉孝廉不行，連辟公府不就。大將軍鄧騭奇其才，累召不應。安帝雅聞衡善術學，公車特徵，拜郎中，再遷爲太史令。順帝初，再轉復爲太史令。陽嘉中，遷侍中。永和初，出爲河閒相，徵拜尚書。年六十二，永和四年卒。著《周官訓詁》，崔瑗以爲不能有異於諸儒也。余蕭客《古經解鉤沈》曰："宋本《春秋疏》二十八引張衡《解詁》。"

《續漢書·百官志》注引胡廣《漢官解詁序》曰："順帝時，平子爲侍中，典校書，方作《周官解說》。"

馬融　周官傳十二卷　融始末見易類。

融自序曰："至六十爲武都守,郡小少事,乃述平生之志,著《易》、《尚書》、《詩》、《禮傳》,皆訖。惟念前業未畢者,唯《周官》。年六十有六,目瞑意倦,自力補之,謂之《周官傳》也。"惠氏《後漢書補注》:《商芸小說》曰:"融在武都七年,南郡四年。"

鄭玄《周官序》曰:"南郡太守馬季長作《周禮解詁》。"

范書《儒林傳》:中興,鄭衆傳《周官經》,後馬融作《周官傳》。

《毛詩正義》曰:"馬融爲《周禮注》,欲省學者兩讀,故具載本文。後漢以來,始就經爲注。"

《釋文·敘錄》:馬融注《周官》十二卷。《隋書·經籍志》:《周官禮》十二卷,馬融注。《唐·經籍志》:《周官》十二卷,馬融撰。《藝文志》:馬融《周官傳》十二卷。

馬國翰輯本序曰:"融爲鄭康成之師,而康成注用杜子春及鄭大夫父子三家。《疏》引馬融說,又往往爲鄭君所不取。則馬《傳》未能精醇,而鄭之不阿所好,均可見已。今輯錄一卷。"又王氏《漢魏遺書鈔》亦有輯本一卷。

鄭玄　周官禮注十二卷　玄始末見易類。

玄自序曰"世祖以來通人達士,大中大夫鄭少贛及子大司農仲師,故議郎衛次仲、侍中賈君景伯、南郡太守馬季長,皆作《周禮解詁》。玄竊觀二三君子之文章,顧省竹帛之浮辭,其所變易,灼然如晦之見明;其所彌縫,奄然如合符復析,斯可謂雅達廣攬者也。然猶有參錯,同事相違,則就其原文字之聲類,考訓詁,捃祕逸,括囊大典,網羅衆家"云云。

范書本傳:又從東郡張恭祖受《周官》、《禮記》。

又《儒林傳》曰:"馬融作《周官傳》,授鄭玄,玄作《周官注》。"

《釋文·敘錄》:鄭玄注《周官》十二卷。《隋書·經籍志》:

《周官禮》十二卷，鄭玄注。《唐·經籍志》：十三卷。《藝文志》同。《宋·藝文志》：鄭玄《周禮注》十二卷。

《四庫提要》曰：“玄於三《禮》之學，本爲專門，故所釋特精。惟好引緯書，是其一短。《歐陽修集》有《請校正五經劄子》，欲刪削其書。然緯書不盡可據，亦非盡不可據。在審別其是非而已，不必竄易古書也。又好改經字，亦其一失。然所注但曰‘當作某’耳，尚不似北宋以後連篇累牘，動稱錯簡，則亦不必苛責於玄矣。”

《鄭學錄》曰：“《周官禮注》，唐賈公彥撰疏五十卷。今列於學官。”

臨碩　周禮難

范書《孔融傳》：董卓以融爲北海相。融到郡，表顯儒術，薦舉賢良鄭玄、彭璆、邴原等。郡人甄子然、臨孝存知名早卒，融恨不及之，乃命配食縣社。

《世說·言語篇》注：伏滔《青楚人物論》曰：“後漢時，鄭康成、周孟玉、劉祖榮、臨孝存，皆青士有才德者。”

《鄭學錄》曰：“臨碩字孝存，臨亦作林。”

賈公彥序《周禮》曰：“林孝存以爲武帝知《周官》末世瀆亂不驗之書，故作《十論》、《七難》以排棄之。”

鄭玄　答臨孝存周禮難

范書本傳：玄又著書《答臨孝存周禮難》。

賈公彥序《周禮》曰：“林孝存作《十論》、《七難》以排棄之，何休亦以爲六國陰謀之書。唯有鄭玄徧覽羣經，知《周禮》者乃周公致太平之跡，故能答林碩之論難，使《周禮》義得條通。”

《鄭學錄》曰：“劉知幾稱《鄭志目錄》作《答臨碩難禮》。此書唐後久佚。《十論》、《七難》今不能詳。康成所答，其遺文見經疏者，《禮記·王制》内二條，《周禮》内三條，《毛詩》内二條而已。”

　　右《周禮》九家十部。

鄭玄　儀禮注十七卷

范書《儒林傳》：玄本習《小戴禮》，按此謂小戴氏經，非小戴氏記。後以古經校之，取其義長者，故爲鄭氏學。《釋文·敘錄》引范書云取其於義長者、順者，故爲鄭氏學。

《釋文·敘錄》：鄭玄注《儀禮》十七卷。《隋書·經籍志》：《儀禮》十七卷，鄭玄注。《唐·經籍志》同。《藝文志》：鄭玄注《儀禮》十七卷。《宋·藝文志》：鄭玄《古禮注》十七卷。

賈《疏》序曰：“《周禮》、《儀禮》發源是一，理有終始，分爲二部，並是周公攝政太平之書。《周禮》爲末，《儀禮》爲本。本則難明，末便易曉。是以《周禮》注者則有多門，《儀禮》所注後鄭而已。”

《四庫提要》曰：“《儀禮》出殘闕之餘，漢代所傳，凡有三本。一曰戴德本，一曰戴聖本，一曰劉向《別錄》本，即鄭氏所注。賈《疏》謂：‘《別錄》尊卑吉凶次第倫序，故鄭用之。二戴尊卑吉凶雜亂，故鄭不從之也。’其經文亦有二本。高堂生所傳者，謂之今文。魯恭王壞孔子宅得《古儀禮》五十六篇，謂之古文。玄注參用二本。其從今文而不從古文者，則今文大書，古文附注；從古文而不從今文者，則古文大書，今文附注。其書自玄以前，絕無注本。”

《鄭學錄》曰：“《儀禮注》十七卷，唐賈公彦撰疏五十卷。今列於學官。”

馬融　喪服經傳一卷

《釋文·敘錄》曰：“《喪服》一篇，又別行於世。馬融注《喪服》。”

《隋書·經籍志》曰:"其《喪服》一篇,子夏先傳之,諸儒多爲注解,今又別行。"又曰:"《喪服經傳》一卷,馬融注。"《唐·經籍志》:《喪服記》一卷,馬融注。《藝文志》:馬融注《喪服記》一卷。

馬國翰輯本序曰:"《喪服經傳》馬氏注一卷,《儀禮疏》引數條,杜佑《通典》所引最多,缺者葢無幾矣。"侯《志》曰:"王謨、孫馮翼俱有輯本一卷。"

鄭玄　喪服經傳注一卷

《隋書·經籍志》:《喪服經傳》一卷,鄭玄注。《唐·經籍志》:《喪服紀》一卷,鄭玄注。《藝文志》:鄭玄注《喪服記》一卷。

馬國翰輯《喪服變除》序曰:"《隋志》復有《喪服經傳注》,卽注《儀禮·喪服篇》也。晉、宋諸儒好治《喪禮》,於是鄭注《喪服》別有單行之本。故《隋》、《唐志》亦別著於錄。"

《鄭學錄》曰:"《釋文·敘錄》云:'鄭注《周禮》、《儀禮》、《禮記》並列學官,而《喪服》一篇又別行於世。'卽謂此也。"

按馬、鄭二家書,《隋志》作《喪服經傳》,兩《唐志》作《喪服記》,實一書而名偶異。《鄭學錄》別出《喪服紀》,云不知所紀何事,又謂唐人經疏無一引及,則無怪其然矣。

又按范書《馬融傳》言融所注有三《禮》,實止注《喪服傳》一篇,《儒林傳》云馬以《周禮傳》授鄭玄,陸元朗云鄭依盧、馬之本定《禮記》,是《周禮》、《禮記》鄭皆受之於馬。則《喪服》一篇,當亦爲馬所授。此注馬氏書別爲一本歟?

鄭玄　喪服變除注一卷

《唐書·經籍志》:《喪服變除》一卷,鄭玄注。《唐·藝文志》:鄭玄注《儀禮》十七卷、《喪服變除》一卷,注《喪服紀》一卷。

馬國翰輯本序曰:"《唐志》有《喪服變除》一卷,今佚。唯杜佑

《通典》引之，作《鄭玄變除》。又《禮記·檀弓》、《雜記》、《閒傳》注中亟引《變除禮》文而說其義。宗按此鄭引大戴德《變除禮》文。孔穎達《正義》亦每於《變除》引鄭，以爲依用，此亦佚說可以參攷者也。并輯錄之。"

　　按大戴德有《喪服變除》一卷，亦見《新》、《舊唐志》。此或鄭氏注大戴之書。觀《唐·藝文》敘次，似以《喪服變除》爲大戴氏注者，故列於前。《喪服紀》爲馬氏注者，故列在後歟？

鄭玄　喪服譜注一卷

　　《隋書·經籍志》：《喪服譜》一卷，鄭玄注。

　　馬國翰輯《變除》序又曰："《隋志》復有《喪服譜》一卷，疑卽《唐志》之《變除》，蓋因大戴之書而申明之，或其書中衍爲圖譜，故《隋志》取以標目歟？"

　　按此或卽如馬說，或後人從《三禮圖》析出別行，或鄭氏之先，有人撰《喪服譜》者，鄭從而注之。又按《隋志》云梁有戴氏《喪服五家要記圖譜》五卷，亡。此戴氏疑卽大小戴，鄭或取五家中戴氏一家圖譜而注之，或全注五家圖譜，別爲一卷。

劉表　喪服後定一卷　　表始末見易類。

　　《隋書·經籍志》：漢荊州刺史劉表《新定禮》一卷。

　　烏程嚴可均《全後漢文編》曰："表與綦毋闓、宋忠等撰《五經章句》，謂之《後定》，此卽其一。《通典》八十三、八十四、八十九引凡四條。"

　　馬國翰輯本序曰："《隋志》有劉表《新定禮》一卷，新定卽後定，題小異耳。《唐志》不著，佚已久。杜佑《通典》引六節，或僅題劉表，或稱《後定喪服》。"

　　右《儀禮》三家六部。

曹充　慶氏禮章句四十九篇

曹充　慶氏禮辨難

《漢書·儒林傳》：后倉授聞人通漢子方、梁戴德延君、戴聖次君、沛慶普孝公，爲東平太傅。由是《禮》有大戴、小戴、慶氏之學。

范書《曹褒傳》：褒，魯國薛人也。父充，持《慶氏禮》，建武中爲博士。顯宗卽位，拜侍中。作《章句》、《辨難》，於是遂有慶氏學。褒少篤志，結髮傳充業，博物識古，爲儒者宗。傳《禮記》四十九篇，教授諸生千餘人，慶氏學遂行於世。

又《儒林傳》曰："建武中，曹充習慶氏學，傳其子褒。"

按傳《慶氏禮》者，前漢有魯夏侯敬、沛慶咸、大鴻臚王臨，中興後有犍爲董鈞及曹充父子而已。董鈞教授弟子百餘人，曹褒教授弟子千餘人，無一名家，《慶氏禮》遂由是絕矣。

又按慶普有《禮記》，與《大》、《小戴記》並行。《經義攷》嘗詳言之。此云充"作章句辨難"，《章句》者，卽爲慶氏《記》而作，自爲一書。《辨難》者，所以辨問者之難，又別爲一書。史文簡略類此者頗多，下同此例。曹褒所傳《禮記》四十九篇，卽傳其父慶氏《記》章句也。

馬融　禮記傳四十九篇

融撰《周官傳》自序曰："至六十爲武都守，郡小少事，乃述平生之志，著《易》、《尚書》、《詩》、《禮傳》，皆訖。"

范書本傳曰：注《詩》、《易》、三《禮》、《尚書》。

《釋文·敘錄》：陳邵《周禮論序》云："後漢馬融、盧植考諸家同異，附戴聖篇章，去其繁重及所敘略而行於世，卽今之《禮記》是也。鄭玄亦依盧、馬之本而注焉。"

《隋書·經籍志》曰："戴聖又刪大戴之書，爲四十六篇，謂之《小戴記》。漢末馬融遂傳小戴之學，融又足按"足"是"定"字寫誤。

《月令》一篇、《明堂位》一篇、《樂記》一篇，合四十九篇。”

馬國翰輯本序曰：“融之學，長於三《禮》。其《周官禮注》、《喪服經傳注》，《隋》、《唐志》各著錄，獨無《禮記》。《東漢會要》載有融《禮記注》，賈公彥《周禮廢興》云《禮傳》，均不詳卷數。蓋本有注，而久佚矣。采得一十六節，錄爲一卷云。”

按《通典》四十一有曰：“馬融亦傳小戴之學，又定《月令》、《明堂位》，此處似敓‘樂記’二字。合四十九篇。”知《隋志》足字乃定字之譌。言馬氏攷諸家同異，又定此三篇也。是爲馬氏重定本。《四庫提要》有曰：“《禮記》輯自漢儒，某增某減具有主名。”此類是已。

盧植　禮記解詁二十卷　植始末見書類。

范書本傳：作《尚書章句》、《三禮解詁》。時始立太學《石經》，以正五經文字。植乃上書曰：“臣少從通儒故南郡太守馬融受古學，頗知今之《禮記》特多回冗。臣前以《周禮》諸經，發起紕謬，敢率愚淺，爲之解詁，而家乏，無力供繕寫上。願得將能書生二人，共詣東觀，就官材糧，專心研精，合《尚書》章句，考《禮記》失得，庶裁定聖典，刊正碑文。”

司馬彪《續漢書》曰：“植少事馬融，與鄭玄同門相友，作《尚書章句》、《禮記解詁》。”

《釋文·敘錄》：盧植注《禮記》二十卷。《隋書·經籍志》：《禮記》十卷，漢北中郎將盧植注。《唐·經籍志》：《禮記》二十卷，盧植注。《藝文志》：盧植注《小戴禮記》二十卷。

《舊唐書·元行沖傳》：行沖著《釋疑論》曰：“小戴之《禮》，行於漢末，馬融注之，時所未覿，盧植分合二十九篇，而爲說解，代不傳習。”

馬國翰輯本序曰：“《禮記正義》謂鄭亦依盧、馬之本而爲之注。本傳載‘刊正碑文’之奏未經允行，而植所自爲《禮》注，

推本師說，訂改紕謬，當必獨成善本。故鄭氏用之也。今就
羣書所引，輯錄一卷。"又王氏《漢魏遺書鈔》輯本一卷。

　　按元行沖言，則盧氏又於四十九篇中刪定二十九篇，是爲
盧氏重定本。

荀爽　禮傳　爽始末見易類。

馬國翰輯本序曰："《後漢書》本傳稱其著《禮》、《易傳》，《隋》、
《唐志》皆不載。《冊府元龜》載其目，而不言卷數。則佚已久
矣。茲從《風俗通》殘本及《通典》、《文選注》、《路史注》輯得
五節。"

　　按諸書所引盖《禮記傳》也，故列於此。《經籍志》曰"漢初，
河間獻王得仲尼弟子及後學者所記一百三十一篇獻之，時
亦無傳之者。至劉向考校經籍，檢得一百三十篇，向因第
而敍之。而又得《明堂陰陽記》三十三篇、《孔子三朝記》七
篇、《王氏史氏記》二十一篇、《樂記》二十三篇，凡五種，合
二百十四篇"云云。諸家《禮記》咸於此二百十四篇中取去
增損，互有不同。荀氏是書，必又與大、小戴、馬、盧諸本不
同，是爲荀氏重定本。

鄭玄　禮記注二十卷

范書《儒林傳》：玄又注小戴所傳《禮記》四十九篇，通爲三
《禮》焉。

《釋文·敍錄》：鄭玄注《禮記》二十卷。《隋書·經籍志》：
《禮記》二十卷，漢九江太守戴聖撰，鄭玄注。《唐·經籍志》：
《小戴禮記》二十卷，戴聖撰，鄭玄注。《藝文志》：鄭玄注《小
戴聖禮記》二十卷。《宋·藝文志》：鄭玄《禮記注》二十卷。

《鄭學錄》曰："《禮記注》二十卷，唐孔沖遠撰《正義》七十卷，
今列於學官。"

　　按陸元朗云："鄭依盧、馬之本而注焉。"元行沖《釋疑論》

曰："康成於竄伏之中，理紛挐之典，志存探究，靡所咨謀，而猶緝述忘疲，聞義能徙，具於《鄭志》，向有百科。"是鄭依盧、馬之本，亦有所刪存，是爲鄭氏三《禮》自定本。[①]

高誘　禮記注

陳振孫《書錄解題》曰："誘注《淮南子》自序言：'自誘之少，從同縣盧君受其句讀。'盧君者，植也，與之同縣。則誘乃涿郡人。又言：'建安十年，辟司空掾、東郡濮陽令。十七年，遷監河東。'則誘乃漢末人，其出處略可見。"

嚴可均《全後漢文編》曰："誘，涿郡涿人。建安中，曹操辟爲司空掾，除東郡濮陽令。遷監河東。"

《經義攷》曰："高氏《禮注》，《藝文類聚》引之。"

按高誘嘗從盧子幹受學，盧撰《禮記解詁》，誘承師說，而別爲之注，未可知也。姑從《經義攷》錄存之。

景鸞　月令章句　鸞始末見易類。

范書《儒林傳》：作《月令章句》。常璩《梓潼人士贊》著錄同。

侯《志》曰："蔡邕《月令問答》稱'前儒特爲章句者，皆用意傅，非其本旨'，疑卽指鸞書。"

按蔡中郎以前特爲《月令》作章句，可考見者唯此，侯說實近似之。

蔡邕　月令章句十二卷

范書本傳：邕字伯喈，陳留圉人也。建寧三年，辟司徒橋玄府，出補河平長。召拜郎中，校書東觀。遷議郎。光和元年，下洛陽獄，髠鉗，徙朔方。明年赦還，亡命江海。中平六年，董卓爲司空，辟爲祭酒。補侍御史，又轉持惠氏《補注》：《邕集》持作治。書御史，遷尚書。三日之間，惠《補注》：《邕集》云："三月之中，充歷

---

①　"自"，《補編》本作"中"。

三臺。"周歷三臺。遷巴郡太守，復留爲侍中。初平元年，拜左中郎將，從獻帝遷都長安，封高陽鄉侯。及卓被誅，王允收付廷尉，死獄中，時年六十一。

邕《月令問答》曰："予幼讀記，以爲《月令》體大經同，不宜與記書雜錄並行，而記家記之又略。及前儒特爲章句者，皆用其意傅，非其本旨。光和元年，予被謗章，罹重罪，徙朔方。危險凜凜，死亡無日。過學者聞家就而考之，亦自有所覺悟，庶幾頗得事情，而訖未有注記著於文字也。竊誠思之，《書》有陰陽升降，天文曆數，事物制度，可假以爲本，敦辭託說，審求曆象，其要者莫大於《月令》。故遂於憂怖之中，晝夜密勿，昧死成之。"

《隋書·經籍志》：《月令章句》十二卷，漢左中郎將蔡邕撰。

《宋·藝文志》子部農家：蔡邕《月令章句》一卷。

嚴可均《全後漢文編》曰："本集、《說郛》有《月令問答》、《明堂論》、《月令篇名》等三篇，皆《月令章句》之文。"

侯《志》曰："此書有王謨輯本，不及蔡雲輯本之詳。"又馬氏玉函山房輯《章句》、《問答》各爲一卷。

景鸞　禮略二卷

范書《儒林傳》：又撰《禮內外記》，號曰《禮略》。

侯《志》曰："《隋志》有《禮略》二卷，不著名氏。以鸞傳攷之，則鸞撰也。"

按《隋志》於諸家《禮記》之後，別以《禮記》鈔、《禮記》義疏、《禮記》評爲一類。以此二卷爲是類之首，覈以時代，侯說近得其實。

緱氏　禮記要鈔十卷

《周禮疏》序引馬融自序曰："劉歆末年，天下倉卒，兵革並起，疾疫喪荒，弟子死喪，徒有里人河南緱氏、杜子春尚在。"

《隋書·經籍志》曰："河南緱氏及杜子春受業於劉歆。"又曰："《禮記要鈔》十卷，緱氏撰。"《唐·經籍志》：《禮記要鈔》六卷，緱氏撰。《藝文志》：《緱氏要鈔》六卷。

按《隋志》言河南緱氏及杜子春受業於劉歆，則河南緱氏別爲一人。賈《疏》序刪去"及"字，遂濛渾不可辨。又《隋志》是書列《禮略》二卷之次，《禮略》不著撰人，侯君謨以爲景鸞撰，其說良是。景鸞，東漢初人，是書編列其後，則亦以爲東漢初人矣。攷兩漢禮家，別無緱氏，此緱氏其卽劉歆弟子佚其名字者歟？又攷氏姓諸書，有陳留緱氏、河南緱氏二族，緱氏亦西漢縣，屬河南郡，或以爲河南緱氏是杜子春籍隸郡縣。今攷《廣韻》杜字注云："漢有御史大夫杜周，以南陽豪族徙茂陵，始居京兆。"是漢之杜氏，其先爲南陽人，其後則京兆人，皆非河南人也。

右《禮記》之屬，九家十一部。按《釋文》有謝楨《禮記音》，《隋志》作謝貞，疑卽謝承之從父貞所作。貞見《吳志·妃嬪·謝夫人傳》注。

鄭玄　三禮目錄一卷

《隋書·經籍志》：《三禮目錄》一卷，鄭玄撰。梁有陶弘景注一卷，亡。《唐·經籍志》：《三禮目錄》一卷，鄭玄注。《藝文志》：鄭玄《三禮目錄》一卷。

《鄭學錄》曰："唐孔沖遠撰《禮記正義》，賈公彥撰《周官禮》、《儀禮疏》，並以《目錄》分附篇題下，首疏解之，世遂無單行本。"王謨輯本序曰："范書本傳獨不及《三禮目錄》，已無別傳本。今亦僅從賈、孔二家《正義》鈔出《周禮》目錄六條，《儀禮》目錄十七條，《禮記》目錄四十九條。"

按《三禮目錄》舊附三《禮》後，卽序錄也。賈公彥《序周禮廢興》引鄭玄序云云一條，證以《釋文》，亦卽《三禮目錄》之文。

鄭玄　三禮圖三卷

《隋書・經籍志》：《三禮圖》九卷，鄭玄及後漢侍中阮諶等撰。

《日本國人見在書目》：《周禮圖》十卷，鄭玄、阮諶等撰。按《三禮圖》首《周禮》，故佐世誤以《周禮圖》。攷《隋志》，《三禮圖》之後有《周室王城明堂宗廟圖》一卷，祁諶撰。祁諶似阮諶之誤。外藩本合爲一帙，故十卷。疑本是一書，《隋志》誤析之。

《宋史・儒林・聶崇義傳》：吏部尚書張昭等奏曰：“《四部書目》內有《三禮圖》十三卷，是隋開皇中敕禮部修撰。其圖第一、第二題曰梁氏，第十後題曰鄭氏。今書府有《三禮圖》亦題梁氏、鄭氏。按《崇文總目》，《三禮圖》九卷，梁正撰，隋、唐間人，卽張昭所謂今書府本內有鄭氏圖。

竇儼序《聶氏三禮圖》云：“崇義博采舊圖，凡得六本，其一本是鄭圖。”

《鄭學錄》曰：“《四庫總目》云：‘勘驗《鄭志》，玄實未嘗爲圖。書中宮室、車服等圖，多與鄭注違背。’殆習鄭學者作圖，歸之鄭氏歟？珍謂康成著書，元不盡見《鄭志目錄》。宗按《鄭志目錄》今不可見，何由知其有無？唐劉知幾據以駁《孝經注》，已非確證。因而謂鄭氏不作《禮圖》，恐尤未然。鄭圖後經阮諶、夏侯、伏朗、梁正、張鎰、隋開皇迭有修改，聶氏又參校六本，定爲今傳之《三禮圖》。本非盡出鄭手，自然多失鄭意。亦不得以此易唐前舊說也。特今聶圖中唯雞彝及舟是遵據鄭圖，有明文可見，其他皆無從甄別矣。

按張昭、竇儼所云，則宋初鄭圖尚存，自阮諶後皆編入諸家《三禮圖》，其本凡三卷。唐《羣書四錄》有明文，意三《禮》各爲一卷，鄭所圖不過如此。今依以著錄。

阮諶　三禮圖三卷

《魏志・杜恕傳》注：《阮氏譜》曰：“諶字士信，徵辟無所就，造

《三禮圖》，傳於世。"

《宋史·聶崇義傳》：梁正《三禮圖題識》曰："陳留阮士信受《禮》學於潁川綦毋君，取其說爲圖三卷，多不按禮文，而引漢事，與鄭君之文違錯。"

《後魏書·禮志四》：阮諶《禮圖》，并載秦漢以來輿服。

《隋書·經籍志》：《三禮圖》九卷，鄭玄及後漢侍中阮諶等撰。

按《魏志》注引《阮氏譜》，不言諶爲侍中，與《隋志》所題異。諶子武，魏正始中清河太守，武弟炳，河南尹。稽其時代，諶當是建安中人。

又按《隋志》《三禮圖》之後，有《周室王城明堂宗廟圖》一卷，祁諶撰。祁當是阮之寫誤，蒙上文，故不書時代官位。又曰梁有《冠服圖》一卷、《五宗圖》一卷、《月令圖》一卷，合前九卷，凡十三卷。宋張昭引唐《羣書四錄》云《三禮圖》十三卷，疑此皆在十三卷之內。隋時有所散佚，故分著於錄。《五宗圖》疑鄭氏書，吳薛綜有《述鄭氏禮五宗圖》。

曹褒　通義十二篇
曹褒　演經雜論一百二十篇

范書本傳：褒字叔通，魯國薛人也。父充，持《慶氏禮》作《章句》辨難，於是遂有慶氏學。褒少篤志，經髮傳父業。初舉孝廉，再遷圉令。免官歸郡，爲功曹，徵拜博士侍中。和帝即位，擢監羽林左騎，遷射聲、城門校尉、將作大匠。出爲河內太守，坐免。有頃徵，再遷，復爲侍中。褒博物識古，爲儒者宗。永元十四年，卒官。作《通義》十二篇、《演經雜論》百二十篇。

鄭玄　禮議二十卷

《唐書·藝文志》：鄭玄注小戴聖《禮記》二十卷，又《禮議》二十卷。

《鄭學錄》曰："此書《隋志》、《舊唐志》皆未著錄。《通典》六十七載唐成伏后敬其父完議，卷七十一又載春夏封諸侯議，必皆采自此書。《禮議》之輯成二十卷，可謂詳夥。"

按《隋志》：梁有《羣儒疑義》十二卷，戴聖撰。《舊唐志》：《禮義》二十卷，戴聖等撰。<small>《舊志》"聖"皆作"勝"。</small>其云戴勝等者，明非戴氏一家之書，其中葢有鄭氏《議禮》在焉。《舊志》原其始，故題戴勝等。《新志》要其終，乃歸之鄭氏。實一書。義、議本相通也。《七錄》十二卷，是戴氏原編，此與《舊志》所載皆戴、鄭合編。其皇后敬父伏完議，當是建安四年以大司農至許都時作。<small>又疑《新唐志》蒙上"注"字，此亦注小戴氏之書，而附己說於其中。</small>

鄭玄　魯禮禘祫志

《詩・商頌・玄鳥》正義引《魯禮禘祫志》曰："儒者之說禘祫也，通俗不同。學者競傳其聞，是用訩訩，爭論從數百年來矣。竊念《春秋》者，書天子諸侯中失之事。得禮則善，違禮則譏，可以發起是非，故據而述焉。從其禘祫之先後，考其疏數之所由，而麤記注焉。"

《鄭學錄》曰："《魯禮禘祫志》，范書本傳'志'作'義'。唐人稱引皆作'志'，當得其正。《毛詩正義》云：'《詩》箋及《禮》注所言禘祫，數經無正文。鄭以《春秋》上下攷校，知其必然，箋、注皆爲定解，仍恐後學致惑，故又作《魯禮禘祫志》以明之。按此書全文久佚，僅見《詩》、《禮》疏及《通典》所稱引數條。然蕝而讀之，於康成說《禘祫志》端委以盡。是其書雖亡，猶未亡也。"

王謨輯本序曰："諸經正義多引鄭氏《魯禮禘祫志》，《隋志》不著錄，《唐志》別有《禮議》二十卷，則《禘祫志》乃《禮議》中一篇目也。今並鈔出《詩正義》四條、《禮記正義》七條、《左傳正義》一條、《通典》二條。”按王氏謂《禘祫志》在《禮議》中，其說近是。

馬國翰輯本序曰：“鄭駮《五經異義》云：三年一祫，五年一禘，百王通義。以《禮讖》所云，故作《禘祫志》。《隋》、《唐志》不著錄，佚已久。孔氏《詩》、《禮》正義及杜氏《通典》皆引，參校同異，訂爲一卷。《志》引經傳會其通，據《明堂位》‘魯用王禮’，臚舉《春秋》言禘祫者以實之。”

劉熙　謚法注一卷

區大任《百越先賢志》：劉熙字成國，交州人，先北海人也。博覽多識，名重一時，薦辟不就，避地交州，人謂之徵士。往來蒼梧、南海，客授生徒數百人。著《謚法》三卷，行於世。建安末，卒於交州。崇山下有劉熙墓云。注云據《交廣春秋》、《文獻通考》參修。

嚴可均《後漢文編》曰：“劉熙字成國，北海人，官位未詳。今所見《釋名》舊刻本，或題安南太守，或題徵士。熙久居交州，陳壽言之再四。《蜀志·許慈傳》：‘師事劉熙。建安中，慈自交州入蜀。’《吳志·韋昭傳》：‘見劉熙所作《釋名》，信多佳者。’《程秉傳》：‘避亂交州，與劉熙考論大義，遂博通五經。’《薛綜傳》：‘少避地交州，從劉熙學。’計熙在交州，值獻帝初年，或先士燮爲太守，殆未可知。然不當稱安南。其爲徵士，亦不見於史。”

陽湖洪亮吉《曉讀書齋初錄》曰：“《釋名》舊本題安南太守劉熙譔，攷據家並云漢無安南郡。今考《晉書·循吏傳》‘魯芝當魏時行安南太守’，又《吳志·薛綜傳》‘避地交州，從劉熙學’，安南郡正屬交州，則舊本所言不誤。”

《隋書·經籍志》：梁有《謚法》三卷，後漢安南太守劉熙注，亡。又論語類：《謚法》三卷，劉熙撰。《唐·經籍志》經解類：

《謚法》三卷,荀顗演、劉熙注。《藝文志》同。

《唐六典》卷十四注：舊有《周官_{按當作周書。}謚法》、《大戴禮謚法》,又漢劉熙注《謚法》一卷。

《玉海》引沈約《謚法序》曰："劉熙注《謚法》,惟有七十六名。"又云："劉熙注解,時或有所發明。"

　　按沈休文言劉氏注本止七十六名,《唐六典》注云一卷,近得其實。《隋志》兩類並出,存亡互見。由於刊除不盡,兩《唐志》稱荀顗演,顗爲彧之子,《晉書》有傳。蓋又據劉氏本增演之爲三卷。

　　右三《禮》、《通禮》、《雜禮》書之屬,四家八部。

右禮類,凡四門,綜二十家三十五部。_{《釋文‧敍錄》有鄭玄《三禮音》各一卷,隋、唐《經籍志》又云《周官音》三卷、《儀禮音》二卷、《禮記音》二卷,《唐‧藝文志》又有《周官》、《禮記音》各三卷,並後人所作,不錄。}

桓譚　樂元起二卷

范書本傳：譚字君山,沛國相人也。父成帝時爲太樂令。譚以父任爲郎,博學多通。徧習五經,皆詁訓大義,不爲章句。能文章,尤好古學,數從劉歆、揚雄辨析疑異。莽時,爲掌樂大夫。更始立,召拜太中大夫。世祖即位,徵待詔,上書言事失旨,不用。後大司空宋弘薦譚,拜議郎給事中,上疏陳時政所宜,不省。復極言讖之非經,帝大怒曰："桓譚非聖無法,將下斬之。"譚叩頭流血,良久乃得解。出爲六安郡丞,意忽忽不樂,道病卒,時年七十餘。_{《新論》曰："昔者孝成帝時,余爲樂府令。凡所典倡優技樂,蓋且千人。"}

《唐書‧經籍志》：《樂元起》二卷。《唐‧藝文志》：桓譚《樂元起》二卷。

孝明皇帝　樂四品

《隋書‧音樂志》：漢明帝時,樂有四品。一曰太子樂,郊廟上陵之所用焉。二曰雅頌樂，辟雍饗射之所用焉。三曰黃門鼓吹樂，天子宴羣臣之所用焉。其四曰短簫鐃歌樂，軍中之所用焉。鐃歌，黃帝時岐伯所造云。亦見《續漢書·禮儀志》注引蔡邕《樂意》。范書《曹褒傳》：褒父充對顯宗曰："《尚書璇璣鈐》曰：'有帝漢出，德洽作樂，名《予》。'"帝善之，下詔曰："今且改太樂官曰太予樂。歌詩曲操，以俟君子。"又本紀：永平三年秋八月戊辰，改大樂曰大予樂。

孝明皇帝　登歌

范書《章帝本紀》：永平十八年十二月癸巳，有司奏言孝明皇帝聖德淳茂，作《登歌》，正予樂。

《隋書·音樂志》：漢明帝時，樂有四品。又采百官詩頌以爲《登歌》。又曰："《登歌》者，頌祖宗功業也。"

孝章皇帝　歌詩四章

孝章皇帝　靈臺十二門詩

《續漢書·禮儀志》注：蔡邕《禮樂志》曰："孝章皇帝親著《歌詩四章》，列在食舉，又制《雲臺十二門詩》，各以其月祀而奏之。"

《續漢書·祭祀志》：又爲靈臺十二門作詩，各以其月祀而奏之。和帝無所增改。葢作於元和二年也。

孝章皇帝　鞞舞辭五篇

《晉書·樂志》：鞞舞，未詳所起，然漢代已施於燕享矣。傅毅、張衡所賦，皆其事也。舊曲有五篇：一《關東有賢女》，二《章和二年中》，三《樂久長》，四《四方皇》，五《殿前生桂樹》，其辭並亡。

《隋書·樂志》：牛弘請存鞞、鐸、巾、拂等四舞。漢魏以來並施於宴饗。鞞舞，漢巴渝舞也。至章帝，造《鞞舞辭》。

《古今樂錄》曰："漢鞞舞曲五篇，並章帝造。"

孝靈皇帝　雲臺十二門新詩

《續漢·禮儀志》注：蔡邕《禮樂志》曰："嘉按當爲熹。平四年正月中，出《雲臺十二門新詩》，下太予樂官，習誦被聲，與舊詩並行。"按雲臺並作靈臺。

東平憲王　光武廟登歌一章

范書《光武十王傳》：東平憲王蒼，建武十五年封東平公。十七年，進爵爲王。蒼好經書，雅有智思，顯宗甚愛重之。及卽位，拜爲驃騎將軍，位在三公上。定《光武廟登歌》、八佾舞數。在朝數載，多所隆益。而自以至親輔政，聲望日重，意不自安，上疏歸職，五年，乃許還國，立四十五年，建初八年正月薨。

《齊書·樂志》：永平三年，東平王蒼造《光武廟登歌》一章，二十六句。

樂人　歌詩四章

崔豹《古今注·音樂篇》：《日重光》、《月重輪》，羣臣爲漢明帝所作也。明帝爲太子，樂人作歌詩四章以贊太子之德。其一曰《日重光》，其二曰《月重輪》，其三曰《星重暉》，其四曰《海重潤》。漢末喪亂，其後二章亡。舊說云：天子之德，光明如日，規輪如月，眾輝如星，霑潤如海，太子皆比德焉，故云重耳。

白狼王唐菆等獻樂歌三章

范書《西南夷傳》：莋都夷者，武帝所開。永平中，益州刺史梁國朱輔，好立功名，在州數歲，宣示漢德，威懷遠夷。自汶山以西，前世所不至，正朔所未加，白狼、槃木、唐菆等百餘國，戶百三十餘萬，口六百萬以上，舉種奉貢，稱爲臣僕。輔上疏曰："今白狼王唐菆等慕化歸義，作詩三章。遠夷之語，辭意難正。有犍爲郡掾田恭與之習狎，頗曉其言，臣輒令譯其辭語。今遣從事史李陵與恭護送詣闕，並上其樂詩。昔在聖帝，舞四夷之樂，今之所上庶備其一。"帝嘉之，事下史官，錄其歌焉。其一曰《遠夷樂德歌》,其二曰《遠夷慕德歌》,其三曰《遠夷懷德歌》。注云《東觀記》載其歌,并載夷人本語,並重譯訓詁爲華言。按《東觀記》輯本附識曰"田恭所譯"。

宗廟上陵殿中食舉樂九曲

《宋書·樂志》:章帝元和二年,宗廟樂,故事,食舉有《鹿鳴》、《承元氣》二曲。三年,帝自作詩四篇:一曰《思齊姚皇》,二曰《六騏驎》,三曰《竭肅雍》,四曰《涉叶相》。[①] 合前六曲,以爲宗廟食舉。加《重來》、《上陵》二曲,合八曲爲上陵食舉。減《承元氣》一曲,加《維天之命》、《天之曆數》二曲,合九曲爲殿中食舉。[②]

享宴食舉樂十三曲

《通典》:漢享宴食舉十三曲:一曰《鹿鳴》,二曰《重來》,三曰《初筵造》,四曰《俠安》,五曰《歸來》,六曰《遠期》,七曰《有所思》,八曰《明星》,九曰《清涼》,十曰《涉大海》,十一曰《大置酒》,十二曰《承元氣》,十三曰《海淡淡》。

相和十七曲

《晉書·樂志》:相和,漢舊歌也。絲竹更相和,執節者歌。一部十七曲。

但歌四曲

《晉書·樂志》:但歌四曲,自漢世。無絃節,作伎最先唱,一人唱,三人和。自晉以來不復傳,遂絕。

桓譚　琴操二卷

范書本傳:好音律,善鼓琴,性嗜倡樂。

《唐書·經籍志》:《琴操》二卷,桓譚撰。《唐·藝文志》:桓

---

① "涉叶相",清乾隆武英殿校刊本(以下簡稱殿本)《宋書》作"陟叱根"。
② "九",殿本《宋書》作"七"。

譚《琴操》二卷。

侯《志》：馬瑞辰曰：“《唐志》載桓譚《琴操》二卷。按桓譚《新論》有《琴道篇》，不聞有《琴操》。《文選注》引《新論》雍門說孟嘗君曰‘今君下羅帳來清風’，《北堂書鈔》引作《琴操》，是唐人誤以《琴道篇》爲《琴操》之證。”按馬說甚辨，然《唐志》所有，未敢輕刪。

蔡邕　琴操二卷　邕始末見禮類。

范書本傳：妙操音律，善鼓琴。及亡命江海，遠跡吳會。吳人有燒桐以爨者，邕聞火烈之聲，知其良木，因請而裁爲琴，果有美音，而其尾猶焦，故時人名曰焦尾琴焉。

侯《志》：馬瑞辰曰：“《蔡邕本傳》言邕所著有《敘樂》，而無《琴操》，而今本《琴操》及傳注所引皆屬蔡邕，疑《琴操》即在《敘樂》中，猶《琴道》爲《新論》之一篇耳。《北堂書鈔》引蔡邕《琴賦》，言‘仲尼思歸，即《將歸操》也。梁公悲吟，即《楚高梁子霹靂引》也。周公越裳，即《越裳操》也。白鶴東翔，即《別鶴操》也。樊姬遺歎，即《列女引》也’。與夫《鹿鳴》三章、楚曲明光，俱與《琴操》合，則《琴操》爲中郎所撰，信有徵矣。”

儀徵阮元《揅經室外集》曰：“《琴操》二卷，漢蔡邕撰，從徵士惠棟手鈔本過錄。上卷詩歌五曲、一十二操、九引；下卷雜歌二十一章。”王氏《漢魏遺書鈔》亦有輯本一卷。

　按《日本國書目》“《琴經》一卷，蔡伯諧撰”，似即此書。

蓋勳　琴詩十二章

范書本傳：勳字元固，敦煌廣至人也。初舉孝廉，爲漢陽長史。領太守，徵拜討虜校尉。靈帝召見，拜京兆尹。及董卓廢，少帝徵爲議郎，又以爲越騎校尉，復出爲潁川太守。未及至郡，徵還京師。勳雖強直不屈，而內厭于卓，不得意，疽發背卒，時年五十一。

袁宏《後漢紀》曰：“勳爲京兆尹時，雖身在外，甚見信重，乃著《琴詩》十二章奏之，帝善焉。”

蔡琰　胡笳引一十八章

范書《列女傳》：陳留董祀妻者，同郡蔡邕之女也，名琰，字文姬。博學有才辨，又妙于音律。適河東衛仲道。夫亡無子，歸寧於家。興平中，天下喪亂，文姬爲胡騎所獲，沒於南匈奴左賢王，在胡中十二年，生二子。曹操素與邕善，痛其無嗣，乃遣使者以金璧贖之，而重嫁于祀。祀爲屯田都尉。

《書畫譜·書家傳》引《黃山谷集》曰：“蔡琰《胡笳引》，自書十八章，極可觀。”

《宋史·藝文志》：蔡琰《胡笳十八拍》四卷。

按此以書法傳隋唐時編入本集，至宋始別著錄。

右樂類不計家，凡一十八種。

鄭興　春秋左氏條例訓詁　　_{興始末見禮類。}

鄭興　春秋左氏章句訓詁

《東觀記》曰：“興從博士金子嚴，爲《左氏春秋》。”

范書本傳：少學《公羊春秋》，晚善《左氏傳》，遂積精深思，通達其旨，同學者皆師之。天鳳中，將門人從劉歆講正大義，歆美興才，使撰條例、章句、訓詁，及校《三統曆》。又曰：興好古學，明《左氏》，世言《左氏》者多祖於興，而賈逵自傳其父業，故有鄭、賈之學。

按劉歆有《春秋左氏傳》條例及章句，《漢書》本傳云“由是章句、義理備焉”。義理即條例，《左氏》有條例自歆始，其後諸家疏通證明，以迄杜征南釋例，皆本之歆。此命歆訓詁其條例、章句，又校其所撰《三統曆》，皆王莽天鳳中作。

許淑　春秋左氏傳注

杜預《春秋左氏傳序》曰：“劉子駿創通大義，賈景伯父子、許惠卿皆先儒之美者也。"孔穎達曰："許惠卿名淑，魏郡人也。"
《釋文·敘錄》：太中大夫許淑字惠卿，魏郡人。注解《左
氏傳》。

馬國翰輯本序曰："《春秋左傳》許氏注，唯《經典釋文》載之，
《隋》、《唐志》皆不著錄，卷亦不詳，書佚已久。從《正義》輯六
節，皆與劉歆、賈逵同說，則杜序所謂'大體轉相祖述'者，漢
人篤守師法，於此益信矣。"

侯《志》：《釋例》屢引許說，杜多不從。惟昭七年經"暨齊平"
正義引許惠卿以爲"燕與齊平"，則杜氏從之。

　　按范書《范升傳》：時尚書令韓歆上疏，欲爲《費氏易》、《左
　　氏春秋》立博士。建武四年，升與韓歆及太中大夫許淑等
　　互相辨難。又《續漢·曆志》：建武八年，太中大夫許淑等
　　上書言"曆不正，宜當改更"，是亦長於曆數者，與鄭少贛、
　　賈元伯同輩，亦及見劉歆，學術相同。

賈徽　春秋左氏條例二十一卷

范書《賈逵傳》：逵父徽，從劉歆受《左氏春秋》，兼習《國語》、
《周官》。又受《古文尚書》於塗惲，學《毛詩》於謝曼卿。作
《左氏條例》二十一篇。

《釋文·敘錄》：言《左氏》者本之賈護、劉歆。歆授扶風賈徽
字元伯，後漢潁陰令，作《春秋條例》二十一卷。

陳元　春秋左氏訓詁

范書本傳：元字長孫，蒼梧廣信人也。父欽，習《左氏春秋》，
事黎陽賈護，與劉歆同時而別自名家。王莽從欽受《左氏》
學，以欽爲猒難將軍。元少傳父業，爲之訓詁，銳精覃思，至
不與鄉里通。以父任爲郎。建武初，元與桓譚、杜林、鄭興俱
爲學者所宗。時議欲立《左氏傳》博士，范升奏以爲《左氏》淺
末，不宜立。元聞之，乃詣闕上疏。書奏，下其議，范升復與

元相辨難，凡十餘上。按此卽建武四年事。帝卒立《左氏》學。元以才高著名，辟司空李通府，後復辟司徒歐陽歙府，數陳當世便宜、郊廟之禮，帝不能用。以病去，年老，卒於家。

按此是陳氏《春秋》自爲一家，與鄭、賈諸儒出自劉歆者師授不同。《蜀志·尹默傳》：默專精《左氏春秋》，自劉歆條例，鄭眾父子、賈逵、陳元方、服虔注說，咸略誦述。此"方"字，史衍文，卽謂此陳元也。元方爲潁川陳紀字。宋蕭常《續漢書》於《尹默傳》乃改爲陳紀，一若陳紀實有《左氏》注說者，頗爲炫惑，今并附訂於此。

陳元　春秋左氏同異

《釋文·敘錄》曰："范曄《後漢書》云京兆陳元傳《費氏易》。"又曰："元字長孫，司空南閣祭酒，兼傳《左氏春秋》。"又曰："司空南閣祭酒陳元作《左氏同異》。"按范書《儒林傳》易家無京兆字，陸氏誤也。

按侯《志》以此書謂卽《訓詁》，今考本傳，《訓詁》乃爲其父書，而作此《同異》，蓋別爲一書。攷《儒林·李育傳》云："育讀《左氏傳》，以爲前世陳元、范升之徒更相非折，折，難也。而多引圖讖，不據理體。"蓋卽指此書。又似因范升辨難，爲此《同異》，以申《左氏》也。

孔奇　春秋左氏傳義詁三十一卷

范書《孔奮傳》：奮字君魚，扶風茂陵人也。少從劉歆受《春秋左氏傳》，歆稱之，謂門人曰："吾已從君魚受道矣。"弟奇，游學洛陽，博通經典，作《春秋左氏刪》。注曰：刪定其義也。

《連叢子》：孔通《左氏傳義詁序》曰："先生名奇，字子異，褒成君次孺第二子之後也。前書《孔光傳》：光父霸，字次孺，元帝師，號褒成君。霸次子捷。兄君魚，王莽末，避地大河之西，以論道爲事。是時，先生年二十一矣，每與其兄論學，其兄謝服焉。先生雅好儒術，淡忽榮祿，不願從政，遂刪撮《左氏傳》之難者，集爲《義詁》，發伏闡幽，讚明聖祖之道，以袪後學者之蔽。著書未畢，而早世不永。宗人子通痛其不遂，惜茲大訓不行於世，乃校其篇目，各如本第，并序答問，凡三十一卷。"嚴氏《全後漢文編》曰："孔通，太師孔光族曾孫。"

鄭眾　春秋左氏條例章句九卷

鄭眾　春秋左氏難記　眾始末見易類。

范書《鄭興附傳》：年十二，從父受《左氏春秋》，精力于學，明《三統曆》，作《春秋難記條例》，知名於世。

荀悅《漢紀》論曰："中興之後，大司農鄭眾、侍中賈逵各爲《春秋左氏傳》作解注。"

《釋文·敘錄》：大司農鄭眾作《左氏條例章句》。《隋書·經籍志》：梁有《春秋左氏傳條例》九卷，漢大司農鄭眾撰。《唐·經籍志》：《春秋左氏傳條例音句》九卷，鄭眾。[1] 音句蓋章句之譌。《藝文志》：鄭眾《牒例章句》九卷。馬氏玉函山房輯諸經疏、史記注爲一卷。

鄭眾　春秋刪十九篇

范書《鄭興附傳》：建初六年，代鄧彪爲大司農。其後受詔作《春秋刪》十九篇。八年，卒官。

鄭眾　春秋左氏長義十九條

《公羊序》疏曰："賈逵作《長義》，意望奪去《公羊》而興《左氏》。鄭眾亦作《長義》十九條十七事，專論《公羊》之短、《左氏》之長，在賈逵之前。"又曰"鄭眾雖扶《左氏》而毀《公羊》，但不與讖合，帝王不信，毀《公羊》處少"云云。

按《長義》十九條，似卽《春秋刪》十九篇，然別無碻證。又十九篇者，卽十九卷，與十九條亦不合，故仍分錄之。

---

① "鄭眾"下，《補編》本有"撰"字。

賈逵　春秋左氏長經二十卷　　逵始末見易類。

《隋書·經籍志》：《春秋左氏長經》二十卷，漢侍中賈逵章句。

《唐·經籍志》：《春秋左氏長經章句》三十卷，賈逵撰。按三當爲二。《藝文志》：賈逵《春秋左氏長經章句》二十卷。

侯《志》曰：“《南齊書·陸澄傳》澄與王儉書曰：‘泰元晉孝武帝年號。取服虔而兼取賈逵經，服傳無經，今留服而去賈，則經有所闕。’觀此知服虔注傳不注經，賈逵則兼注經傳。《左傳·襄三十一年》疏云‘賈逵注經’。今攷賈本經文，有與杜異者。如莊九年‘公伐齊納子糾’，賈本無‘子’字；宣十二年‘宋師伐陳’，賈無此句；昭十一年‘齊國弱’，賈本作‘國酌’，是也。”

按侯《志》以此書謂卽《長義》，今攷《隋》、《唐志》，並以此書冠《解詁》之前，皆曰章句。其《長義》止四十一條，安有二十卷之多？其體近論難，亦安得有章句之目？《通志·略》亦列此於春秋經類中，實爲經注。其《解詁》三十卷，與《國語》同。上顯宗者，則傳注也。馬氏玉函山房有輯本一卷，裒錄本傳所載《左氏》大義奏，傳注所引《左傳》、《公羊》，及徐彥疏引《大義》殘文二節爲一帙，以《大義》爲《長義》，又以《長義》爲《長經》，皆非也。

賈逵　春秋左氏傳解詁三十卷

范書本傳：逵父徽，從劉歆受《左氏春秋》。逵傳父業，弱冠能誦《左氏傳》及五經本文。雖爲古學，兼通五家《穀梁》之說，注：五家謂尹更始、劉向、周慶、丁姓、王彥等，皆爲《穀梁》，見前書也。宗按王彥前書《儒林傳》作王亥。此五家皆宣帝大議殿中，其說在《石渠議奏》三十九篇中，惟尹更始、劉向別有書。尤明《左氏傳》、《國語》，爲之解詁五十一篇。注：《左氏》三十篇、《國語》二十一篇。永平中，上疏獻之。顯宗重其書，寫在祕館。

又建初元年，逵上奏曰：“臣以永平中上言《左氏》與圖讖合者，先帝不遺芻蕘，省納臣言，寫其傳詁，藏之祕書。”

《釋文・敘錄》：逵又作《左氏訓詁》。又曰：“賈逵《左氏解詁》三十卷。”《隋書・經籍志》：《春秋左氏解詁》三十卷，賈逵撰。《唐・經籍志》同。《藝文志》：賈逵《春秋左氏長經章句》二十卷。又《解詁》三十卷。

王謨輯本《序錄》曰：“《文選》、《通考》已不著錄，今鈔出《釋文》二條、《左傳疏》一百三十條、《尚書疏》一條、《毛詩疏》五條、《周禮疏》二條、《禮記疏》一條、《史記注》一百八十八條，都爲一卷。”

馬國翰輯本序曰：“宋王應麟輯古文《春秋左傳》十二卷中載賈逵佚說，而疏漏者尚三之一。茲更補綴，合舊輯爲二卷。《正義》病其雜取《公羊》、《穀梁》以釋《左氏》，謂之‘以冠雙屨，將絲綜麻’。然《長經》固別標殊旨，茲取三傳之同者通釋之，亦何有鑿枘之不相入耶？”

賈逵　春秋左氏大義三十事

范書本傳：肅宗立，降意儒術，特好《左氏傳》。建初元年，詔逵入講白虎觀、雲臺。帝善逵說，使出《左氏傳》大義長於二傳者，逵於是具條奏之曰：“臣謹摘出《左傳》三十事尤著明者，斯皆君臣之正義，父子之紀綱。其餘同《公羊》者十有七八，或文簡小異，無害大體。”書奏，帝嘉之，令逵自選《公羊》嚴、顏諸生高才者二十人，教以《左氏》，與簡紙經、傳各一通。八年，乃詔諸儒各選高才生受《左氏》、《穀梁春秋》、《古文尚書》、《毛詩》，由是四經遂行於世。皆拜逵所選弟子及門生爲千乘王國郎。注：千乘王沆，宣帝子也。宗按千乘貞王，章帝長子也。沆當作伉，見范書傳。

《東觀記》曰：“建初元年，詔逵入講北宮白虎觀、南宮雲臺，使出《左氏》大義。書奏，上嘉之，賜布五百匹，衣一襲。”

袁宏《後漢紀》曰：“建武初，議立《左氏》學博士，范升議，譏毀

《左氏》，以爲不宜立。愍帝<small>按此是章帝之誤。</small>即位，《左氏》學廢，
乃使郎中賈逵敘明《左氏》大義。”

《太平御覽》六百五十引《三輔決録》曰：“賈逵建初元年受詔
列《春秋公羊》、《穀梁》不如《左氏》四十事，名《左氏長義》。”<small>按
此以《左氏大義》三十事誤爲《左氏長義》四十事。</small>

《釋文·敘録》：逵受詔立《公羊》、《穀梁》不如《左氏》四十事，
奏之，名曰《左氏長義》，章帝善之。<small>按此誤會亦與《三輔決録》同。</small>

孔穎達《左氏序》疏曰：“章帝時，賈逵上《春秋大義》四十條，
以抵《公羊》、《穀梁》，帝賜布五百匹。”<small>按此言《春秋大義》不誤，言四十
亦誤。</small>

　按是書上於建初元年，其曰《大義》者，乃承詔命以名書。
　時章帝欲立《左氏》學，恐諸儒蔽固者又廷爭不已，故命逵
　有是作。據袁《紀》言，葢卽《左氏春秋》之敘論，於《左氏》
　之廢興極有關繫。若《長義》但與李育相往復，與此實別爲
　一書。《東觀記》、袁《紀》、范書所言悉合，《決録》、《敘録》，
　皆不免於傳譌。

賈逵　春秋左氏長義四十事

孔穎達《左傳序》疏曰：“章帝時，賈逵上《春秋大義》以抵《公
羊》、《穀梁》，又與《左氏》作《長義》。”<small>按此言又與《左氏》作《長義》，是
亦以爲《大義》在前，《長義》在後，截然兩書也，賴有此一語，使後人得以尋求，而侯氏
《志》反以爲誤。</small>

徐彦《公羊序》疏曰：“賈逵作《長義》四十一條，云《公羊》理
短，《左氏》理長。”<small>按徐疏此數語最確，其下云云，又以《大義》誤爲《長義》矣。</small>

　按范書《儒林·李育傳》云：“育作《難左氏義》四十一事。
　建初四年，詔育與諸儒論五經於白虎觀，育以《公羊》義難
　賈逵，往返皆有理證。”據此，則賈氏有申《左氏》義四十一
　事，卽疏所云“又與《左氏》作《長義》”，徐疏所云“《長義》四

十一條,言《公羊》理短,《左氏》理長"者是也。蓋《大義》抵
《公》、《穀》二家,此爲李育難義而作,不及《穀梁》,作於建
初四年。本傳云所著經傳義詁及論難百餘萬言,此卽論難
之一,當時或亦編入《白虎議奏》中。

賈逵　春秋釋訓一卷
賈逵　春秋左氏經傳朱墨列一卷

《隋書·經籍志》:《春秋釋訓》一卷,賈逵撰。《春秋左氏經傳
朱墨列》一卷,賈逵撰。

按《隋志》列此二書於諸家釋例之首,則皆是春秋例之類。
又按《魏志·王肅傳》注引《魏略》云:"弘農董遇,善《左氏傳》,爲作朱墨別異。"蓋
本之賈氏,此列字疑別字之譌。

孔嘉　春秋左氏說

范書《孔奮傳》:奮晚有子嘉,官至城門校尉,作《左氏說》云。
章懷太子曰:"說,猶今之疏也。"
《釋文·敘錄》:侍中孔嘉字山甫,扶風人,注解《左氏傳》。
《四庫提要》有曰:"言《左傳》者孔奇,孔嘉之說久佚不傳。"

彭汪　春秋左氏傳記

《釋文·敘錄》:汝南彭汪字仲博,記先師奇說舊注。
馬國翰輯本序曰:"《春秋序》正義云:'中興以後,陳元、鄭眾、
賈逵、馬融、延篤、彭仲博、許惠卿、服虔、穎容之徒,皆傳《左
氏春秋》。'《隋》、《唐志》無彭汪著書之目,《正義》引彭仲博二
節,亦不標其書名。《經義考》載彭氏《左氏奇說》,佚。據錄
一家,存漢師之遺詁焉。"

延篤　春秋左氏傳注

謝承書曰:"延篤,字叔固。"
范書本傳:篤字叔堅,南陽犨人也。少從穎川堂谿典受《左氏
傳》,又從馬融受業,博通經傳。舉孝廉,爲平陽侯相。桓帝

以博士徵，拜議郎，與朱穆、邊韶共著作東觀。稍遷侍中、左馮翊，徙京兆。以病免歸，教授家巷。後遭黨事禁錮。永康元年，卒於家。篤論解經傳，多所駁正，後儒服虔等以爲折中。

《釋文·敘錄》：京兆尹延篤受《左氏》於賈逵之孫伯升，因而注之。

惠棟《後漢書補注》曰："今《左傳正義》引延叔堅說，當是服虔所采。"

劉陶　春秋訓詁　陶始末見書類。

范書本傳：陶明《尚書》、《春秋》，爲之訓詁。

按本傳，此書與《中文尚書》同時所作，在順陽長以病免官時也。

劉陶　春秋條例

本傳：拜侍御史。靈帝宿聞其名，數引納之，詔陶次第《春秋條例》。

按《吳志·士燮傳》：少游學京師，事潁川劉子奇，治《左氏春秋》。知陶亦《左氏》學也。

服虔　春秋左氏傳解誼三十一卷

范書《儒林傳》：服虔字子慎，初名重，又名祇，後改爲虔，河南滎陽人也。少以清苦建志，入太學受業。有雅才，作《春秋左氏傳解》，行之至今。舉孝廉，稍遷。中平末，拜九江太守，免。遭亂行客，病卒。

《世說·文學篇》：鄭玄欲注《春秋傳》，尚未成。時行，與服子慎遇，宿客舍，先未相識。服在外車上與人說己注《傳》意，玄聽之良久，多與己同，玄就車與語曰："吾久欲注，尚未了。聽君向言，多與吾同，今當盡以所注與君。"遂爲服氏注。惠氏《後漢書補注》曰："棟案服氏《解誼》，僖十五年'遇歸妹之暌'，文十二年'在師之臨'，皆以互體說《易》，與鄭氏合。《世說》所稱爲不謬矣。"

《釋文·敍錄》：九江太守服虔注解《左氏傳》。又曰："服虔《解誼》三十卷。"《隋書·經籍志》：《春秋左氏傳解誼》三十一卷，漢九江太守服虔注。《唐日本書目》同。《唐·經籍志》：《春秋左氏傳解誼》三十卷，服虔注。《藝文志》：服虔《左氏解誼》三十卷。

王謨輯本序曰："今從諸經正義、《史記集解》鈔出七百八十餘條，分爲四卷。"

馬國翰輯本序曰："今從王應麟所輯古文《春秋左傳》所引服說，更補缺漏，釐爲四卷。"

服虔　春秋成長說九卷

《隋書·經籍志》：《春秋成長說》九卷，服虔撰。《唐·經籍志》：《春秋成長說》七卷，服虔撰。《藝文志》：服虔《春秋成長說》七卷。

馬國翰輯本序曰："服氏又有《春秋成長說》，《隋志》九卷，《唐志》七卷。今唯於《正義》得一條，附著《解誼》後。"

服虔　春秋塞難三卷

《隋書·經籍志》：《春秋塞難》三卷，服虔撰。《唐·經籍志》同。《藝文志》：服虔《春秋塞難》三卷。

服虔　春秋左氏音隱一卷

《釋文·敍錄》：服虔音一卷。《隋書·經籍志》：梁有服虔、杜預《音》三卷，按此乃後人合杜氏《音》爲一編。亡。《唐·經籍志》：《春秋左氏音隱》一卷，服虔撰。《藝文志》：服虔《音隱》一卷。

王玢　春秋左氏達義一卷

《隋書·經籍志》：梁有《春秋左氏達義》一卷，漢司徒掾王玢撰，亡。《唐·經籍志》：《春秋達長義》一卷，王盼撰。此作盼，未詳孰是。《藝文志》：王玢《達長義》一卷。洪亮吉《通經表》云"玢"或作“珍”。

按王玢始末未詳，《隋志》敘次在服虔、孔融之間，則靈、獻時人也。兩《唐志》作“達長義”，達，通也，似取鄭、賈諸儒之長義而通之。

荀爽　春秋條例　爽始末見易類。

張璠《記》曰：“爽幼好學，年十二，通《春秋》、《論語》，耽思經典，不應徵命。”

范書本傳：著《禮》、《易傳》、《詩傳》、《尚書正經》、《春秋條例》。

按荀氏《春秋》，史不言其主何家，然其爲荀卿之後，則《左氏》其家學。觀所治《易傳》用古文，所上奏疏引《左氏》、《公羊》，而著書別有《公羊問》，葢兼通二家，此《條例》則《左氏》學也。

鄭玄　春秋左氏分野一卷　　玄始末見易類。

鄭玄　春秋十二公名一卷

《隋書·經籍志》：梁有《春秋左氏分野》一卷、《春秋十二公名》一卷，鄭玄撰。

按錢氏大昕《三史拾遺》曰：“劉歆說《春秋》日食三十七，各占其分野之國，葢本《左氏》去魯地如衛地之旨而推衍之。鄭氏《分野》似本劉歆之說以爲書。《十二公名》似卽《春秋》人名考之類。”

穎容　春秋左氏條例十卷

范書《儒林傳》：穎容字子嚴，陳國長平人也。博學多通，善《春秋左氏》，師事太尉楊賜。郡舉孝廉，州辟，公車徵，皆不就。初平中，避亂荆州，聚徒千餘人。劉表以爲武陵太守，不肯起。著《春秋左氏條例》五萬餘言。建安中卒。

杜預《春秋左氏傳序》曰：“劉子駿創通大義，賈景伯父子、許惠卿皆先儒之美者也。末有穎子嚴者，雖淺近，亦復名家。故特舉劉、賈、許、穎之違，以見同異。"疏曰："杜以爲先儒之內，四家差長，故特舉其違，以見異同，自餘棄而不論也。"

《釋文·敘錄》：陳郡穎容，字子嚴。後漢公車徵，不就。作《春秋條例》。《隋書·經籍志》：《春秋釋例》十卷，漢公車徵士穎容撰。《唐·經籍志》：《春秋左氏傳例》七卷。失注撰人。《藝文志》：穎容《釋例》七卷。

王謨輯本序曰："今從《左傳正義》鈔出六條，《毛詩正義》一條、《史記注》一條、《水經注》二條、《初學記》一條、《御覽》五條、《玉海》一條。"侯《志》曰："王謨輯本，杜預《釋例》所載、蕭吉《五行大義》所引者尚未采也。"

馬國翰輯本序曰："後漢《儒林傳》稱《左氏條例》。《隋》、《唐志》作《釋例》，書名與杜氏同，今佚。輯錄二十七節，其全書體例不能詳考。"

謝該　左氏傳釋

范書《儒林傳》：謝該字文儀，章陵人也。善明《春秋左氏》，爲世名儒，門徒數百千人。建安中，河東人樂詳條《左氏》疑滯數十事以問，該皆爲通解之，名爲《謝氏釋》，行於世。仕爲公車司馬令，以父母老，託疾去官，欲歸鄉里，會荆州道斷，不得去。少府孔融上書薦之，詔卽徵還，拜議郎，以壽終。

《魏志·杜恕傳》注：《魏略》曰："樂詳字文載，河東人，少好學。建安初，詳聞南郡謝該善《左氏傳》，乃從南陽步涉詣許，從該問難諸要，今《左氏問七十二事》，詳所撰也。"

　按《魏略》所言，則謝氏所釋者凡七十二事。時獻帝遷都許昌，謝爲公車司馬令時所作，名《左氏謝氏釋》。

宋衷　春秋左氏章句後定　衷始末見易類。

《晉書·曆志》：杜預《春秋長曆說》曰："攷古今十曆中，有眞夏曆，真周曆。”又曰：“漢末宋仲子集七曆以攷《春秋》。”案夏、周二曆，術數皆與《藝文志》所記不同，故更名爲真夏、真周曆也。<small>又徐彥《公羊疏》卷首稱宋氏注《春秋》說三科九旨云云，似卽此宋氏。</small>

　　按杜征南嘗見宋仲子集七曆攷《春秋》之書，其書名不可攷見。惟《劉表傳》云表使宋衷等譔立五經章句，謂之《後定》，則此是五經章句之一。又常璩《梓潼人士贊》云：“尹默受學宋忠，專精《左氏春秋》，以《左傳》授後主。”又李仁從宋仲子受古學。《左氏》，古學也，此衷爲《左氏》學之證，因據以名書。杜征南言與《藝文志》不同者，必是宋仲子所見夏、周二曆，與《漢·藝文志》所記卷數不同，別是一本也。

　　右《春秋左氏》學，一十九家三十三部。

鍾興　定嚴氏春秋章句

　　范書《儒林傳》：鍾興字次文，汝南河陽人也。少從少府丁恭受《嚴氏春秋》。恭薦興學行高明，光武召見，問以經義，應對甚明。帝善之，拜郎中，稍遷左中郎將。詔令定《春秋章句》，去其復重，授皇太子。又使宗室諸侯從興受章句。封關內侯，固辭不受，卒於官。

樊鯈　刪定嚴氏春秋章句

　　范書《樊宏傳》：宏字靡卿，南陽湖陽人也，世祖之舅。拜光祿大夫，位特進，次三公，封壽張侯。子鯈，字長魚，就侍中丁恭受《公羊嚴氏春秋》。永平元年，拜長水校尉，北海周澤、琅琊承宮並海內大儒，鯈皆以爲師友而致之於朝。二年，徙封燕。十年，卒。諡曰哀侯。初，鯈刪定《公羊嚴氏春秋章句》，世號“樊侯學”。教授門徒前後三千餘人，弟子李修、夏勤，皆爲三公。

　　劉攽《後漢書刊誤》曰：“樊鯈，字長魚。按鯈非魚類，與名不合，疑本是鯈字。鯈即魚名，可爲字也。又按儵弟名鮪，知作鯈無疑。"

張霸　減定嚴氏春秋章句

范書本傳：霸字伯饒，蜀郡成都人也。七歲通《春秋》。後就長水校尉樊鯈受《嚴氏公羊春秋》，遂博覽五經。舉孝廉，光祿主事，稍遷。永元中，爲會稽太守。初，霸以樊鯈刪《嚴氏春秋》猶多繁辭，乃減定爲二十萬言，更名《張氏學》。後四遷爲侍中，卒年七十。將作大匠翟酺等與諸門人追錄本行，諡曰憲文。《華陽國志》云諡曰文父。

按常璩《蜀郡人士贊》云："霸爲會稽太守，立文學，學徒以千數，道路聞誦聲。"本傳亦云："霸到越郡中，爭厲志節，習經者以千數。"此書蓋即永元中守郡時作以授文學者。

馮君　嚴氏春秋章句

洪适《隸釋》曰："漢嚴訢碑云：'訢字少通，治《嚴氏春秋》馮君章句。'兩漢傳《春秋》嚴氏學，無姓馮者，蓋史之闕文也。"嚴訢碑，宋政和中出於下邳。

《經義攷》曰："馮君章句見於漢碑，灼然可據，乃班固《儒林傳》未之載。杜佑《通典》引《公羊》說'主藏太廟室西壁中，以備火災'，或問高堂隆曰：'昔馮君八萬言章句，說正廟之主，各藏太室西壁之中。遷廟之主，於太祖太室北壁之中。按《逸禮》，藏主之處，似在堂上壁中。'答云：'章句但言藏太祖北壁中，不別堂室。'按見《通典》四十八卷中。所云馮君章句係說《公羊春秋》者，當即嚴訢所治之書。始知《儒林傳》所載尚有遺漏也。"

陽湖洪亮吉《通經表》曰："今按《後漢書‧馮緄傳》引謝承書，緄學《公羊春秋》，馮君或即是緄，未可知也。"

按馮君章句八萬言，魏時尚存，高堂隆見之，意《中經部》必著錄其書，今不可考矣。洪稚存以爲馮緄，按本傳“緄字鴻卿，巴郡宕渠人。少學《春秋》，舉孝廉，七遷爲廣漢屬國都尉、御史中丞、隴西、遼東太守、京兆尹、司隸校尉、太常、車騎將軍、將作大匠、河南尹、屯騎校尉，三爲廷尉，卒於官。”又《車騎將軍馮緄碑》云：“治《春秋》嚴、《韓詩》、倉氏，兼律大杜。嚴下敓氏字，倉氏下似敓禮字。卒於桓帝永康元年。”《嚴訢碑》云：“訢卒於桓帝和平元年。”是緄與訢同時，而訢先緄卒十七年。又按《嚴氏春秋章句》，中興之初，鍾興始奉詔删定，樊儵又删之，張霸又删爲二十萬言，至馮君乃删爲八萬言，删之無可删矣。由是推尋，則馮當在張霸之後，此馮緄彌復近是。《經義考》以馮君爲前漢人。攷班書，馮奉世學《春秋》，涉大義，奉世子野王通《詩》，野王弟立通《春秋》，成帝時與野王相代爲上郡守吏，民歌之曰：“大馮君，小馮君，兄弟繼踵相因循，從容賢知惠吏民。”此小馮君馮立在嚴彭祖之後，庶幾近似。又范書馮衍子豹以《春秋》教授，鄉里爲之語曰：“道德彬，馮仲文。”豹爲野王之曾孫，一云立之曾孫，則家世《春秋》者也。此馮豹則又近似之。然諸馮皆以功名顯，史無明文，疑不能定也。

李育　難左氏義四十一事

范書《儒林傳》：李育字元春，扶風漆人也。少習《公羊春秋》，沈思專精，博覽書傳，知名太學，深爲同郡班固所重。固奏記薦育於驃騎將軍東平王蒼，由是京師貴戚爭往交之。州郡請召，育到，輒辭病去。常避地教授，門徒數百。頗涉獵古學，嘗讀《左氏傳》，雖樂文采，然謂不得聖人深意，以爲前世陳元、范升之徒更相非折，而多引圖讖，不據理體，於是作《難左氏義》四十一事。建初元年，衛尉馬廖舉育方正，爲議郎。後拜博士。四年，詔與諸儒論五經於白虎觀，育以《公羊》義難賈逵，往返皆有理證，最爲通儒。再遷尚書令。免歸，歲餘復徵，再遷侍中，卒於官。

惠棟《後漢書補注》：徐彥曰：“賈逵作《長義》四十一條，云《公

羊》理短,《左氏》理長。故育亦作《難左氏義》四十一事,以申
《公羊》,下云‘以《公羊》難逵’卽是也。"宗按先有李氏《難義》,而後賈
氏作《長義》,故下云"往返皆有理證"。

戴宏　解疑論

范書《吳祐傳》:"祐以光祿四行,遷膠東侯相,時濟北戴宏父
爲縣丞,宏年十六,從在丞舍。祐每行園,常聞諷誦之音,奇
而厚之,亦與爲友。卒成儒宗,知名東夏,官至酒泉太守。"注
引《濟北先賢傳》曰:"宏字元襄,剛縣人也。年二十二,爲郡
督郵署主簿。"

何休《公羊解詁序》曰:"恨先師觀聽不決,多隨二創。"疏云:
"此先師,戴宏等也。戴宏作《解疑論》而難《左氏》,不得《左
氏》之理,不能以正義決之,故云‘觀聽不決’。‘多隨二創’
者,上文云‘至有背經任意反傳違戾者’,與《公羊》爲一創;又
云‘援引他經,失其句讀者’,又與《公羊》爲一創。今戴宏作
《解疑論》,多隨此二事。"

馬國翰輯本序曰:"宏不詳何人,其書史志亦不載。其難《左
氏》之說,佚不可見。徐彥疏引其序一則,述《公羊》源流論二
則,并錄爲卷。"

何休　春秋公羊解詁十一卷

范書《儒林傳》:何休字邵公,任城樊人也。父豹,少府。休爲
人質樸訥口,而雅有心思,精研六經,世儒無及者。以列卿子
詔拜郎中,非其好也,辭病而去。太傅陳蕃辟之,與參政事。
蕃敗,休坐廢錮,乃作《春秋公羊解詁》,覃思不闚門十有七
年。黨禁解,辟司徒,拜議郎,再遷諫議大夫。年五十四,光
和五年卒。

《釋文‧敘錄》:何休注《公羊》十二卷。《隋書‧經籍志》:
《春秋公羊解詁》十一卷,漢諫議大夫何休注。《唐日本國人

見在書目》:《春秋公羊集詁》十二卷,何休學。《唐·經籍志》:《春秋公羊經傳》十三卷,何休注。《藝文志》:何休《公羊解詁》十三卷。《宋志》:何休《公羊傳》十二卷。

《四庫提要》曰:"三傳與經文,《漢志》皆各爲卷帙,《左傳》附經,始於杜預。《公羊傳》附經,則不知始自何人。觀休《解詁》,但釋傳而不釋經,與杜異例,知漢末猶別行。今所傳蔡邕石經殘字,《公羊傳》亦無經文,足以互證。今本以傳附經,或徐彥作疏之時所合併歟?"

何休　春秋公羊傳條例一卷

休《解詁》自序有曰:"往者略依胡母生《條例》,多得其正。"疏云:"胡母生本雖以《公羊》經傳授董氏,猶自別作《條例》,故何氏取之,以通《公羊》也。"

《隋書·經籍志》:梁有《春秋公羊傳條例》一卷,何休撰,亡。

《唐·經籍志》:《春秋公羊條傳》一卷,何休注。《藝文志》:何休《公羊條傳》一卷。按傳似例字誤。

何休　春秋公羊文謚一卷

徐彥疏引《文謚例》云:"《春秋》有五始、三科、九旨、七等、六輔、二類、七缺之義。"

《隋書·經籍志》:《春秋公羊謚例》一卷,何休撰。

馬國翰輯本序曰:"此書翼《公羊解詁》而作,《隋志》一卷,《唐志》不載,佚已久。徐彥疏引其略,茲據錄補。"

何休　春秋漢議十三卷

范書《儒林傳》:又以《春秋》駁漢事六百餘條,妙得《公羊》本意。

《隋書·經籍志》:《春秋漢議》十三卷,何休譔。《日本國見在書目》:《春秋漢議》十卷,何休撰。《唐·經籍志》:何氏《春秋漢議》十一卷,何休撰,鄭玄駁,糜信注。《藝文志》:何休

《春秋漢議》十卷，麋信注，鄭玄駁。

侯《志》曰："《通典》卷八十：'漢安帝崩，立北鄉侯，未踰年薨，以王禮葬，於《春秋》何義也？何休答曰：《春秋》未踰年，魯君子野卒，降君稱子，從大夫禮可也。'當卽出此書。"

按范書《蘇不韋傳》：不韋掘魏郡李暠父阜塚，斷取阜頭以祭父墳，士大夫多譏其發掘冢墓，歸罪枯骨，不合古義，惟任城何休方之伍員，似卽此書中一事。

何休　春秋議十卷

《隋書·經籍志》：《春秋議》十卷，何休撰。

按此似卽《漢議》之別本。

荀爽　公羊問

范書本傳：又作《公羊問》。

《隋書·經籍志》：梁有《公羊傳問答》五卷，荀爽問，魏安平太守徐欽答，亡。《唐·經籍志》：《春秋公羊答問》五卷，荀爽問，徐欽答。《藝文志》：荀爽、徐欽《答問》五卷。

右《春秋公羊》家學，八家一十二部。

段肅　春秋穀梁傳注十四卷

《釋文·敘錄》：《穀梁》家段肅注十二卷，不詳何人。《隋書·經籍志》：《春秋穀梁傳》十四卷，段肅注，疑漢人。《唐·經籍志》：《春秋穀梁傳》十三卷，段氏注。《藝文志》：《春秋穀梁傳》段肅注十三卷。

惠棟《九經古義》曰："《經典·敘錄》不詳肅何人，《隋志》疑漢人。棟按後漢《班固傳》，固奏記東平王云：'弘農功曹史殷肅達學洽聞，才能絕倫，誦《詩》三百，奉使專對。'章懷注云：'《固集》殷作段。'然則殷肅卽段肅也。"

按《史通》外篇曰："《史記》所書，年止漢武。太初已後，闕而不錄。其後劉向、向子歆及諸好事者若馮商、衛衡、揚

雄、史岑、梁審、肆仁、晉馮、段肅等，相次撰續，迄於哀、平
間。蕭薈兩漢閒人，當哀、平、王莽時嘗居史職，續《太史公
書》。班氏奏記稱弘農功曹史，則顯宗初所居郡職，似卽弘
農人歟？"①

右《春秋穀梁》家學，一家一部。

賈逵　春秋三家經本訓詁十二卷

《隋書·經籍志》：《春秋三家經本訓詁》十二卷，賈逵撰。
《唐·經籍志》：《春秋三家經訓詁》十二卷，賈逵撰。《藝文
志》：《春秋三家訓詁》十二卷。

侯《志》曰：《公羊》莊十二年"宋萬弒其君接"疏引賈氏云：
"《公羊》、《穀梁》曰接。"昭四年"大雨雹"疏引賈氏云："《穀
梁》作大雨雪。"五年疏引賈氏云："秦伯罃，《穀梁傳》云秦伯
偃。"定十年"宋樂世心出奔曹"疏云："世字亦有作泄字者。
故賈氏言焉。"哀四年"亳社災"疏引賈氏云："《公羊》曰薄
社。"皆此書中語也。又定十年"叔孫州仇、仲孫何忌帥師圍
費"疏云："《左氏》、《穀梁》此費字皆爲鄪。賈氏不云《公羊》
曰費者，蓋文不備，或所見異也。""齊侯、衛侯、鄭遊遫會於
鞍"疏云："《左氏》、《穀梁》作安甫。安甫是鞍字之寫誤。賈
氏不云《公羊》曰鞍者，亦是文不備。"十五年"齊侯、衛侯次於
籧篨"疏云："《左氏》作籧挐。賈氏無說，文不備也。"據此數
條，知此書體例於《左氏》經文之異《公》、《穀》者，必釋之曰
《公》、《穀》作某。故偶有未言，徐彥卽以爲不備也。

馬融　春秋三傳異同說　融始末見易類。

范書本傳：融嘗欲訓《左氏春秋》，及見賈逵、鄭眾注，乃曰：
"賈君精而不博，鄭君博而不精，既精既博，吾何加焉。"但著

《三傳異同說》。

馬國翰輯本序曰:"馬氏著《三傳異同說》,《隋》、《唐志》不載,書佚已久。輯二十一節,如說二叔爲夏、殷之叔世,五典爲五行,與賈、鄭殊異。"

侯《志》曰:"據此書名,似是爲三家折衷。然《正義》所引馬融說七條,《王制》疏、《水經·清水》注、《文選·吳都賦》注引各一條,皆與《公》、《穀》無涉。疑此書雖以異同名,而所釋者《左氏》爲多。蓋融本欲注《左氏》,而中止者也。"

何休　公羊墨守　左氏膏肓　穀梁廢疾

范書《儒林傳》:休與其師博士羊弼追述李育意,以難二傳,_{按李育以《公羊》義難賈逵,見前。}作《公羊墨守》、《左氏膏肓》、《谷梁廢疾》。章懷《鄭玄傳》注曰:"言《公羊》義理深遠,不可駁難,如墨翟之守城也。"《說文》曰:"肓,隔也,心下爲膏。喻《左氏》之疾不可爲也。"

《公羊序》疏:何氏作《墨守》以距敵《長義》,_{按距敵賈逵《長義》也。賈作《長義》以答李育,何又追述育意以距賈逵。}爲《廢疾》以難《穀梁》,爲《膏肓》以短《左氏》。蓋在注傳之前,猶鄭君先作《六藝論》,訖,然後注書。

《隋書·經籍志》:《公羊墨守》十四卷,何休撰。《春秋左氏膏肓》十卷,何休撰。《春秋穀梁廢疾》三卷,何休撰。《唐日本國見在書目》及《宋史·藝文志》僅存《膏肓》十卷。

《崇文總目》曰:"《左氏膏肓》,漢司空掾何休始撰答賈逵事,因記《左氏》所短,遂頗流布,學者稱之,後更刪補爲定。"_{按此必據原書序目所云。}

鄭玄　發墨守　鍼膏肓　起廢疾

范書本傳:及黨事起,乃與同郡孫嵩等四十餘人俱被禁錮。遂隱修經業,杜門不出。時任城何休好《公羊》學,遂著《公羊

墨守》、《左氏膏肓》、《穀梁廢疾》，玄乃發《墨守》、鍼《膏肓》、
起《廢疾》。休見而歎曰："康成入吾室，操吾矛，以伐我乎！"
《釋文·敘錄》：又何休作《左氏膏肓》、《公羊墨守》、《穀梁廢
疾》，鄭康成鍼《膏肓》，發《墨守》，起《廢疾》，自是《左氏》大
興。又曰休見大慚。《隋書·經籍志》：《春秋穀梁廢疾》三卷，何
休撰，鄭玄釋。《唐·經籍志》：《春秋公羊墨守》二本，何休
撰，鄭玄發。《春秋左氏膏肓》十卷，何休撰，鄭玄箴。《春秋
穀梁廢疾》三卷，何休作，鄭玄釋。張靖箴。《藝文志》：何休《公
羊墨守》二卷，鄭玄發。《左氏膏肓》十卷，鄭玄箴。《穀梁廢
疾》三卷，鄭玄釋。張靖成。按"成"似"箴"之誤。

《崇文總目》曰："《左氏膏肓》九卷，漢何休撰。今每事左方，
輒附鄭康成之學，因引鄭說竄寄何書。"

《四庫提要》曰："《箴膏肓》一卷、《起廢疾》一卷、《發墨守》一
卷，漢鄭玄撰。凡《箴膏肓》二十餘條、《起廢疾》四十餘條、
《發墨守》四條，並從諸書所引掇拾成編。不知出自誰氏。或
題爲宋王應麟輯，亦別無顯據。今以諸書校勘，惟《詩·大
明》篇疏所引'宋襄公戰泓'一條，尚未收入，其餘並已蒐采無
遺，謹爲掇拾補綴，著之於錄。"

王謨輯本序曰："此三書在宋已殘闕，今四庫所載，較宋時又
殘闕矣。茲復廣爲蒐輯，凡得《箴膏肓》三十餘條，《起廢疾》
四十餘條，《發墨守》七條。"

《鄭學錄》曰："三書至宋皆佚，不知何代人輯錄。國朝內府有
其本，武英殿聚珍版印行。乾隆閒王大令復爲注明所采原
書，更加增補，刊行於世。"

鄭玄　駮何氏漢議二卷
鄭玄　駮何氏漢議序一卷

《隋書·經籍志》：《駮何氏漢議》二卷，鄭玄撰。又重出一部。

《駮何氏漢議序》一卷。《唐日本國人見在書目》:《駮何氏漢議》九卷,鄭玄撰。《唐·經籍志》:何氏《春秋漢議》十一卷,何休撰,鄭玄駮。_{廉信注。}《藝文志》:何休《春秋漢議》十卷,_{廉信注。鄭玄駮。按廉信在後,此誤倒其文。}

《鄭學錄》曰:"按《漢議》,即《後漢書·儒林傳》'何休以《春秋》駮漢事六百餘條,妙得《公羊》本意'者也。康成之駮久亡,唐以前書亦無一稱引者。"

　　按《漢議駮》二卷,當是鄭氏本書。《日本書目》及兩《唐志》九卷、十卷、十一卷者,是連何氏本文,又附以廉信之注。鄭氏既駮其文,并駮其序,是可知何氏書有自撰《序錄》一卷在後也。

服虔　春秋左氏膏肓釋痾十卷

《隋書·經籍志》:《春秋左氏膏肓釋痾》十卷,服虔撰。《唐·經籍志》:《春秋左氏膏肓釋痾》三卷。_{失注撰人。}《藝文志》:服虔《膏肓釋痾》五卷。

馬國翰輯本序曰:"服氏有《膏肓釋痾》,《隋志》十卷,《唐志》五卷,今散失,唯於《後漢續志》注得一條,附錄《解誼》後。"

侯《志》曰:"劉昭注《續漢書·禮儀志上》引《春秋釋痾》,《初學記》二十六引《春秋釋痾》。"

服虔　春秋漢議駮二卷

范書《儒林傳》:又《左傳》駮何休之所駮漢事六十條。

《隋書·經籍志》:梁有《春秋漢議駮》二卷,服虔撰,亡。_{後又重出一條,云梁有《漢議駮》二卷,服虔撰,亡。}《唐·經籍志》:何氏《春秋漢記》十一卷,服虔注。《藝文志》:《駮何氏春秋漢議》十一卷。_{《七錄》別自爲書,故止二卷。兩《唐志》合爲一編,故十一卷。}

北海敬王睦　春秋旨義終始論

范書《宗室四王傳》:北海靖王興,建武二年封魯王,嗣光武兄仲。後徙北海，立三十九年薨，子敬王睦嗣。睦少好學，博通書傳，光武愛之。顯宗在東宮，尤見幸待，入侍諷誦。性謙恭好士，名儒宿德，莫不造門，由是聲價益廣。能屬文，作《春秋旨義終始論》。立十年薨。

孔融　春秋雜議難五卷

范書本傳：融字文舉，魯國人，孔子二十世孫也。七世祖霸，爲元帝師，父宙，太山都尉。融幼有異才，性好學，博涉多該覽，辟司徒楊賜府。大將軍何進辟，舉高第，爲侍御史，託病歸家。後辟司空掾，拜中軍候，遷虎賁中郎將。忤董卓旨，轉議郎，爲北海相。及獻帝都許，徵爲將作大匠，遷少府。忤曹操，免官。歲餘，復太中大夫，下獄棄市，時年五十六，妻子皆被誅。《獻帝本紀》：建安十三年八月壬子，曹操殺太中大夫孔融，夷其族。

《隋書·經籍志》：梁有《春秋雜議難》五卷，漢少府孔融撰。《唐·經籍志》：《春秋雜議》五卷。脫難字，又失注撰人。《藝文志》：《雜議難》五卷。亦失注撰人。

　　右《春秋》三傳總義及駁釋論難之屬，七家十部。

右春秋類，凡四門，綜二十九家五十六部。侯《志》有鄭衆、賈逵、楊終《春秋外傳》、《國語注》，今析入史部雜史類。

鄭衆　孝經注一卷　衆始末見易類。

《釋文·敘錄》：孔安國、鄭衆並注《孝經》。《隋書·經籍志》：梁有鄭衆注《孝經》一卷，亡。

許慎　孝經孔氏古文說一篇

范書《儒林傳》：許慎字叔重，汝南召陵人也。性淳篤，少博學經籍，馬融常推敬之。爲郡功曹，舉孝廉，再遷除洨長，卒於家。張懷瓘《書斷》曰：“安帝末年卒。”

安帝建光元年九月，召陵萬歲里公乘許沖上《說文解字》書曰：“臣父慎，幼學《孝經孔氏古文說》。古文《孝經》者，孝昭帝時魯國三老所獻，建武時給事中議郎衛宏所校，皆口傳，官無其說，謹具一篇并上。"

嚴可均《全後漢文編》曰："許慎有《孝經古文說》一卷。"

金壇段玉裁《說文序》注曰："許受古學於賈侍中。他經古學皆得諸侍中，《孝經》學獨得諸衛宏。"

　按段氏注又云："許學其說於宏、沖，傳其說於父，乃撰而上之。以此書爲許沖撰，不詳所據。"

馬融　古文孝經傳一卷　融始末見易類。

《釋文·敘錄》曰："後漢馬融亦作《古文孝經傳》，而世不傳。"

又曰："馬融、鄭眾並注《孝經》。"《隋書·經籍志》：梁有馬融、鄭眾注《孝經》二卷，亡。

黃震《日鈔》曰："《孝經》，鄭康成諸儒主今文，孔安國、馬融主古文。"

何休　孝經注　休始末見春秋類。

范書《儒林傳》：又注訓《孝經》。

《公羊·昭十五年》疏云："何氏解《孝經》，與鄭俱同，與康成異。"

鄭玄　孝經注一卷　玄始末見易類。

范書本傳：凡玄所注，《周易》、《尚書》、《毛詩》、《儀禮》、《禮記》、《論語》、《孝經》。章懷太子注云："按謝承書載玄所注，與此略同。不言注《孝經》，唯此書獨有也。"

《釋文·敘錄》曰："馬融、鄭眾、鄭玄並注《孝經》。又世所行鄭注相承以爲鄭玄。按《鄭志》及《中經簿》無，唯中朝穆帝集講《孝經》，云以鄭玄爲主。檢《孝經注》與康成注五經不同，未詳是非。"又曰："江左中興，《孝經》、《論語》共立鄭氏博士一人。"

《隋書·經籍志》：《孝經》一卷，鄭氏注。又曰："鄭氏注，相傳或云鄭玄,其立義與玄所注餘書不同,故疑之。"《唐日本國人見在書目》:《孝經》一卷,鄭玄注。《唐·經籍志》:《孝經》一卷,鄭玄注。《藝文志》:《孝經》鄭玄注一卷。《宋志》:鄭氏注《孝經》一卷。

《經義攷》曰:"《太平御覽》引《後漢書》云:'鄭玄漢末遭黃巾之難,客於徐州。今《孝經序》,鄭氏所作。南城山西上可二里所,有石室焉,周迴五丈,俗云是康成注《孝經》處。'按范史無其文,則未知爲袁山松、華嶠之書,抑薛瑩之書歟?"

嚴可均《全後漢文編》曰:"《孝經注》,或言鄭小同作。今據《唐會要》七十七引鄭玄《六藝論》敘《孝經》云,玄又爲之注,明非小同作也。"

侯《志》曰:"《宋書·陸澄傳》、《釋文·敘錄》、《王制》疏、《唐會要》、《困學紀聞》諸書多疑鄭注,然劉知幾《十二驗》中據《鄭志》諸書皆不言注《孝經》,則范史本傳亦不言其注《周官》,唐史承節撰碑亦不言其注《論語》,秉筆偶疏,未爲典要,此數事不足疑也。又按王肅好發揚鄭短,而無言攻擊《孝經注》。然《郊特牲》疏引王肅難鄭《孝經注》'社后土也'之文,是肅未嘗無言,此一事亦不足疑也。至謂與鄭他經注不類,今不盡可考,然康成箋《詩》,不同注《禮》,《鄭志》諸說,每異羣經,博雅通儒固宜有是,亦無可疑也。"又曰:"此書近有日本國輯本,又有臧鏞堂、陳鱣、洪頤煊三家輯本,最可據。"又有王氏《漢魏遺書鈔》輯本一卷。

　按《郊特牲》正義引王肅難鄭《孝經注》'后稷,土也'云云,則康成氏《孝經注》王肅猶見之,遠在晉穆帝集講之前。不得以《中經簿》不載,《鄭志》不言,遂謂鄭不注《孝經》。又范書於諸家最後,網羅眾說,補缺拾遺,其言鄭所注有

《孝經》,必確有見地,非苟焉而已焉。故今直歸之康成氏也。

高誘　孝經解　<small>誘始末見禮類。</small>

誘注《呂氏春秋》自序云:"作《淮南》、《孝經解》,畢訖。"

劉熙　孝經注　<small>熙始末見禮類。</small>

《釋文·敘錄》曰:"劉邵注《孝經》,一云劉熙。"

按唐玄宗御注《孝經》引劉邵,則邵有《孝經注》審矣。劉熙書不可考見,今姑過而存之。

右孝經類,凡七家七部。

包咸　論語章句

范書《儒林傳》:包咸字子良,會稽曲阿人也。少爲諸生,受業長安,師事博士右師細君,習《魯詩》、《論語》。王莽末,去歸鄉里,於東海立精舍講授。光武即位,舉孝廉,除郎中。建武中,入授皇太子《論語》,又爲其章句。拜諫議大夫、侍中、右中郎將。永平五年,遷大鴻臚。八年,年七十一,卒於官。子福,亦以《論語》入授和帝。<small>《釋文》云:"咸字子長,吳人。"</small>

何晏《論語集解》序曰:"安昌侯張禹,本授《魯論》,並講《齊》說,善者從之,號曰《張侯論》,爲世所貴。包氏、周氏章句出焉。"疏云:"章句者,訓解科段之名。包氏、周氏就《張侯論》爲之章句訓解,以出其義理焉。"

馬國翰輯本序曰:"包氏章句久佚,《隋》、《唐志》皆不著。猶幸何晏《集解》引之,什存二三,閒爲裒輯,以皇侃、邢昺二疏校定字句,更從《文選》、《筆解》諸書所引,合輯爲二卷。"

周氏　論語章句

《釋文·敘錄》:"後漢包咸、周氏並爲《章句》,列於學官。"周氏不詳何人。又云:"鄭校周之本,以《齊》、《古》讀正,凡五十事。"《隋書·經籍志》:安昌侯張禹從《魯論》二十篇爲定,號

《張侯論》。周氏、包氏爲之章句。

惠棟《後漢書補注》曰：“《論語疏》‘周氏不知何人’，裴松之以爲周生烈。按見《魏志·王肅附傳》注。按蔡邕石經已載包、周。烈，魏人。未必如裴說也。”

馬國翰輯本序曰：“周氏名字、爵里俱佚，與包咸皆治《張侯論語》，而爲其章句。諸志不著錄，惟見何晏《集解序》。顧《集解》列名於序中，而采七家之說，俱作周生烈，無一及漢之周氏。唯《春秋正義》引廟主云張、包、周，石經《論語》殘碑於‘賈之哉’下云包、周，於‘而在於蕭牆之内’下云盍、毛、包、周，此外無顯引者。考《釋文》云：‘鄭校周之本，以《齊》、《古》讀正，凡五十事。’然則康成注《魯論》，本據周氏也。故凡鄭言《魯論》者，悉爲周氏章句之遺。而鄭本與今殊異，不言《魯》、《古》亦皆周義之可從者也。茲併輯錄爲一卷。”

鄭眾　論語傳 <small>眾始末見易類。</small>

《冊府元龜》學較部注釋門：後漢鄭眾爲大司農，傳《毛詩》及《左氏條例章句》，又傳《周官》、《禮記》、《論語》、《孝經》。<small>此所云傳，謂“傳注”之“傳”。</small>

　按此與《禮記》本傳及諸史志皆不著錄，唯見於此。《經義考》據以入錄，今亦過而存之。

馬融　古文論語注 <small>融始末見易類。</small>

何晏《集解》序曰：“《古論》，惟博士孔安國爲之訓解，而世不傳。至順帝時，南郡太守馬融亦爲之訓說。”

《釋文·敘錄》：《古論語》者，出自孔氏壁中，凡二十一篇，有兩《子張》，篇次不與《齊》、《魯論》同。孔安國爲傳，後漢馬融亦注之。

馬國翰輯本序曰：“何晏《集解》序、邢昺疏並言馬融爲古文《論語》訓說。皇侃疏謂爲《魯論》訓說，非也。《隋》、《唐志》

皆不載,佚已久。今就《集解》所采,參證他所引述,裒輯上下二卷。其說'爲力不同科'云:'爲力,力役之事,亦有上中下,設三科焉。'阮芸臺相國取之,云:'此與射對言,若解作釋《禮》文,則射不主皮出於《鄉射禮》,記乃孔子之徒所述,何得孔子爲之釋歟?'卽一端以例其餘,知漢詁深得經旨,實勝後人。"

何休　論語注　<small>休始末見春秋類。</small>

范書《儒林傳》:又注訓《孝經》、《論語》。

德清俞樾《何劭公論語義錄要》曰:"《後漢書》稱何劭公注《論語》,而其書不傳。武進劉氏逢祿著《論語述何》一卷,然不過以《春秋》說《論語》,而何注固無徵也。余謂何氏《公羊解詁》引《論語》極多,是何氏《論語注》雖亡,而其遺說固猶見於《公羊解詁》中。因刺取其文,以存何義。"

按何晏《集解》七家,不及何劭公,則其書魏時已罕傳矣。

鄭玄　論語注十卷　<small>玄始末見易類。</small>

何晏《集解序》曰:"漢末大司農鄭玄就《魯論》篇章,攷之《齊》、《古》,爲之注。"

《釋文·敘錄》:鄭玄就《魯論》張、包、周之篇章考之《齊》、《古》,爲之注焉。又曰:"鄭玄注十卷。"

《隋書·經籍志》:《論語》十卷,鄭玄注。又曰:"玄以《張侯論》爲本,參攷《齊論》、《古論》,而爲之注。"《唐·經籍志》:《論語》十卷,鄭玄注。《藝文志》:《論語》鄭玄注十卷。

王謨輯本錄序曰:"鄭注《論語》,至趙宋始不入志,意五代之際其書已亡。頃得元和惠定宇先生輯本二卷,據盧抱經序言,原本亦深寧所輯。但以愚所鈔輯羣書校之,猶多遺漏,因就惠本更加補訂,凡共鈔出三百四十一條。"

馬國翰輯本序曰:"近有集鄭注《論語》二卷託名王應麟者,所收猶未盡。海寧陳氏鱣《論語古訓》搜采詳備，茲據錄之，仍其十卷之舊云。”

《鄭學錄》曰：“《論語注》，《釋文》、《隋》、《唐志》十卷，後亡。宋王應麟掇拾羣書，輯爲一卷。嘉慶初，宋教授翔鳳復補輯爲二卷。”

俞樾《論語鄭義錄要》曰：“鄭康成注《論語》不傳，何晏《集解》所采外散佚多矣。余讀《詩》箋、《禮》注，往往有及《論語》者，始知何氏所采鄭注，如解‘盍徹乎’，則非其全文；‘吾未見好德如好色’章，則實是鄭注而不言鄭；至‘季氏富於周公’章，則與今本并有異同。故一一蒐輯，以存鄭學。”

鄭玄　古文論語注十卷

《隋書·經籍志》：梁有《古文論語》十卷，鄭玄注，亡。

侯《志》曰：“康按諸書皆但言康成以《齊》、《古》校正《魯論》，未聞別撰《古文注》。且《古文》與《魯論》不同者，亦不過兩《子張》四百餘字之異，既注《魯論》，亦無容別注《古文》也。然《七錄》所有，姑存疑。”

　按馬氏注孔氏《古文論語》，鄭或受之馬，就馬本而爲之注，如《喪服》經傳之類，未可知也。

鄭玄　論語篇目弟子注一卷

《隋書·經籍志》：《論語孔子弟子目錄》一卷，鄭玄撰。《唐日本人書目》：《論語弟子錄名》一卷，失注撰人。《唐·經籍志》：《論語篇目弟子》一卷，鄭玄注。《藝文志》：又注《論語篇目弟子》一卷。

嘉定王鳴盛《十七史商榷》曰：“《仲尼弟子列傳》裴駰注引鄭玄注，如‘冉季字子產，鄭玄曰魯人’，‘秦祖字子南，鄭玄曰秦人’之類，既非《論語注》，鄭又不注《史記》。《家語》王肅私定，鄭亦不見，竟不知此爲鄭何書之注。太史公曰：‘弟子籍出孔氏古文.'然則亦是孔安國所得魯共王壞宅壁中取出者也,蓋鄭康成曾注之。壁中書如《逸書》、《逸禮》,康成皆不注,而弟子籍則有注。"按王氏猶未參攷《隋》、《唐志》,果有弟子籍之注也。

王謨輯本序錄曰:"是書之亡已久,故其名次無得而攷。獨賴裴駰《集解》於列傳下時引《目錄》,證諸弟子籍里,如魯人、衛人,可考見者三十有八人。竊意裴氏必見原書與《史記》大略相同,故采其異者注本傳下,其同者不復注也。今仍依《史記》列傳名次采錄,而以《家語》別出三人附載於後,凡七十九人。"

馬國翰輯本序曰:"海寧陳氏鱣從《史記‧弟子傳》集解輯出,附刊《論語古訓》後,凡弟子四十人。茲依陳錄,不復補綴。"

　　按《史記》言弟子籍出孔氏古文,近是。鄭氏此注卽其本也。鄭既注孔氏《古文論語》,并注弟子籍,附篇目後,故史志冠以"論語"字,又冠以"論語篇目"字,當時實合爲一書。至隋,前十卷亡,惟此一卷僅存,故別出其目。兩《唐志》所題較順,今從之。

鄭玄　論語釋義注十卷

《唐書‧經籍志》:《論語釋義》十卷,鄭玄注。《唐‧藝文志》:又注《論語釋義》一卷。

《鄭學錄》曰:"《論語釋義》,《舊唐志》十卷,《新志》一卷,兩志卷數差別太遠,十恐　之誤。此書所釋何義不可知,遺文無一存者。"

　　按漢以來注釋《論語》者,自班《志》著錄《魯傳》、《齊說》等六家外,《冊府元龜》言陳勝博士孔鮒撰《論語義疏》三卷,不詳其所據。蔡中郎言盍氏、毛氏。見石經殘碑。此不知何人作《論語釋義》,鄭從而注之,或卽鄭注之別本,本名《釋義》,而《唐志》誤以爲注歟?其一卷、十卷,或連本文,或但載注文。又按此十卷，疑卽《七錄》之《古文論語注》。

麻達　論語注

《廣韻》麻字注：麻亦姓。《風俗通》云："齊大夫麻嬰之後，漢有麻達，注《論語》。"

按此見應劭《風俗通・氏姓篇》。麻達不知何時人，擬在西漢。

右論語類，凡七家十部。《經義攷》有沛王劉輔《論語傳》，今攷本傳，非是，故不錄。

詔定五經章句讖記說

范書《樊儵傳》：永平元年，拜長水校尉，與公卿雜定郊祀禮儀，以讖記正五經異說。

袁宏《紀》曰："永平初，儵與公卿雜定郊祀禮儀及五經異義。"

《隋書・經籍志》曰："起王莽好符命，光武以圖讖興，遂盛行於世。漢時又詔東平王蒼正五經章句，皆命從讖。俗儒趨時，益爲其學，言五經者，皆憑讖爲說。"按上三條，蓋明帝永平初，樊儵與公卿等承詔以讖記正五經，而東平王典領其事也。

范書《鄭范陳賈傳》論曰："桓譚以不善讖流亡，鄭興以遜辭僅免，賈逵能附會文致，最差貴顯。世主以此論學，悲矣哉！"

劉勰《文心彫龍・正緯篇》曰："至於光武之世，篤信斯術，風化所靡，學者比肩。沛獻集緯以通經，曹褒撰讖以定禮，乖道謬典，亦已甚矣。是以桓譚疾其虛僞，尹敏戲其深瑕，張衡發其僻謬，荀悅明其詭誕。四賢博練，論之精矣。"

白虎議奏百餘篇

范書本紀：章帝建初四年十一月壬戌，詔書下太常，將、大夫、博士、議郎、郎官及諸生、諸儒會白虎觀，講議五經同異，使五官中郎將魏應承制問，侍中淳于恭奏，帝親稱制臨決，如孝宣甘露石渠故事，作《白虎議奏》。按白虎觀會議諸儒有廣平王羨、魏應、淳于恭、班固、賈逵、桓郁、李育、魯恭、樓望、成封、丁鴻、張酺、召馴、趙博。其發端者，長水校尉樊儵、校書郎楊終也。儵前卒，不與其事。

陽湖莊述祖《白虎通議攷》引《山堂羣書攷索》曰："《白虎通》大抵皆引經斷論，卻不載稱制臨決之語。"又引《蔡中郎集・巴郡太守謝版》云："詔書前後，賜《禮經素字》、《尚書章句》、《白虎議奏》，合成二百一十二卷。"述祖按《禮古經》五十六卷，今《禮》十七卷；《尚書章句》歐陽、大、小夏侯三家多者不過三十一卷，二書卷不盈百，則《議奏》無慮百餘篇，非今之《通義》明矣。又曰："《儒林傳》云命史臣著爲《通義》，即今《白虎通義》也。《議奏》隋、唐時已亡佚，章懷注以爲今《白虎通》，非是。"按《章帝本紀》作《白虎議奏》，章懷太子注云今《白虎通》。此注非也。

又曰："袁宏《後漢紀》及《御覽》引《三國典略》祖珽等上言皆以《白虎通》爲《議奏》，其誤又前於章懷太子。"又曰："《議奏》，當時已珍祕，晉以來學者罕能言之。"按《漢志》載《石渠議奏》，凡《書》、《禮》、《春秋》并五經雜義，共一百三十七篇。此總議五經，莊氏以爲無慮百餘篇，實近似之。

按《章帝紀》明云"如石渠故事，作《白虎議奏》"，則《議奏》實有其書。議奏者，首列某官某某奏，某某承制問，次列某官某某對，又次則繫以制曰某某議是，其例如此。章懷此注以爲《白虎通》，《白虎通》乃通義之體，嘗疑其不然，今得莊氏說，乃知前人已早有所攷。是書獻帝初年嘗以賜蔡邕，其後即有李、郭之事，所謂"兩京大亂，埽地皆盡"，蓋即亡於此時。魏《中經》或不及載，晉人袁宏、祖珽等所不及見，故皆以《白虎通》爲《議奏》也。

白虎通義六卷

范書《儒林傳》序曰："建初中，大會諸儒於白虎觀，考詳同異，連月乃罷。肅宗親臨稱制，如石渠故事，顧命史臣著爲《通義》。"章懷注曰："卽《白虎通義》是。"

又《班固傳》曰："固遷玄武司馬，天子會諸儒講論五經，作《白虎通德論》，令固撰集其事。"

袁宏《紀》曰："建初四年秋，詔諸儒會白虎觀，議五經同異，曰《白虎通》。"

《隋書·經籍志》：《白虎通》六卷。不著撰人。《唐日本國人見在書目》：《白虎通》十卷，班固等撰。十卷之旁又注一"五"字，似一本五卷也。《唐·經籍志》：《白虎通》六卷，漢章帝注。《唐·藝文志》：班固等《白虎通義》六卷。《宋·藝文志》：班固《白虎通》十卷。

《崇文總目》：《白虎通德論》十卷，後漢班固撰。章帝建初四年，詔諸儒會白虎觀，講義五經同異，詔集其事，凡四十四篇。原作十四篇，蓋敓"四"字。

《玉海·藝文》曰："今本自《爵號》至《嫁娶》，凡四十三篇。"

《四庫提要》曰："其議奏統名《白虎通德論》，至班固撰集後，乃名其書曰《通義》。《崇文總目》稱《白虎通德論》，失其實矣。書中徵引六經傳記而外，涉及緯讖，乃東漢習尚使然。又有《王度記》、《三正記》、《別名記》、《親屬記》，則《禮》之逸篇。方漢時，崇尚經學，咸兢兢守其師承，古義舊聞多存乎是，洵治經者所宜從事也。"

莊述祖《白虎通義攷》曰："今本四十四篇，自《爵號》以至《嫁娶》，皆後人編類，非其本真矣。"

抱經堂校定本卷首周廣業曰："《班固傳》所稱《白虎通德論》，與《白虎通》異名，《崇文目》始用爲標題。編攷魏晉迄唐諸史志傳，又釋經集類之書，援引不下數百條，皆曰《白虎通》。使實以通德爲名，魏晉諸儒去漢未遠，不應妄加割截。竊疑'通德’二字本不連讀，乃是《白虎通》之外別有《德論》，非一書也。《文選注》引班固《功德論》曰：‘朱軒之使，鳳舉於龍堆之表。’是論不見全文，豈范史所指卽此而脫‘功’字歟？其言不類釋經，或亦四子講德之流，而史誤爲連及歟？《白虎通德論》之名自《崇文》後，明刊本率以標題，①殆失之不攷。”

　按《白虎通德論》似取“通力度德，通德度義”之意，周氏以爲別是一篇，近得其實。詳味史文，此論非班固作，卽天子御撰。《崇文目》欲覈實，歸之班固，故卽用固傳所稱，改題《白虎通德論》，彼以爲卽《通義》之異名也。

熹平石經八卷

范書《靈帝紀》：熹平四年春三月，詔諸儒正五經文字，刻石立於太學門外。

又《蔡邕傳》：邕以經籍去聖久遠，文學多謬，俗儒穿鑿，疑誤後學，熹平四年，乃與五官中郎將堂谿典、光祿大夫楊賜、諫議大夫馬日磾、議郎張馴、韓說、太史令單颺等，奏求正定六經文字。靈帝許之，邕乃自書丹於碑，使工鐫刻立於太學門外。於是後儒晚學，咸取正焉。及碑始立，其觀視及摹寫者，車乘日千餘兩，填塞街陌。

《隋書·經籍志》：《一字石經周易》一卷。《一字石經尚書》六卷。《一字石經魯詩》六卷。《一字石經儀禮》九卷。《一字石經春秋》一卷。《一字石經公羊傳》九卷。《一字石經論語》二卷。又曰：“後漢鐫刻七經，著於石碑，皆蔡邕所書，相承以爲七經正字。後魏之末，齊神武執政，自洛陽徙於鄴都，行至河陽，岸崩，遂投於水。其得至鄴者，不盈太半。至隋開皇六年，又自鄴京載入長安，置於祕書內省，議欲補輯，立於國學。

---

① “明刊本率以標題”，《補編》本作“元明刊率以標題”。

尋屬隋亂,事遂寢廢,營造之司,因用爲柱礎。貞觀初,祕書監臣魏徵始收聚之,十不存一。其相承傳拓之本,猶在祕府,附於此篇。"按此稱祕府傳拓本,尚少《禮記》一部。

《唐書·經籍志》:《今字石經論語》二卷,蔡邕注。《藝文志》:蔡邕《今字石經論語》二卷。又複出一部。

長洲顧藹吉《隸辨》曰:"若《禮記》,則本自有碑,而《隋書》失之。按《蔡邕傳》注引《洛陽記》云:'《禮記》十五碑悉毀壞。'豈當時無傳拓之本,故不得列於目耶? 以愚論之,《靈帝紀》、《儒林傳》、《宦者傳》、《盧植傳》所稱五經者,以《儀禮》、《禮記》爲一經,《春秋》、《公羊》爲一經,與《周易》、《尚書》、《魯詩》爲五經。《蔡邕》、《張馴傳》所云六經者,葢以《論語》而爲六也。《唐志》有《今字石經論語》二卷,蔡邕注。《隸釋》載《論語》殘碑有,葢、毛、包、周有,無不同之說,此卽邕所注者。葢當時詔定者五經,邕乃奏定六經,益之以《論語》。張馴與邕共奏定六經,故其傳亦曰六經也,然則漢碑乃有八經。"

沛獻王輔　五經通論

范書《光武十王傳》:沛獻王輔,建武十五年封右馮翊公。十七年,徙爲中山王。二十年,徙封沛王。二十八年,就國。輔矜嚴有法度,好經書,善說《京氏易學》、《孝經》、《論語》傳及圖讖,作《五經論》,時號之曰《沛王通論》。在國謹節,終始如一,稱爲賢王。立四十六年薨。《章帝本紀》:元和元年六月辛酉,沛王輔薨。

《文心彫龍·時序篇》曰:"光武中興,深懷圖讖,頗略文華。及明章疊耀,崇愛儒術,肆禮璧堂,講文虎觀。孟堅珥筆于國史,賈逵給札于瑞頌。東平擅其懿文,沛王振其通論。帝則藩儀,輝光相照矣。"

程曾　五經通難百餘篇

范書《儒林傳》：程曾字秀升，豫章南昌人也。受業長安，習《嚴氏春秋》，積十餘年，還家講授。會稽顧奉等數百人常居門下。著書百餘篇，皆五經通難。建初三年，舉孝廉，遷海西令，卒於官。

許慎　五經異義十卷　慎始末見孝經類。

范書《儒林傳》：初，慎以《五經》傳說臧否不同，於是撰爲《五經異義》。

《隋書·經籍志》：《五經異義》十卷，後漢太尉祭酒許慎撰。《唐日本國人見在書目》同。

惠棟《後漢書補注》曰："其書所載有《易》孟、京說，施讎說，下邳傅甘容說。古《尚書》說，賈逵說，今《尚書》歐陽、夏侯說。古《毛詩》說，今《詩》齊、魯、韓說，治《魯詩》丞相韋玄成說，匡衡說。古《春秋》左氏說，奉德侯陳欽說，侍中騎都尉賈逵說，今《春秋》公羊、穀梁說，《公羊》董仲舒說，大鴻臚時眭說。古《周禮》說，今《小戴禮》說，今《大戴禮》說，《禮·王度記》、《盛德記》、《明堂》、《月令》講學大夫淳于登說。古《孝經》說。今《魯論》說，魯郊禮，叔孫通禮，古《山海經》、《鄒書》。按原引云："謹按古《山海經》、《鄒書》云：'騶虞'獸'說與《毛詩》同。'此《鄒書》疑騶虞之譌。"公議郎尹更始、待詔劉更生議石渠，博存眾說，蔽以己意，或從古，或從今。"

《經義考》曰："許氏《異義》，唐以後無傳，僅散見於《初學記》、《通典》、《御覽》諸書所引。至於鄭康成《駁義》，《三禮正義》而外，僅存數條。"

王謨輯本序錄曰："今鈔出《書》疏、《詩》疏、《周禮》疏、《儀禮》疏、《禮記》疏、《左傳》疏、《公羊》疏、《穀梁》疏、《史記》注、《隋志》、《書鈔》、《初學記》、《通典》、《御覽》共一百五十三條，分爲二卷。"又補遺廿二條。

鄭玄　駁許慎五經異議十卷　<small>玄始末見易類。</small>

范書本傳：又著《毛詩譜》、《駁許慎五經異義》。

《唐書·經籍志》：《五經異義》十卷，許慎撰，鄭玄駁。《唐·藝文志》：許慎《五經異義》十卷，鄭玄駁。

《四庫提要》曰："《駁五經異義》一卷，山西巡撫采進本，從諸書采綴而成。或題宋王應麟編，然無確據，其間有單詞隻句駁存而義闕者。原本錯雜相參，頗失條理，今詳加釐正，以義、駁兩全者彙列於前，其僅存駁義者，則附錄以備參考。又近時朱彝尊《經義考》內亦嘗旁引鄭駁數條，而長洲惠氏所輯則蒐羅益爲廣備，往往多此本所未及。今以二家所采互參考證，除其重複，定著五十七條，別爲《補遺》一卷，附之于後。"

《鄭學錄》曰："《駁許慎五經異義》，《隋》、《唐志》十卷。至宋亡，不知何人輯爲一卷。乾隆間有王復、武億、莊葆琛、孔廣林、錢大昭諸本，皆因原輯增補，以意分合，唯孔本仍作十卷。嘉慶間，陳編修壽祺取諸本參訂，以類相從，分爲三卷，作疏證以明之，雖非康成完書，典禮、名物大端賅舉。"

鄭玄　六藝論一卷

范書本傳：又著《魯禮禘祫義》、《六藝論》。

《隋書·經籍志》：《六藝論》一卷，鄭玄撰。《唐日本國人書目》：《六藝論》一卷，鄭玄撰，方叔機注。《唐·經籍志》：《六藝論》一卷，鄭玄注。<small>按《舊志》往往以撰爲注。</small>《藝文志》：鄭玄《六藝論》一卷。《經義考》曰："孔穎達疏引方叔機注《六藝論》，叔機未詳何時人。"

徐彥《公羊序》疏曰："鄭君先作《六藝論》訖，然後注書。"

王謨輯本序錄曰："今從諸經疏及《釋文》、《御覽》、《路史》注鈔出，共二十條，附方叔機注一條。"

馬國翰輯本序曰：“從諸疏及《北堂書鈔》、《御覽》、《路史》等書輯得二十三節。《禮》正義引方叔機注一則，并附著之。”

嚴可均《全後漢文編》輯本曰：“《六藝論》，今見於諸書及唐釋法琳《辨正論》注、《世說》注，凡三十八條。”

鄭志八篇

范書本傳：建安五年六月卒，年七十四。門生相與撰玄答諸弟子問五經，依《論語》作《鄭志》八篇。

《唐會要》：左庶子劉知幾上議曰：“鄭玄卒後，其弟子追論師所著述及應對，時人謂之《鄭志》。”

《經義考》曰：“《鄭志》載於《正義》及《通典》者，大抵張逸、趙商、冷剛、田瓊、炅模問，而康成答之。又有焦喬、王權、鮑遺、陳鏗、崇精弟子互相問答之辭。”按弟子自相問答者，實《鄭記》之文。

嘉定錢大昭《補續漢書藝文志》：《鄭志》八篇，門生相與撰鄭康成答諸弟子問五經，依《論語》作。秦鑒《汗筠齋叢書·鄭志序錄》引此一條注云《補續漢藝文志》尚未刊行，今予所見者唯此。

《四庫提要》曰：“《鄭志》三卷，兩江總督采進本。《鄭志》至《崇文總目》始不著錄，此本莫考其出自誰氏。觀書中博采羣籍，有今日所不盡見者，知爲舊人所輯，非近時所新編也。閒有蒐采未盡，如諸經正義及《魏書·禮志》、《南齊書·禮志》、《續漢書·郡國志》注、《藝文類聚》諸書所引，尚有三十六條，爲《補遺》一卷。”

　　按《隋》、《唐志》載《鄭志》十一卷。九卷者，皆魏侍中鄭小
　　同重訂別本，今錄入《三國藝文志》。

鄭記六卷

《隋書·經籍志》：《鄭記》六卷，鄭玄弟子撰。《唐·經籍志》：《鄭記》六卷。《藝文志》同。皆不注撰人，次《六藝論》、《鄭志》後。

《唐會要》：左庶子劉知幾上議又曰：“鄭之弟子分授門徒，各

述師言，更相問答，編錄其語，謂之《鄭記》。"

《四庫提要》曰："《通典》所引《鄭志》，皆玄與門人問答之詞；所引《鄭記》，皆其門人互相問答之詞。知《志》之與《記》，其別在此。《曲禮》正義引《鄭志》有崇精之問，焦氏之答。《月令》正義引《鄭志》有王權之問，焦喬之答；焦氏之問，張逸之答。疑本《鄭記》之文，校刊者誤爲《鄭志》歟？"又曰："《鄭記》一書，亦久散佚，今可以考見者尚有《初學記》、《通典》、《太平御覽》所引三條，併附錄於《鄭志》之後。"

劉表　五經章句後定　　表始末見易類。

范書本傳：初，荊州人情好擾，寇賊相扇，處處麇沸。表招誘有方，威懷兼洽，萬里肅清，大小咸悅而服之。關西、兗、豫學士歸者蓋有千數，表安慰振贍，皆得資全。遂起立學校，博求儒術，綦毋闓、宋忠等撰立五經章句，謂之後定。

《蔡中郎集·劉鎮南碑》曰："君深愍末學遠本離質，乃令諸儒改定五經章句，刪剗浮辭，芟除煩重。又求遺書，寫還新者，留其故本，於是古典舊籍充滿州閭。"按此誤入《中郎集》，不知何人作。

　　按劉景升五經章句，皆宋仲子爲之撰定。今可考見者，惟《周易》、《喪服》、《春秋》三種。

張遇　五經通義

江西《饒州府志》：張遇字子遠，餘干人。侍徐穉過陳蕃，穉指之曰："此張遇也。"通《易》理，所著有《太極說》、《五經通義》。

《餘干縣志》：遇試五經，補博士。

　　按《經義考》載是書，但云張氏遇《五經通義》逸，不著其始末。"餘干"在兩漢曰"餘汗"，屬揚州豫章郡。

右五經總義類，凡一十二家一十三部。按《經義考》有曹褒《五經通義》十二篇，考本傳無五經字，今入禮類三《禮》中。

樊光　爾雅注六卷

《釋文‧敘錄》：《爾雅》樊光注六卷，京兆人，後漢中散大夫。沈旋疑非光注。

《隋書‧經籍志》：《爾雅》三卷，漢中散大夫樊光注。《唐‧經籍志》：《爾雅》六卷，樊光注。《藝文志》：《爾雅》樊光注六卷。

馬國翰輯本序曰："孔氏《正義》、《釋文》、邢《疏》所引樊光，又或引作某氏。臧庸《拜經日記》云：'唐人義疏引某氏《爾雅注》，卽樊光也。'其言確不可易，茲據合輯爲卷。其引《詩》，臧氏謂與《毛》、《韓》不同，葢本《魯詩》云。"又甘泉黃奭漢學堂輯本一卷。

李巡　爾雅注三卷

范書《宦者‧呂强傳》：時宦者汝陽李巡、北海趙祐等五人稱爲清忠，皆在里巷，不爭威權。巡以爲諸博士試甲、乙科，爭第高下，更相告言，至有行賂定蘭臺漆書經字，以合其私文者，迺白帝，與諸儒共刻五經文於石，於是詔蔡邕等正其文字。自後五經一定，爭者用息。趙祐博學多覽，著作校書，諸儒稱之。

《釋文‧敘錄》：《爾雅》李巡注三卷，汝南人，後漢中黃門。《隋書‧經籍志》：梁有漢中黃門李巡《爾雅》三卷，亡。《唐‧經籍志》：《爾雅》三卷，李巡注。《藝文志》：《爾雅》李巡注三卷。

馬國翰輯本序曰："《爾雅》李氏注，《隋志》云亡，《唐志》復出，今佚。從諸書裒輯，仍釐爲三卷。《經典‧敘錄》于劉歆注下云與李巡正同，然則巡葢師宗劉氏者也。"又黃氏漢學堂輯本一卷。

劉珍　釋名三十篇

范書《文苑傳》：劉珍字秋孫，一名寶，南陽蔡陽人也。少好學。永初中，爲謁者僕射。鄧太后詔使與校書劉騊駼、馬融及五經博士，校定東觀五經、諸子傳記、百家藝術，整齊脫誤，是正文字。永寧元年，太后又詔珍與騊駼作《建武已來名臣傳》，遷侍中、越騎校尉。延光四年，拜宗正。明年，轉衛尉，卒官。撰《釋名》三十篇，以辯萬物之稱號云。按珍字秋孫，章懷注云："諸本時有作'祕孫'者，其人名珍，與'祕'義相扶，而作'秋'者多也。"今按《續漢·百官志》注引胡廣《漢官解詁序》云："越騎校尉劉千秋。"惠氏《補注》："劉千秋卽劉珍也。"今反覆互勘，實是劉珍。珍字千秋審矣。

《四庫提要》曰："又《後漢書·劉珍傳》稱珍'撰《釋名》三十篇，以辨萬物之稱號'。其書名與劉熙相同，姓又相同，鄭明選《秕言》頗以爲疑。然歷代相傳，無引劉珍《釋名》者，則珍書久佚矣。"

劉熙　釋名二十七篇　熙始末見禮類。

熙自序曰："夫名之於實，各有義類。百姓日稱，而不知其所以之意。故撰天地、陰陽、四時、邦國、都鄙、車服、喪紀，下及民庶應用之器，論敘指歸，謂之《釋名》，凡二十七篇。"

區大任《百越先賢志》：熙博覽多識，乃卽名物以釋義，推揆事源，致意精微，作《釋名》二十七篇，自爲之序。

《隋書·經籍志》：《釋名》八卷，劉熙撰。《唐日本書目》同。《唐·經籍志》同。《藝文志》：劉熙《釋名》八卷。《宋·藝文志》同。

《崇文總目》："《釋名》八卷，劉熙卽物名以釋義，凡二十七目。"

《四庫提要》曰："其書以同聲相諧，推論稱名，辨物之意。中間頗傷於穿鑿，然可因以考見古音。又去古未遠，所釋器物，亦可因以推求古人制度之遺。其有資考證，不一而足。"

嚴可均《全後漢文編》曰："劉熙有《釋名》八卷。《吳志·韋昭

傳》'見劉熙所作《釋名》，信多佳者'。《文苑·劉珍傳》'撰
《釋名》三十篇'，蓋別有一書。或珍創始，而劉熙踵成之也。"

　　按《湖廣舊志》云："劉珍撰《釋名》三十篇，以辨萬物之稱
號，劉熙序之。"然考熙自序止二十七篇，亦絕不言前人有
是作，《湖廣志》此說未可憑信。

　　右訓詁之屬，四家四部。<small>注釋二家二部，譔著二家二部。</small>

杜林　倉頡訓纂一篇
杜林　倉頡故一篇

范書本傳：林字伯山，扶風茂陵人也。父鄴，成、哀間爲涼州
刺史。林少好學沈深，家既多書，又外氏張竦父子喜文采，林
從竦受學，博洽多聞，時稱通儒。建武六年，徵拜侍御史。二
十二年，代朱浮爲大司空，博雅多通，稱爲任職相。明年薨。
<small>本紀：建武二十三年秋八月丙戌，大司空杜林薨。</small>

《漢書·杜鄴傳》：鄴少孤，其母張敞女。鄴從敞子吉學問，得
其家書。又曰："初，鄴從張吉學。吉子竦又幼孤，從鄴學問，
尤長小學。鄴子林，清靜好古，亦有雅才。建武中，歷位列
卿，至大司空。其正文字，過於鄴、竦，故世言小學者由
杜公。"

《漢書·藝文志》：杜林《倉頡訓纂》一篇，杜林《倉頡故》一篇。
又曰："《倉頡》多古字，俗師失其讀。宣帝時，徵齊人能正讀
者，張敞從受之，傳至外孫之子杜林，爲作訓故，并列焉。"<small>言并
杜林訓故二篇，列入《藝文志》。</small>

《隋書·經籍志》：梁有《倉頡》二卷，後漢司空杜林注，亡。
《唐·經籍志》：《倉頡訓詁》二卷，杜林撰。《藝文志》：杜林
《倉頡訓詁》二卷。

馬國翰輯本序曰："杜伯山《倉頡訓詁》，今惟許氏《說文》引其
說，他書亦閒有引者，合輯爲帙。"又孫氏星衍、任氏大椿並輯入《倉頡

篇),見《岱南閣叢書》及《小學鈎沈》中。

按《說文》董、芗、蕶、畍、構、弼、㞋、耐、狋、渭、耿、娸、契、㜪、㰟、畾、幹、害字下,凡十九引杜林說,皆出是書。又《漢書·地理志》敦煌郡敦煌縣,班氏自注曰:"杜林以爲古瓜州,地生美瓜。"亦出是書。他如唐釋慧琳《大藏音義》、玄應《一切經音義》所引《倉頡訓詁》,或是魏人張揖《三倉訓詁》中語,無以必其爲杜林說。《大藏音義》引杜林《漢書注》。按林卒於建武廿三年,時《漢書》未成,安得有注,蓋誤以《地理志》班氏引此一條爲杜林注耳。

班固　續倉頡篇十三章

范書本傳:固字孟堅,扶風安陵人也。顯宗召詣校書部,除蘭臺令史,遷爲郎,肅宗以爲玄武司馬。永元初,大將軍竇憲出征匈奴,以爲中護軍,行中郎將事。及憲敗,固先坐免官。及竇氏賓客皆逮考,洛陽令种兢心銜固,因此捕繫。固遂死獄中,時年六十一。按時爲永元四年。詔以譴責兢,抵主者吏罪。

《漢書·藝文志》曰:"元始中,徵天下通小學者以百數,各令記字於庭中。揚雄取其有用者以作《訓纂篇》,順續《倉頡》,又易《倉頡》中重複之字,凡八十九章。臣復續揚雄作十三章,凡一百三章,無復字,六藝羣書所載略備矣。"按一百三章,"三"當爲"二"。

韋昭《漢書音義》曰:"臣,班固自謂也。作十三章,後人不別,疑在《倉頡》下篇三十四章中。"按在賈魴《滂熹篇》中。張懷瓘《書斷》曰:"固工篆,李斯、曹喜之法,悉能究之。"

《隋書·經籍志》:有班固《太甲篇》、《在昔篇》各一卷,亡。按"有"上脫"梁"字。《唐·經籍志》:《在昔篇》一卷,班固撰。《太甲篇》一卷,班固撰。《藝文志》:班固《在昔篇》一卷,《太甲篇》一卷。

按《太甲篇》、《在昔篇》似卽十三章中篇目,然不知此二篇是否卽十三章全文也。《說文》皀部隉字引班固說。

賈魴　滂熹篇一卷

《隋書·經籍志》曰："後漢郎中賈訪作《滂熹篇》。"按訪當爲魴。

張懷瓘《書斷》曰："揚雄作《訓纂篇》二十四章，以纂續《倉頡》也。按《漢志》"揚雄作《訓纂篇》順續《倉頡》，又易《倉頡》中重複之字，凡八十九章"，內除閭里書師所併《倉頡篇》五十五章，則雄所續實三十四章。"二"當爲"三"。孟堅乃復續十三章。和帝永初中，賈魴又撰《異字》，取固所續章，而廣之爲三十四章。用《訓纂》之末字以爲篇目，故曰《滂熹篇》，言滂沱大盛，凡百二十三章，文字備矣。"

侯《志》曰："魴，和帝時郎中，事蹟無考。《法書要錄》引王愔《文字志》中卷有魴名。庾元威《論書》稱賈升卿或卽魴之字歟？"按庾元威《論書表》稱賈升郎或作叔郎，未詳孰是。

賈魴　三倉三卷

梁庾元威《論書表》曰："李斯造《倉頡》七章，趙高造《爰歷》六章，胡毋敬造《博學》七章，後人分五十五章爲《三倉》上卷。至哀帝元嘉中，按當爲元壽。揚子雲作《訓纂》記。按當爲"訖"。《滂熹》爲中卷。和帝永元中，賈升卿更續記。按亦當爲"訖"。《彥均》爲下卷。故人稱爲《三倉》也。"按"彥均"二字蓋《滂熹篇》篇末之文。舊注云："彥，盤音。"又按唐封演《聞見記·文字篇》云："後漢和帝時，始獲七千三百八十四字。"似卽指此《三倉》之字數，或是賈逵修理《倉頡》舊史之字數。

張懷瓘《書斷》曰："和帝時，賈魴撰《滂熹篇》，以《倉頡》爲上篇，《訓纂》爲中篇，《滂熹》爲下篇，所謂《三倉》也，皆用隸字寫之，隸法由是而廣。"

徐鉉《說文韻譜序》曰："賈魴以《三倉》之書皆爲隸字，隸字始廣，而篆、籀轉微。"

《隋書·經籍志》：《三倉》三卷。《唐·經籍志》：《三倉》三卷，李斯等撰。《唐·藝文志》：李斯等《三倉》三卷。

按張、徐二家言，則魴既撰《滂熹篇》，又隸寫，合《倉頡》、《訓纂》爲《三倉》三卷。《三倉》之名，自魴始。孫伯淵先生輯《倉頡篇》序謂“《三倉》晉張軌所合”，未詳所據。吳人陸璣在張軌前，其《詩疏》數引《三倉》說，以是知《三倉》實始於賈魴。

王育　史籀篇解說九篇

朱張文《墨池編》：唐玄度《論十體書》曰：“周宣王太史史籀始變古文，著大篆十五篇。秦焚《詩》、《書》，惟《易》與此篇得全。逮王莽之亂，此篇亡失。建武時，曾獲九篇。章帝時，王育爲作解說，所不通者十有二三。”

按王育始末無考，《說文》爲、禿、女、无、醫字下凡五引王育說，卽是書。

曹壽　急就篇解一卷

《唐書・經籍志》：《急就章》一卷，史游傳，曹壽解。《唐・藝文志》：史游《急就章》一卷，曹壽解。

《玉海・藝文》曰：“《急就篇》，元帝時黃門令史游撰，《唐志》一卷，曹壽解，舊分三十二章。今多《齊國》、《山陽》兩章，凡爲章三十四，此兩章蓋起於東漢。按《急就篇》末說長安中涇渭街術，故此篇亦言洛陽人物之盛以相當，而鄗縣以世祖卽位之地，升其名曰高邑，與先漢所改真定常山並列。此爲後漢人所續不疑。”

王應麟《補注》序曰：“《急就》雖存，而曹壽、劉芳、豆盧氏、顏之推注解軼而不傳。”

按曹壽始末無考，王愔《文字志》目錄列之許慎、崔寔之間。《史通・正史篇》云：“桓帝時，議郎曹壽與崔寔、延篤等撰集《漢記》。”舊注云：“壽字世叔，卽娶班彪女昭者也。”然考范書《列女傳》云世叔早卒，既云早卒，不應於班固卒後六十餘年尚存。此議郎曹壽，非曹世叔，《史通》舊注誤也。然則東漢有兩曹壽，注此書者不知爲世叔，爲議郎？攷東觀之職，皆校書，是正文字，亦兼修史，以是推尋，則議郎曹壽爲近。又按東漢人注解《急就篇》者，惟曹壽一家。篇末《齊國》、《山陽》兩章，或壽所續。

右注續前代字書，五家七部。注三家四部，續二家三部。

東平王蒼　別字 蒼始末見樂類。

范書《光武十王列傳》：“蒼所作書、記、賦、頌、七言、別字。”惠棟補注：“《續漢志》曰：‘凡別字之體，皆從上起，左右離合。’按本志卷一：獻帝踐祚之初，京師童謠曰：“千里草，何青青。十日卜，不得生。”按千里草爲董，十日卜爲卓。凡別字之體，皆從上起，左右離合，無有從下發端者也。今二字如此者，天意若曰：“卓自下摩上，以臣陵君也。”青青者，暴盛之貌也，不得生者，亦旋破亡。《藝文志》小學家有《別字》十三篇。或曰《別字》，辨俗字。尹敏曰：‘讖書非聖人所作，其中多近鄙別字。’是也。未知孰是。”

按東平王《別字》，惠氏解凡三說，大抵是小學家之書。其時俗字，如馬伏波奏言“白下人，人下羊”，許祭酒序言“馬頭人爲長，人持十爲斗”，諸說所在多有。由是推尋，則是書辨俗字爲多，或注釋《漢志》所載十三篇。

衛宏　詔定古文官書一卷 宏始末見書類。

《隋書·經籍志》：《古文官書》一卷，後漢議郎衛敬仲撰。《唐·經籍志》：《詔定古文官書》一卷，衛宏撰。《藝文志》：衛宏《詔定古文字書》一卷。

段玉裁《經韻樓集》曰：“韓退之言李少溫子服之以科斗書衛宏《官書》相贈。唐初玄應《衆經音義》引衛宏《詔定古文官書》三條，曰‘旱得同體’，曰‘枹桴同體’，曰‘圖畕同體’。《史記正義》曰：‘衛宏《官書》數體。’然則其書體製盍同張揖《古今字詁》，而字體爲古文、籀文。唐人以爲難得。至唐季，其書亡矣。”

侯《志》曰：“段氏定當作‘官書’，洪氏《讀書叢錄》定當作‘尚書’。竊謂衛宏有《古文尚書訓旨》見於本傳，而《古文官書》，韓文公時尚存，則作《隋志》者必目覩其書，列之小學，決非無據。至如‘尋得同體’諸條，及《汗簡》所引《衛宏字說》，與《集韻》云‘馴，衛宏通作馱。昺，古國名，衛宏說與杞同’，此明爲小學之書。又如《藝文類聚》四十九引衛宏《古文官書》曰‘太常主導贊助祭者’云云，此與《釋名》體例旁及官制者略同，而與《尚書》絕無涉，亦斷不能系之《古文尚書》者也。至於或稱《古文奇字》，或稱《古文字書》，或稱《衛宏字說》，殆即《官書》之異名歟？”

馬國翰輯本序曰：“此書辨定古文，以爲官式。《說文》引三節，《集韻》引一節，《書正義》、《史記正義》、《漢書注》、《御覽》引其序，互有同異。玄應《一切經音義》引三節，而引《古文》者二百餘節，與所引《詔定古文官書》體例不異，知皆引自一書，省字稱《古文》也。並據合錄。”

按《東觀記·馬援傳》：“援上書曰：‘臣所假伏波將軍印，書伏字，犬外嚮。城皋令印，皋字爲白下羊；承印四下羊；尉印白下人，人下羊。即一縣長吏，印文不同，恐天下不正者多。符印，所以爲信也，所宜齊同。’薦曉古文字者，事下大司空，時竇融爲大司空。正郡國印章。奏可。”其時其事，頗與詔定是書相會。衛敬仲從杜伯山學漆書古文，本曉古文字，其即伏波將軍所薦者歟？攷《隋志》列是書於諸家體勢之首，《志》序言之甚明，體勢者如書勢、書法、雜字體之類，本藝術之屬也。然則是書作以備符印幡信之程式，猶先漢六體中之謬篆蟲書。馬竹吾云："辨定古文，以爲官式。"得之矣。

賈逵　修理倉頡舊史　逵始末見書類。

許沖奏上《說文解字》曰："先帝詔侍中騎都尉賈逵修理舊史，殊藝異術，王教一嵩，苟有可以加於國者，靡不悉集。"段玉裁曰："先帝謂孝和帝。《左傳》君子曰：'苟有可以加於國家者，棄其邪可也。'沖語本《左氏》。"

按《逵本傳》，顯宗時與班固並校祕書，肅宗時入講白虎觀、雲臺，和帝時兼領祕書近署。攷其歷官始末，常在文學侍從，所承詔撰述如《左氏大義》、《尚書古文同異》、《詩毛氏異同》、《周官解故》，並是古學。而其校定文字之書，不見於史，惟許沖上表約略言之。北魏江式亦具述其事。沖云"靡不悉集"，則必集而爲書。時字學荒蕪，如"馬頭人爲長，人持十爲斗"諸野言，習俗相沿，莫之能革。自逵修理舊文，於諸殊藝異術，不合古文六書者埽除一空，於是而王教一嵩。其不詭於邪，苟有可以加於國者，亦靡不集而存之。沖之本意或如此。陶氏以爲修理《倉頡》、《舊史》。《倉頡》，古文也，《舊史》，籀文也，即修理古、籀合爲一袠，未可知也。其言必有所受，故據以標目，此亦承詔撰述之一種。《說文》凡十七引賈侍中說，儻亦取資於此，不盡出《古文尚書訓》歟？許君自序亦云"必遵修舊文而不穿鑿"，其旨趣亦莫不相同。

又按梁庾元威《論書》曰："許慎穿鑿賈氏，乃奏《說文》。"則《說文》之作，取資於賈氏之書可知。許沖表云"博采通人，攷之於逑”,證以庚說,則所攷亦卽逑修理舊文之書。可知唐封演《聞見記》云“後漢和帝時始獲七千三百八十四字”,疑卽逑所集字數,許從而增之,故至九千餘字。

許愼　說文解字　十五卷愼始末見孝經類。

范書《儒林傳》:愼又作《說文解字》十四篇,傳於世。

建光元年九月己亥朔二十日戊午,上召上書者汝南許沖詣左掖門外會,令并齎所上書。十月十九日,中黃門饒喜以詔書賜召陵公乘許沖布四十匹。卽日受詔朱雀掖門。敕勿謝。

《隋書·經籍志》:《說文》十五卷,許愼撰。《唐日本國人見在書目》:《說文解字》十六卷,許愼撰。《唐·經籍志》:《說文解字》十五卷,許愼撰。《藝文志》:許愼《說文解字》十五卷。《宋史·志》同。按《隋志》:梁有《演說文》一卷,庾儼默注,亡。《日本書目》十六卷,似并此一卷在內。

惠棟《後漢書補注》:楊愼《六書索隱》曰:“《說文》有孔子說,楚莊王說,《左氏》說,韓非說,《淮南子》說,司馬相如說,董仲舒說,京房說,衛宏說,揚雄說,劉歆說,桑欽說,杜林說,賈逵說,傅毅說,譚長說,王育說,尹彤說,張林說,黃顥說,周盛說,逯安說,歐陽僑說,甯嚴說,爰禮說,徐巡說,莊都說,張徹說。”

按《說文》所引尚有孟子說,老子說,墨翟說,公羊說,穀梁說,天老說,伊尹說,師曠說,史籀說,呂不韋說,甘氏說,劉向說,班固說,宋弘說,官溥說,司農說,博士說。又有引復說者,不著其姓。又對字下引漢文帝說,疊字下引亡新卽甄豐說。又《三國志》注引《魏略》諸書,屢稱許氏字指,蓋其時有是名。

服虔　通俗文一卷　虔始末見春秋類。

《隋書·經籍志》:《通俗文》一卷,服虔撰。《唐日本國人見在書目》:《通俗章》一卷,服虔撰。《唐·經籍志》:《續通俗文》

二卷,李虔撰。《藝文志》:李虔《續通俗文》二卷。馬國翰曰:"服虔書一卷,李虔續之爲二卷。按武郡太守李翕《西狹頌》題名,有'府門下掾故從事下辨李虔字子行',時爲靈帝建寧四年,與服子愼同時。李氏武都大姓。下辨,郡所治也。晉初有漢中太守李虔,卽犍爲李密改名。"

《顏氏家訓·書證篇》:《通俗文》,世間題云"河南服虔字子愼造"。虔旣是漢人,其敍乃引蘇林、張揖,蘇、張皆是魏人。且鄭玄以前,全不解反語,《通俗文》反音,其會近俗。阮孝緒又云"李虔所造",河北此書家藏一本,遂無作李虔者。晉《中經簿》及《七志》並無其目,竟不得知誰制。然其文義允愜,實是高才。殷仲堪《常用字訓》,亦引服虔俗說。今復無此書,未知卽是《通俗文》爲當有異,近代或有服虔乎? 不能明也。按蘇林、張揖並在魏初,林建安中爲五官將文學,揖太和中爲博士。揖卒年無攷,林年八十餘景初末卒。當建安之初,林年將四十矣,必及見服子愼也。

洪亮吉《更生齋文甲集·復臧鏞堂問通俗文書》曰:"前人疑此書出李虔,不過因晉《中經簿》所無。《唐志》明標李虔《續通俗文》,言續則非始自李虔可知。君家先人《經義雜記》又以《隋志》次此書於沈約《四聲》等書後,而證其爲李虔,不知《隋志》亦唐人所修,與徐堅《初學記》、玄應《一切經音義》相距不遠。今徐堅所引則次於《說文》,《一切經音義》所引則皆在《三倉》、《釋名》之上,則唐人亦皆以此書爲服虔所造也。至若反音,不妨爲後人所補入,或專系李虔續書中語,與《通俗文》之爲服虔書無礙也。"

按臧玉林《經義雜記》云:"《隋志》'《通俗文》一卷,服虔撰',敍次在梁沈約《四聲》、李槩《音譜》、釋靜洪《韻英》之下,則《隋志》亦不以爲漢之服子愼所撰。"此說非也,《隋志》之例,往往於一篇之中各分以類,此篇於韻書之後,別以通俗、訓俗、證俗等書爲一類,而以是書爲是類之首,未嘗不以爲漢之服子愼。洪氏不此之察,而遠證於《初學記》、玄應《音》，失之眉睫。

又按《日本書目》服虔《通俗章》一卷之後，又有《通俗文》一卷，不著撰人，當是李虔所續。佐世著錄皆目見其書，是可證服、李兩家之先後不同。服書似本名《通俗章》，然顏黃門所見題《通俗文》，與《隋志》同，則稱《通俗章》者，變文也。洪氏書又曰："有變文言《通俗篇》者，言服虔俗說者。"要皆一書也。任氏《小學鈎沈》、馬氏玉函山房並有輯本一卷，又有臧鏞堂輯本，又近時新出唐本《玉篇》、《大藏音義》、《續音義》、《玉燭寶典》諸書，引《通俗文》及《倉頡》、《三倉》、《聲類》諸字書至多，皆諸家輯本所未及。

馬日磾　羣書古文

范書《馬融傳》：融族孫日磾，獻帝時位至太傅。

又《孔融傳》：初，太傅馬日磾奉使山東，及至淮南，數有意於袁術，術輕侮之，遂奪取其節，求去又不聽，因欲逼爲軍帥。日磾深自恨，遂嘔血而斃。《獻帝本紀》：初平三年五月，董卓部曲將李傕、郭汜、樊稠、張濟等反攻京師。六月戊午，陷長安城，傕等並自爲將軍。秋七月庚子，太尉馬日磾爲太傅，錄尚書事。八月，遣日磾及太僕趙岐持節慰撫天下。

《魏志·袁術傳》注：《三輔決錄》注曰："日磾字翁叔，馬融之族子。少傳融業，以才學進，與楊彪、盧植、蔡邕等典校中書。歷位九卿，遂登台輔。"

侯《志》曰："郭忠恕《汗簡》卷下之一引《馬日磾集·羣書古文》四字，卷下之二引一字。"

按日磾於熹平中以諫議大夫與蔡邕等正定六經文字，刻石立於太學。其前又與盧植等典校中書，所見羣書中古文，集而成編，亦事所恆有。郭忠恕著錄，可信也。

郭訓　雜字指一卷

《隋書·經籍志》：《雜字指》一卷，後漢太子中庶子郭顯卿撰。

《唐·經籍志》：《字旨篇》一卷，郭玄撰。《藝文志》：郭訓《字旨篇》一卷。

南康謝啟昆《小學攷》曰："《唐志》作郭訓,《隋志》作郭顯卿,疑訓字顯卿也。"

馬國翰輯本序曰："郭顯卿里居不詳,據《隋志》,知仕爲太子中庶子,據《唐志》,知本名訓而以字行也。《汗簡》引二十九條,《廣韻》引一條,作'郭調《字指》',調爲訓字之誤。"

按《舊唐志》誤作郭玄,《文選注》傳寫又誤"郭"爲"鄭",以爲鄭玄《字指》。錢塘汪師韓輯《選注羣書目錄》,遂以鄭康成《字指》列目,孫氏志祖以爲誤,是也。

郭訓　古文奇字二卷

《隋書·經籍志》:《古文奇字》一卷,郭顯卿撰。《唐·經籍志》:《古文奇字》二卷,郭訓撰。《藝文志》:郭訓《字旨篇》一卷,《古文奇字》二卷。

侯《志》曰："唐釋玄應《道行般若經》卷二音義云:'蓳,郭訓《古文奇字》以爲古文逝字。'"

按《隋志》列是書於衛宏《古文官書》之次,並是字學中體勢之屬。

右新舊字書兼解釋之屬,七家八部。

孝靈皇帝　皇羲篇五十章

范書《蔡邕傳》:初,帝好學,自造《皇羲篇》五十章。惠棟《補注》曰:"按《典略》,熹平四年五月造。"

《文心彫龍·時序篇》曰："降及靈帝,時好辭製,造《羲皇》之書,開鴻都之賦。"

崔瑗　飛龍篇一卷

范書《崔駰傳》:駰,涿郡安平人也。中子瑗,字子玉,早孤,銳志好學。年十八至京師,從侍中賈逵質正大義。逵善待之,瑗因留游學,後歸家。順帝初,舉茂才,遷汲令。漢安初,遷濟北相。卒年六十六。張懷瓘《書斷》云："以順帝漢安二年卒。"

《隋書·經籍志》：梁有班固《太甲篇》、《在昔篇》，崔瑗《飛龍篇》各一卷，亡。《唐·經籍志》：《飛龍篆草勢合》三卷，崔瑗撰。《藝文志》：崔瑗《飛龍篇篆草勢》三卷。《篆草勢》今別著錄。

賈魴　字屬篇一卷　　魴始末見前。

《隋書·經籍志》：梁有《字屬》一卷，賈魴撰，亡。《唐·經籍志》：《字屬篇》一卷，賈魴撰。《藝文志》：賈魴《字屬篇》一卷。

酈炎　酈篇

酈炎　州篇

范書《文苑傳》：酈炎字文勝，范陽人，酈食其之後也。靈帝時，州郡辟命，皆不就。後風病慌惚。性至孝，遭母憂，病甚發動。妻始產而驚死，妻家訟之，繫獄。炎病不能理對，熹平六年，遂死獄中，時年二十八。尚書盧植爲之誄贊，以昭其懿德。

惠棟《後漢書補注》：《炎集》炎《遺令》曰："下邳衛府君，我之諸曹掾。督郵濟北寧府君，我由之成就。陳留韓府君，察我孝廉。陳留楊使君，辟我右北平從事祭酒。"注云："四人舉辟炎者。"又《遺令》稱："熹平六年冬十二月，乃裂裳書，當於是月死獄中也。"又云："我十七而作《酈篇》矣，二十四而《州書》矣。"注云："《酈篇》、《州書》，皆字學之書。"

　　按酈炎《遺令》見《古文苑》，惠氏所引，亦卽本此，而云《炎集》。攷《炎集》二卷，自《唐·藝文》著錄，後無傳之者，不知惠氏從何得此。《古文苑》，宋紹熙中章樵爲之注，此所引注文卽章氏說。其本未見，不審樵何以知其皆字學之書。今姑錄于此，不能無疑。又按惠氏似仿章懷注例，故亦稱《炎集》。

蔡邕　聖皇篇一卷　邕始末見禮類。

《隋書・經籍志》：梁有崔瑗《飛龍篇》、蔡邕《聖皇篇》各一卷，亡。《唐・經籍志》：《聖草章》一卷，蔡邕撰。《藝文志》：蔡邕《聖草章》一卷。

張璟瓘《書斷》曰："漢靈帝熹平年詔蔡邕作《聖皇篇》，篇成，詣鴻都門上。"又引《聖皇篇》文云："程邈刪古立隸文。"

唐玄度《論十體書》曰："漢靈帝飾理鴻都門，時陳留蔡邕撰《聖皇篇》，待詔門下，見役人以堊帚成字，心有悅焉，歸而爲飛白書。"

蔡邕　勸學篇一卷

《世說・紕漏篇》注：《大戴禮・勸學篇》："蟹二螯八足，非蛇蟺之穴無所寄託者，用心躁也。"故蔡邕爲《勸學章》，取義焉。

《隋書・經籍志》：《勸學》一卷，蔡邕撰。《唐・經籍志》：《勸學篇》一卷，蔡邕撰。《藝文志》：蔡邕《勸學篇》一卷。

馬國翰輯本序曰："《勸學篇》皆勖學之言，編爲韻語，取便諷誦，人無貴賤，道在則尊，實篇中名言也。"

嚴可均《全後漢文編》曰："《文選注》、《御覽》、《北史・劉芳傳》、《書斷》、《墨池編》諸書引《勸學篇》文，凡十三條，又《爾雅・釋獸》、《釋文》、《一切經音義》引《勸學篇》注。"

右新撰字書之屬，五家七部。

婆羅門書一卷

《隋書・經籍志》：《婆羅門書》一卷。又曰："自後漢佛法行於中國，又得西域胡書，能以十四字貫一切音，文省而義廣，謂之《婆羅門書》，與八體六文之義殊別。"

唐釋道世《法苑珠林・傳記篇》曰："婆羅門，是高行人。"

鄭樵《通志・七音略》曰："切韻之學，起自西域，舊所傳十四字貫一切音，文省而音博，謂之《婆羅門書》。然猶未也，其後又得三十六字母,而音韻之道始備。"又《藝文略》曰:"《婆羅門書》四卷,注云《隋志》一卷。"

按梁釋慧皎《高僧傳》云"朱士行,潁川人。以魏甘露五年西度流沙,至于闐,得梵書。于闐諸小乘學眾,白王云:'漢地沙門欲以《婆羅門書》惑亂聖典,王爲地主,若不禁之,將斷大法。聾盲漢地,王之咎也。'王卽不聽齎經"云云。是漢魏緇流譯經,皆以《婆羅門書》從事。《開元釋教錄》云:"優婆塞支謙學《婆羅門書》,譯出經八十八部,而于闐人以爲不然。"荀卿所謂"囿其學之相非"也。

右音韻之屬,一家一部。

右小學類,凡五門,綜二十一家二十七部。按隋、唐《經籍志》有《說文音隱》四卷,不著撰人,疑是服虔撰。又侯《志》有曹喜《筆論》、崔瑗《篆草勢》、蔡邕《篆勢》、張芝《筆心論》,並析入子部雜藝術類。蔡邕《女師篇》,析入儒家。鄭康成《字指》,卽郭訓《字旨》,不別出。石經八部,析入五經總義類。

詔令校定圖讖

范書《儒林·尹敏傳》:敏字幼季,南陽堵陽人也。少爲諸生。建武二年上疏,陳《洪範》消災之術。時世祖方草創天下,未遑其事,命敏待詔公車,拜郎中,辟大司空府。帝以敏博通經記,令校圖讖,使蠲去崔發所爲王莽著錄次比。使除去崔發爲王莽著錄之文,而次比之。敏對曰:"讖書非聖人所作,其中多近鄙別字,頗類世俗之辭,恐疑誤後生。"帝不納。敏因其闕文增之曰:"君無口,爲漢輔。"帝見而怪之,召敏問其故。敏對曰:"臣見前人增損圖書,敢不自量,竊幸萬一。"帝深非之,雖竟不罪,而亦以此沈滯。又《儒林·薛漢傳》:漢尤善說災異讖緯,建武初爲博士,受詔校定圖讖。

又《光武本紀》:中元元年,是歲,宣布圖讖於天下。

郗萌　春秋災異十五卷

《隋書‧經籍志》：《春秋災異》十五卷，郗萌撰。又曰："漢末郎中郗萌集圖緯讖雜占爲五十篇，謂之《春秋災異》。"

儀徵阮元《疇人傳》曰："郗萌，祕書郎也。記先師相傳宣夜之說，謂七曜不綴附天體。夫既不附天體，則七曜各自有其高下，可知今西人言日月五星各居一天，俱在恆星天之下，卽'不綴附天體'之謂。意其說或出於宣夜歟？"劉昭注補《續漢書‧天文志》引郗萌占甚多，萌蓋天文家也。

按《隋書‧天文志》稱漢祕書郎郗萌記先師宣夜之說，此稱漢末郎中，又子部五行家稱後漢中郎，攷班孟堅《典引》序云"永平十七年，臣與賈逵、傅毅、杜矩、展隆、郗萌等召詣雲龍門"，是萌在明帝時與賈景伯諸人同官，非漢末也。

《開元占經》引郗萌占尤多，與《續漢志》注所引皆是書《雜占》篇中語。《隋志》稱五十篇，疑十五篇，誤倒其文。

賈逵　摘讖　逵始末見書類。

范書《張衡傳》：衡上疏言圖緯虛妄，云往者侍中賈逵《摘讖》互異三十餘事，諸言讖者皆不能說。

《隋志》讖緯篇曰："光武以圖讖興，遂盛行於世。唯孔安國、毛公、王璜、賈逵之徒獨非之，相承以爲妖妄，亂中庸之典。"

惠棟《後漢書‧賈逵傳》補注：閻若璩曰："《隋志》云'賈逵之徒獨非之'，與范書'逵能附會文致，最差貴顯'者不合。蓋《隋志》不詳攷此奏，此奏者，逵奏言《左氏》與圖讖合，見本傳也。而誤讀張衡疏內之文，以爲逵首非讖。不知逵第摘其互異處，初無所非也。"棟按《方術傳》論曰："光武信讖言，鄭興、賈逵以附同稱顯。"《興傳》無附會讖之事，①而《逵傳》有之，

---

①　"事"，原缺，據《補編》本、《粵雅堂叢書》本《後漢書補注》補。

閣說不誤也。

荀爽　辨讖　爽始末見易類。

范書本傳：又作《公羊問》及《辯讖》。

荀悅《申鑒·俗嫌篇》曰："世稱緯書仲尼之作也，臣悅叔父故司空爽辨之，葢發其僞也。有起於中興之前，終、張之徒之作乎？"

《四庫提要》曰："劉向《七略》不著緯書，然民閒私相傳習，則自秦以來有之。荀爽謂起自哀、平，據其盛行之日言之耳。"

楊統　祕記家法章句

范書《楊厚傳》：厚，廣漢新都人也。祖父春卿，善圖讖學，爲公孫述將。漢兵平蜀，春卿自殺，臨命戒子統曰："吾綈褒中有先祖所傳祕記，爲漢家用，爾其修之。"統感父遺言，服闋，辭家，從犍爲周循學習先法，又就同郡鄭伯山受河洛書，乃天文推步之術。建初中，爲彭城令，作《家法章句》。安帝時，爲侍中，位至光祿大夫，爲國三老。年九十卒。

按《家法章句》者，猶言別自名家也。

楊統　内讖二卷解說

范書《楊厚附傳》：作《家法章句》及《内讖二卷解說》。

《廣漢人士贊》：楊統字仲通，事華里先生炎高。高戒統曰："漢九世王出圖書，與卿適應之。"建武初，天下求通《内讖》二卷者，不得。永平中，舉方正，司徒魯恭辟掾，與恭共定音律，上《家法章句》及《二卷解說》。

《經義攷》：《益部耆舊傳》曰："統代以《夏侯尚書》相傳，作《内讖二卷解說》。"

惠棟《後漢書補注》：按《巴漢志》内讖者，《孔子内讖》，桓譚書所云"矯稱孔丘爲讖記"是也。

景鸞　河洛交集 <small>鸞始末見易類。</small>

范書《儒林傳》：少隨師學經，兼受《河》、《洛》圖緯，作《易說》
及《詩解》，文句兼取《河》、《洛》，以類相從，名爲《交集》。

《冊府元龜》學較部譔集門：景鸞，廣漢梓潼人也。取《河》、
《洛》圖緯以類相從，名爲《災集》。

　　按范書及《華陽國志》並作《交集》，《冊府元龜》作《災集》，
《經義攷》引《益部耆舊傳》又作《奧集》。

朱倉　河洛解

《廣漢人士贊》：朱倉字雲卿，什邡人也。受學於蜀郡張寧，著
《河洛解》。爲郡功曹，每察孝廉，不就，州辟治中從事，以諷
詠自終。

翟酺　援神鉤命解詁十二篇

范書本傳：酺字子超，廣漢雒人也。四世傳《詩》。酺好《老
子》，尤善圖緯、天文、曆算。仕郡，徵拜議郎，遷侍中，拜尚
書。延光三年，出爲酒泉太守。遷京兆尹。順帝即位，拜光
祿大夫，遷將作大匠。權貴共誣酺交通屬託，坐減死歸家，
卒。著《援神》、《鉤命解詁》十二篇。章懷太子曰：“《援神
契》、《鉤命決》，皆《孝經緯》篇名也。”

《廣漢人士贊》：酺少事段翳，明天官，著《援神契經說》。

《經義攷》曰：“按《益部耆舊傳》謂是酺弟子緜竹杜真孟宗所
著。”<small>按《廣漢人士贊》，杜真字孟宗，兄事翟酺。</small>

　　按《七經緯·孝經》有此二篇，而《隋志》言七緯之外又有此
二篇，似漢時《孝經緯》有兩本，一在《七緯》中，一別本單
行，其文或不同。翟氏所解詁者，或別本也。

鄭玄　洛書注 <small>玄始末見易類。</small>

《隋書·經籍志》：說者又云：“孔子既敘六經，以明天人之道，
知後世不能稽同其意，故別立緯及讖，以遺來世。”其書出於

前漢，有《河圖》九篇，《洛書》六篇，云自黃帝至周文王所受本文。又別有三十篇，云自初起至於孔子九聖之所增演，以廣其意。又曰："宋均、鄭玄並爲讖律之注。"

錢塘汪師韓《文選理學權輿》曰："《選注》所引羣書，有鄭康成《洛書注》。"汪氏此目皆徵實之文，故采用之。

《經義攷》曰："《洛書靈準聽》，鄭玄注。"

《鄭學錄》曰："某書引《洛書靈準聽》文及鄭玄注，又羅苹《路史》注亦引《靈準聽》鄭玄注數語，知康成注有此緯。"按此乃讖，非緯也。

　按《隋志》言鄭爲讖律之注，《大藏音義》引《倉頡篇》云："讖，祕密書也，出《河》、《洛》記文。"又曰："讖書，《河》、《洛》也。"葢讖兼《河圖》、《洛書》而言，鄭既注《洛書》，亦必注《河圖》。今無可徵驗，姑從闕如。

鄭玄　易緯注九卷

《隋書·經籍志》：《易緯》八卷，鄭玄注，梁有九卷。《唐日本國人書目》：《易緯》十卷，鄭玄注。《宋志》易類：《易乾鑿度》三卷，《易緯》七卷，《易緯稽覽圖》一卷，《易通卦驗》二卷，並鄭玄注。

馮椅《厚齋易學》曰："《崇文總目》云《周易緯》九卷，漢鄭康成注。"

《玉海·藝文》曰："《易緯》鄭玄注，梁九卷，今篇次具存。李淑《書目》云：'凡《乾鑿度》、《稽覽圖》、《通卦驗》各二，《辨終備》、《是類謀》、《坤靈圖》各一。'今三館所藏，止有鄭氏注七卷。"

　按鄭注《易緯》，今輯本別有《乾元序制記》一種，葢後人於《易緯》中分析成編，非古緯所有。又范書《郎顗傳》，顗條上便宜七事，引《易內傳》、《易中孚傳》，章懷注又引《中孚

傳》鄭玄注。又《經義攷》載漢《易中孚》義，謂何休《公羊
傳》注所引，似皆《易緯》中篇目也。

鄭玄　尚書緯注六卷

《隋書·經籍志》：《尚書緯》三卷，鄭玄注，梁六卷。《唐·經
籍志》：《書緯》三卷，鄭玄注。《藝文志》：鄭玄注《書緯》
三卷。

范書《方術·樊英傳》注：《書緯》、《璇璣鈐》、《考靈耀》、《刑德
放》、《帝命驗》、《運期受》也。

《鄭學錄》曰："經疏諸書唯引《考靈耀》最夥，朱彝尊曰：'《考
靈耀》之文，大都推步之說，其言無悖於理。隋燔緯書，若此
與《括地象》，雖置不燔可也。'《禮記》、《爾雅》疏引鄭注言天
體特詳。"

侯《志》曰："趙在翰纂《七緯》，無《運期授》注。今考其所引
《詩·文王》序正義一條，亦出鄭注無疑。"

鄭玄　詩緯注三卷

《唐書·經籍志》：《詩緯》三卷，鄭玄注。《藝文志》：鄭玄注
《詩緯》三卷。

范書《方術·樊英傳》注：《詩緯》、《含神霧》、《氾歷樞》、《推度
災》也。

侯《志》曰："趙在翰纂《七緯》，但有鄭氏《汎歷樞》注。"

按《隋志》七緯之外，又有此三種別本，不知鄭氏所注爲
何文。

鄭玄　禮緯注三卷

《隋書·經籍志》：《禮緯》三卷，鄭玄注，亡。《唐日本書目》：
《禮緯》三卷，鄭玄注。

范書《方術·樊英傳》注：《禮緯》、《含文嘉》、《稽命徵》、《斗威
儀》也。

侯《志》曰：“趙在翰纂《七緯》，祇載《含文嘉》、《斗威儀》二注，然所采《詩·烈祖》序正義一條，以《正義》下文攷之，卽鄭注《稽命徵》也。”

鄭玄　禮記默房注三卷

《隋書·經籍志》：《禮記默房》二卷。梁有三卷，鄭玄注，亡。

按范書《樊英傳》注言《七緯》篇目止於三十五，尚闕其一，似卽此《禮記默房》。葢《七緯》中，《禮緯》實四種，故鄭君並有注。《隋志》云《七經緯》三十六篇，并此一種，而三十六篇之目始具。

鄭玄　樂緯注

范書《方術·樊英傳》注：《樂緯》、《動聲儀》、《稽耀嘉》、《叶圖徵》也。

侯《志》曰：“趙氏《七緯》祇載《動聲儀》注，然所采《檀弓》正義、《稽耀嘉》注，亦鄭注也。《正義》引鄭氏諸傳經注，往往不名，餘人則名，今唯《叶圖徵》注無考。”

鄭玄　春秋緯注

范書《方術·樊英傳》注：《春秋緯》、《演孔圖》、《元命包》、《文耀鉤》、《運斗樞》、《感精符》、《合誠圖》、《考異郵》、《保乾圖》、《漢含孶》、《佑助期》、《捏誠圖》、《潛潭巴》、《說題辭》也。

侯《志》曰：“《文選·褚淵碑文》注引鄭玄《春秋緯》注，不言緯書之名，其他諸書所引《春秋緯》注多出宋均、宋衷，或無注人名。其明標鄭氏者，惟范書《李雲傳》注引《運斗樞》一條。”

鄭玄　孝經緯注

范書《方術·樊英傳》注：《孝經緯》、《援神契》、《鉤命決》也。

汪師韓《文選理學權輿》曰：“《選注》所引羣書，有鄭康成《孝經緯注》。”

侯《志》曰：“趙氏《七緯》有鄭康成《孝經鉤命決注》。”

按《隋志》七緯之外，又有此兩緯別本，不知鄭氏所注爲何本。

鄭玄　尚書中候注八卷

《書》序正義引《尚書緯》曰：“孔子求書，得黃帝玄孫帝魁之書，迄於秦穆公，凡三千二百四十篇。斷遠取近，定可以爲世法者，百二十篇，以百二篇爲《尚書》，十八篇爲《中候》。”王應麟《漢志攷證》曰：“張霸僞造百兩篇，而爲緯者傅以此說。”《經義攷》曰：“按《中候》專言符命，當是新莽時所出之書。”

范書本傳：凡玄所注《尚書大傳》、《中候》。

《隋書·經籍志》曰：“《七經緯》三十六篇，並云孔子所作。而又有《尚書中候》。”又曰：“《尚書中候》五卷，鄭玄注。梁有八卷，今殘闕。”

孔廣林輯本序錄曰：“鄭注《中候》久亡，殘文賸句散見羣籍。今錄爲五卷，其篇次先後不可復攷，以《宋書·符瑞志》參校，略爲比次其文，葢《宋志》說堯、舜、禹、湯、文、武符命，皆取諸《中候》云。”

《鄭學錄》曰：“劉昭注《續漢志》云：‘康成自注《中候》，纔及注《禮》。時鄭氏著書，先後必有明文。’今以昭言推之，康成注諸緯候在注羣經之先，葢其時俗尚內學，非精圖緯，不名通儒。康成又志在囊括百家，故早歲不免疲神於此。”

宋衷　易緯注　衷始末見易類。

《經義攷》曰：“馮椅《厚齋易學》曰：‘《崇文總目》：《周易緯》九卷，漢鄭康成注。《隋志》有宋衷注，唐四庫書目有宋均注。’”按《隋志》無宋衷《易緯注》，馮氏此說似誤。

汪師韓《文選理學權輿》曰：“《選注》所引羣書，有宋衷《易緯注》。”

宋衷　樂緯注

汪師韓《文選理學權輿》曰："《選注》所引羣書，有宋衷《樂緯注》。"

宋衷　春秋緯注

汪師韓《文選理學權輿》曰："《選注》所引羣書，有宋衷《春秋緯注》。"

侯《志》曰："趙氏《七緯》中，有宋衷《春秋緯元命苞》、《保乾圖》、《說題辭》注。"

宋衷　孝經緯注

汪師韓《文選理學權輿》曰："《選注》所引羣書，有宋衷《孝經緯注》。"

侯《志》曰："趙氏《七緯》中，有宋衷《孝經緯援神契》、《鉤命決》注。"

　　按宋仲子或注《七緯》全書，其《書》、《詩》、《禮》三緯無文證驗。今但就其可考見錄之。

郗氏說

袁氏說

《隋書·經籍志》曰："前漢有《河圖》九篇，《洛書》六篇。又別有三十篇。又有《七經緯》三十六篇。并前合爲八十一篇。而又有《尚書中候》、《洛罪級》、《五行傳》、《詩推度災》、《氾歷樞》、《含神務》、《孝經鉤命決》、《援神契》、《雜讖》等書。漢代有郗氏、袁氏說。"按東漢有郎中郗萌與班、賈同時，著《春秋災異》，見前。又樊英弟子郗巡字仲信，陳郡夏陽人，官至侍中，皆深於圖緯者，或卽此郗氏歟？袁氏，不詳何人。

侯《志》曰："今不詳郗、袁所說何篇，無從著錄。"

右讖緯類，一十二家二十五部。

後漢藝文志卷二

史之類十有五：曰正史，曰編年，曰雜史，曰起居注，曰載記，曰史鈔，曰史評，曰故事，曰職官，曰儀制，曰刑法，曰雜傳記，曰地理，曰譜系，曰簿錄。

楊終　刪太史公書

范書本傳：終字子山，蜀郡成都人也。顯宗時，徵詣蘭臺，拜校書郎。建初中，得與於白虎觀。後受詔刪《太史公書》爲十餘萬言。坐爲郡太守廉范游說，徙北地，貰還故郡。永元十二年，徵拜郎中，以病卒。

許慎　史記注　慎始末見經部孝經類。

王鳴盛《十七史商搉》曰："許慎嘗注《漢書》，今不傳，引見顏注中者尚多。"

會稽陶方琦《許君年表》曰："《史記》、《漢書》注中引許君說，有出於《說文》、《淮南注》外者，王西莊以爲許君有《漢書注》，方琦以爲乃《史記注》。"

按許君從賈侍中受古學，《太史公書》多古文學，由是推尋，則陶說爲近。

延篤　史記音義一卷　篤始末見經部春秋類。

司馬貞《索隱》序曰："太史公之書，古今爲注解者絕省，音義亦稀，始後漢延篤乃有《音義》一卷。"

史記音隱五卷

司馬貞《索隱》序曰："始後漢延篤乃有《音義》一卷。又別有《音隱》五卷，不記作者何人。近代鮮有二家之本。"

會稽章宗源《隋書經籍志攷證》曰："裴駰《集解》引有《史記音

隱》，小司馬未見，自是亡於隋代。"

按服虔有《春秋左氏傳音隱》，疑此亦服氏書，或譌作"章隱"。

班彪　別錄

范書本傳：彪字叔皮，扶風安陵人也。祖況，成帝時越騎校尉。父稚，哀帝時廣平太守。彪年二十餘，更始敗，三輔大亂，時隗囂擁眾天水，彪乃避難從之。後避地河西，河西大將軍竇融以爲從事。光武召入見，舉司隸茂才，拜徐令，以病免。數應三公之命，輒去。後辟司徒玉況府。察廉，爲望都長。建武三十年，年五十二卒官。二子固、超。

韋昭《漢書‧藝文志》注曰："馮商受詔續太史公十餘篇，在班彪《別錄》。"

按《史通‧正史篇》云："《史記》所書，年止漢武，太初以後，闕而不錄。其後劉向、向子歆及諸好事者，若馮商、衛衡、按范書《班彪傳》注有陽城衡，蓋卽陽城衡，城或作成，此衛衡似卽陽城衡之譌歟？揚雄、史岑、梁審、肆仁、晉馮、段肅、金丹、馮衍、韋融、蕭奮、劉恂等相次撰續，迄於哀、平間，猶名《史記》。"又曰："建武中，司徒掾班彪以爲雄、歆襃美僞新，誤後惑眾，不當垂之後代。"本傳亦云："好事者綴集時事，多鄙俗，不足以踵繼前書。"是叔皮於諸家所作皆得見之，故其言如此。今玫韋弘嗣言"馮商所續，皆在班彪《別錄》"，則馮以外之十四家亦當在《別錄》之中。《別錄》者，其卽叔皮哀錄諸家之史槀歟？褚少孫所補續已編入《史記》，或不在內。葛稚川家舊藏劉子駿《漢書》百卷，疑卽是錄之佚存者，而葛氏稱爲《漢書》。

班彪　續史記後傳六十五篇

范書本傳：彪既才高而好述作，遂專心史籍之閒。武帝時，司馬遷著《史記》，自太初以後，闕而不錄，後好事者頗或綴集時事，然多鄙俗，不足以踵繼其書。彪乃繼采前史遺事，帝貫異聞,作《後傳》數十篇,其略論曰:"今此後篇,懼覼其事,整齊其文,不爲世家,唯紀、傳而已。"

《論衡·超奇篇》曰:"叔皮續《太史公書》百篇以上,記事詳悉,義淺理備,觀讀之者以爲甲,而太史公乙。"又《佚文篇》曰:"叔皮載鄉里人以爲惡戒。邪人枉道,繩墨所彈,安得避諱。"按《王充傳》云:"充受業太學,師事扶風班彪。"

《史通·正史篇》曰:"建武中,司徒掾班彪采舊事,旁貫異聞,作《後傳》六十五篇。"

《文獻·經籍攷》:夾漈鄭氏曰:"且善學司馬遷者,莫如班彪。彪續遷書,自武、昭至於後漢,既無衍文,又無絕緒,世世相承,如出一手,善乎其繼志也。其書不可得而見,所可見者,元、成二帝贊耳。皆於本紀之外,別紀所聞,可謂深入太史公之閫奧矣。"按彪之論、贊,今可見者尚有韋賢、翟方進、元后三傳,不盡如鄭氏所指二篇。

　　按王充言叔皮所敍百篇以上,劉子玄則云六十五篇。疑百篇以上者,未成之書;六十五篇者,已成之作也。孟堅《敍傳》但言其父作《王命論》,而於史事不置一語。蓋其父書唯紀、傳,自爲一家,孟堅爲大漢獨立一史,又別自名家,故置不復論。

班固　漢書百篇　固始末見經部小學類。

《後漢書》曰:"班彪續司馬遷後傳數十篇,未成而卒。明帝命其子固續之。固以史遷所記乃以漢氏繼百王之末,非其義也,大漢當可獨立一史,故上自高祖,下終王莽,爲紀、表、傳、志九十九篇。"按此見《御覽》六百三,與范史異文,不知誰家《後漢書》,今輯本《東觀記》及七家《後漢書》皆無之。

范書本傳:固以彪所續前史未詳,乃潛精研思,欲就其業。探撰前記,綴集所聞,以爲《漢書》。起元高祖,終於孝平王莽之誅，十有二世，二百三十年，綜其行事，旁貫五經，上下洽通，爲《春秋》攷紀、表、志、傳凡百篇。自永中永下攷平字。始受詔，潛精積思二十餘年，至建初中乃成。當世甚重其書，學者莫不諷誦焉。

又《列女・班昭傳》：見固著《漢書》，其八表及《天文志》未及竟而卒，和帝詔昭就東觀藏書閣踵而成之。及書始出，多未能通者，同郡馬融伏於閣下，從昭受讀，後又詔融兄續繼昭成之。按《馬援傳》：援兄子嚴，嚴七子，唯續、融知名。續字季則，博觀羣籍，通《論語》，明《尚書》，治《詩》，善《九章算術》，順帝時至護羌校尉，遷度遼將軍。融自有傳云。

《史通・正史篇》：“固後坐竇氏事，卒於洛陽獄。書頗散亂，莫能綜理。其妹曹大家奉詔校敘。又選高才郎馬融等十人從大家受讀。其八表、《天文志》等猶未克成，多是待詔東觀馬續所作，而《古今人表》尤不類本書。”

《玉海・藝文》曰：“劉昭補志序云‘續志昭表’，以是推之，八表其班昭所補，《天文志》其馬續所成歟？”按《續漢・天文志》有明文云：“孝明帝使班固敘《漢書》而馬續述《天文志》。”

《隋書・經籍志》：《漢書》一百一十五卷，漢護軍班固撰，太山太守應劭集解。《唐日本國見在書目》同。《唐・經籍志》：《漢書》一百十五卷，班固作，又一百二十卷，[1]顏師古注。《藝文志》：班固《漢書》一百一十五卷。顏師古注《漢書》一百二十卷。《宋・藝文志》：班固《漢書》一百卷，顏師古注。

漢書舊注

侯《志》曰：“應劭《風俗通・聲音篇》引《漢書舊注》云：‘菰，吹鞭也。菰者，憮也，言其節憮威儀。’又引《漢書》注：‘荻，角

---

[1] “作又”，原作“又作”，據《補編》本、殿本《舊唐書》乙正。

也。言其聲音荻荻，名自定也。’”

　　按《舊注》不知何人作，然應仲遠引之，則爲東漢人無疑。

胡廣　漢書解詁

　　范書本傳：廣字伯始，南郡華容人也。舉孝廉，拜尚書郎，五遷尚書僕射。在公臺三十餘年，歷事六帝，凡一履司空，再作司徒，三登太尉，又爲太傅，封育陽安樂鄉侯。年八十二，熹平元年薨，謚文恭侯。

　　汪師韓《文選理學權輿》曰：“《選注》所引羣書，有胡廣《漢書音義》。”攷四庫館《書錄解題》輯本附識曰：[①]“考史注所引別有《漢書解詁》之名，蓋卽胡廣所作。”

　　侯《志》曰：“《漢書注》屢引胡公，似皆出廣所注《漢官解詁》。惟《史記·賈誼傳》索隱兩引胡廣，《司馬相如傳》索隱九引胡廣，則顯爲《漢書注》矣。”按《食貨志》注亦引胡廣。

蔡邕　漢書音義　　邕始末見經部禮類。

　　汪師韓《文選理學權輿》曰：“《選注》所引羣書，有蔡邕《漢書音義》。”

　　按《史記索隱序》曰：“班氏之書，共所鑽仰，其訓詁蓋亦多門。蔡謨集解之時，已有二十四家之說。”今考顏氏《序例》所載諸家，如張揖、郭璞止解一卷、兩篇者，亦具列之。蔡謨之前，祇二十二家，是其尚有所佚。邕師胡廣，此兩家或各有解詁，而其書或早亡散，或編入本集，故顏氏不著於錄歟？又按漢末應劭作《漢書集解音義》，見於本傳。夫曰集解，則非舊注一家，及同時服虔一家之說可知。

服虔　漢書音訓一卷　　虔始末見經部春秋類。

　　《隋書·經籍志》：《漢書音訓》一卷，服虔撰。《唐·經籍志》

---

①　“攷”，《補編》本作“按”。

同。《藝文志》：服虔《漢書音訓》一卷。

王鳴盛《十七史商榷》曰："裴駰《史記集解》於《左氏傳》引服虔注，亦襲取服虔《漢書注》。"

應劭　漢書集解音義二十四卷

范書《應奉傳》：奉，汝南南頓人也。子劭，字仲遠。注或作仲援，又作仲瑗。靈帝時舉孝廉，辟車騎將軍掾。中平三年，舉高第，再遷，六年，拜太山太守。興平元年，棄郡奔冀州牧袁紹。建安二年，詔拜劭爲袁紹軍謀校尉，後卒於鄴。凡所著述及集解《漢書》，皆傳於時。《風俗通》佚文云："余爲營陵令，在事五月，遷太山太守。"

《隋書·經籍志》：《漢書集解音義》二十四卷，應劭撰。《唐·經籍志》同。《藝文志》：應劭《漢書集解音義》二十四卷。

顏師古《序例》曰："《漢書》舊無注解，唯服虔、應邵等各爲音義，自別施行。至典午中朝，有臣瓚者總集諸家音義，凡二十四卷，今之《集解音義》則是其書，而後人見者不知臣瓚所作，乃謂之應劭等集解。王氏《七志》、阮氏《七錄》並題云然，斯不審耳。"

侯《志》曰："《隋志》有應劭書，無臣瓚書，據顏氏《序例》，葢誤以瓚書爲應書也。然應劭亦實有《漢書注》，又此名相沿已久，故仍從《隋志》著錄。"

按顏氏言，《七志》、《七錄》已然，則自宋及梁，由來已久。亦何至一誤再誤，至唐初修志猶未刊正，而五代人、宋人修《唐書》又復遞相沿誤？揆諸事理，或不盡然。疑應書、瓚書卷數相同，顏監但見瓚書，不見應書，故有是言耳。

劉珍等　東觀漢記一百四十三卷

《史通·正史篇》：在漢中興，明帝始詔班固與睢陽令陳宗、長陵令尹敏、司隸從事孟異或作"冀"。作《世祖本紀》，并撰功臣及新市、平林、公孫述事，作列傳、載記二十八篇，而忠臣義士莫之撰勒。於是又詔史官謁者僕射劉珍及諫議大夫李尤襍作紀、表、名臣、節士、儒林、外戚諸傳，起自建武，訖乎永初。事業垂竟，而珍、尤繼卒。復命侍中伏無忌與諫議大夫黃景作諸王子、功臣、恩澤侯表，南單于、西羌傳，地理志。至元嘉元年，復令太中大夫邊韶、大軍營司馬崔寔、議郎朱穆、曹壽襍作孝穆、崇二皇及順烈皇后傳，又增《外戚傳》入安思等后，《儒林傳》入崔篆諸人。寔、壽又與議郎延篤襍作《百官表》，按《宋志》職官類首載《東漢百官表》一卷，注云不知作者，似卽《漢記》中佚出者。順帝功臣孫程、郭願及鄭眾、蔡倫等傳，凡百十有四篇，號曰《漢記》。熹平中，光祿大夫馬日磾、議郎蔡邕、楊彪、盧植著作東觀，接續紀、傳之可成者。而邕別有《朝會》、《車服》二志，後坐事徙朔方。上書求還，續成十志。會董卓作亂，大駕西遷，史臣廢棄，舊文散佚。按范書《蔡邕傳》：適作《靈紀》及十意，又補諸列傳四十二篇，因李催之亂，湮沒多不存。十意卽十志，避桓帝諱，故云意。及在許都，楊彪頗存注記，至於名賢諸君子，自永初已下闕續。言楊彪但述時事，爲帝紀，未及撰列傳。永初，安帝初元，自劉珍、李尤著述後，闕續也。魏黃初中，唯著先賢表。故《漢記》殘闕，至晉無成。

四庫館輯本提要曰："劉昭補注司馬書，引袁山松書曰：'劉洪與蔡邕共述《律曆記》。'又引謝承書云：'胡廣博綜舊儀，蔡邕因以爲《禮志》。'又引謝沈書云：'蔡邕因中興以來所修者爲《祭祀志》。'《隋志》稱是書訖靈帝，今按列傳之文，閒及獻帝時事，葢楊彪所補也。晉時以此書與《史記》、《漢書》爲三史，人多習之，故六朝及初唐人隸事釋書類多徵引。自唐章懷太子集諸儒注范書，盛行於代，此書遂微。"

《隋書·經籍志》：《東觀漢記》一百四十三卷，起光武，記注至靈帝，長水校尉劉珍等撰。《唐·經籍志》：《東觀漢記》一百二十七卷，劉珍撰。《藝文志》：劉珍等《東觀漢記》一百二十六卷，又《錄》一卷。《宋志》別史類：劉珍等《東觀漢記》八卷。《唐日本國見在書目》曰："而件《漢記》，吉備大臣所將來也。其目錄注云此書凡二本，一本百廿七卷，與集賢院見在書合；一本百四十一卷，與見書不合。又得零落四卷，又與兩本目錄不合。真備在唐國多處營求，竟不得其具本。今本朝見在百四十二卷。《隋·經籍志》所載數百四十三卷。"_{按"而件"猶華言此件、前件。}

　按范書《文苑·李尤傳》：安帝時爲諫議大夫，受詔與謁者僕射劉珍等俱撰《漢記》。《玉海·藝文》亦云："安帝永初、永寧閒，劉珍、劉騊駼、張衡、李尤等撰集爲《漢記》。"《漢記》之名蓋始於此。《隋志》題劉珍等，所本_{《史通》謂桓帝元嘉時，邊韶、崔寔、朱穆、曹壽、延篤等著作以後，綜其書爲百十有四篇，號曰《漢記》。}《漢記》之名實定於安帝時。或謂不當題劉珍，然珍之前未定書名，珍之時乃奉詔有此目，且安知非本書題署如此者，是不得不題劉珍等也。或又謂珍未嘗爲長水校尉，則史文簡略，此亦據本書題署歟？

右正史類，凡一十三家一十三部。_{侯《志》有《光武皇帝本紀》，今析入編年類。又晉馮、段肅等續《史記》，今并入班彪《別錄》。又《漢書》卷首載宋祁參校諸本，有曹大家本，不知何所自來。又《龍城錄》謂漢末張昶有《龍山史記注》，又謂被火焚失。《龍城錄》，宋王銍造，託名柳宗元，其言亦煸爍不可憑，故並不錄。}

光武皇帝本紀

《東觀記·東平王蒼傳》：上以所自作《光武皇帝本紀》示蒼，蒼因上《光武受命中興頌》。

范書《東平憲王蒼傳》：永平十五年春，行幸東平。[①] 帝以所作《光武本紀》示蒼，蒼因上《光武受命中興頌》。

---

① "東平"，原誤作"永平"，據《補編》本、殿本《後漢書》改。

按《班固傳》：固與陳宗、尹敏、孟異共成《世祖本紀》，此明帝御撰，合以東平王《中興頌》，或別爲一編。

何英　漢德春秋十五卷

《蜀都人士贊》：何英，字叔俊，郫人也。學通經緯，著《漢德春秋》十五卷。

《華陽國志·三洲士女目錄》曰：“述作謁者僕射何英字叔俊，郫人也。著《漢德春秋》。”

《經義攷》曰：“《蜀中著作紀》：漢何英，郫人，何武弟也。與成都楊申楊申當爲楊由。俱通經緯，著《漢德春秋》十五卷。”

按《漢書·何武傳》，武兄弟五人，惟弟顯見《武傳》。餘三人未詳。《著作紀》謂武弟。常璩《士女目錄》列之後漢楊終、張霸諸人之後，不云武弟，恐非是。

荀悅　漢紀三十卷

范書《荀淑傳》：淑，潁川潁陰人也。子儉，早卒。儉子悅，字仲豫，年十二能說《春秋》。初辟鎮東將軍曹操府，遷黃門侍郎。獻帝頗好文學，悅與從弟彧及少府孔融侍講禁中，旦夕談論。累遷祕書監、侍中。帝好典籍，常以班固《漢書》文繁難省，乃令悅依《左氏傳》體以爲《漢紀》三十篇，詔尚書給筆札。辭約事詳，論辨多美。年六十二，建安十四年卒。

張璠《後漢紀》曰：“悅清虛沈靜，善於著述。建安初，被詔刪《漢書》，作《漢紀》三十卷。因事以明臧否，致有典要，其書大行於世。”

《漢紀·目錄》曰：“凡《漢紀》十二世十一帝，通王莽二百四十二年。建安元年，上巡省幸許昌，以鎮萬國。其三年，詔給事中祕書監荀悅鈔撰《漢書》，略舉其要，假以不直。尚書給紙筆，虎賁給書吏。悅於是約集舊書，撮序表、志，總爲帝紀。凡在《漢書》者，大略麤舉，其經傳所遺闕者差少，而求志勢有所不能盡。按'求志'似'表志'之誤。凡爲三十卷，數十餘萬言，省約易習，無妨本書。會悅遷爲侍中，其五年書成，乃奏記云。"王鳴盛《十七史商榷》曰："篇首當言十一世十二帝，通王莽二百三十年。今云云者誤。"又自序是書成於建安五年，袁宏《後漢紀》乃繫之建安十年，亦誤。

《隋書·經籍志》：《漢紀》三十卷，魏祕書監荀悅撰。此稱"魏"，誤。《唐·經籍志》：《漢紀》三十卷，荀悅撰。《藝文志》：荀悅《漢紀》三十卷。《宋志》同。

《四庫提要》曰："《史通·六家篇》以悅書爲《左傳》家之首，《二體篇》又稱其'歷代寶之，有逾本傳。班、荀二體，角力爭先'，其推之甚至。故唐人試士，以悅《紀》與《史》、《漢》爲一科。宋李燾跋曰：'悅爲此紀，固不出班書，亦時有所刪潤。而諫大夫王仁、侍中王閎諫疏，班書皆無之。'又其中若壺關三老茂，《漢書》無姓，悅書云姓令狐。其資攷證者亦不一。"

　　按晁氏《讀書志》云"爲紀三十篇，凡八萬三千四百三十二字"，與《目錄》稱數十餘萬言不合。

應劭等　注荀悅漢紀三十卷　劭始末見正史類。

《唐書·藝文志》：荀悅《漢紀》三十卷，應劭等注荀悅《漢紀》三十卷。《通志·藝文略》：《漢紀》三十卷，漢獻帝令荀悅撰。《漢紀》三十卷，應劭等撰。此撰當是注之譌。

　　按是書隋、唐《經籍志》不載，甚可疑。攷荀《紀》成於建安五年，是歲袁紹敗於官渡，應仲遠時爲紹軍謀校尉。本傳云："後卒於鄴。"《魏志·武紀》注引郭頒《世語》云："後太祖定冀州，劭時已卒。"按曹操入鄴定冀州，在建安九年八月，仲遠或即卒於是年，計其時當及見荀氏書。然袁、曹爭戰，鄴、許隔絕，恐未必以竹帛相流傳。又當譚、尚交攻，人情渙散，士大夫救死不暇，恐未必能操觚染翰，爲此逸豫不急之事。仲遠舊有集解《漢書》，疑後人移而爲是書之注，又襍取他家音義傅益之，故曰應劭等。又按劭既爲《漢書》作音義，苟《紀》與《漢書》無多異文，又何事更爲之注？知劭必不爾也。此出後人無疑。

劉艾　漢靈獻二帝紀六卷

《隋志》襍史篇：《漢靈獻二帝紀》三卷，漢侍中劉芳撰，殘闕。梁有六卷。按芳是艾之誤。《唐·經籍志》編年類：《漢靈獻二帝紀》六卷，劉艾撰。《藝文志》：劉艾《漢靈獻二帝紀》六卷。侯《志》曰："艾官侍中，在獻帝興平年間。《獻帝本紀》'興平元年，使侍中劉艾出讓有司'，是也。據《三國志·董卓傳》注引《獻帝紀》，知其曾爲陝令。據范書《董卓傳》，知其曾爲卓長史。據《魏武紀》建安元年注引張璠《漢紀》，十九年注引《獻帝起居注》，知其又爲宗正，據廿一年注引《獻帝傳》，知其又以宗正使持節行御史大夫。又攷《後漢書·靈紀》、《獻紀》、《董卓傳》注、《三國志·武紀》、董卓、張楊、賈詡、劉焉、孫堅諸傳注屢引此書。艾官至行御史大夫，以後更不見其事蹟，蓋未嘗入魏。獻帝之名，當是後人追加耳。"按表、紀，建安元年八月，封彭城相劉艾等爲列侯，賞有功也。亦見范書《董卓傳》注。是艾由侍中出爲彭城相，封侯，又入爲宗正者也。

章宗源《隋志攷證》曰："《後漢書》注、《魏志》、《蜀志》、《吳志》諸傳注各引數事，《文選·登孫權故城詩》注引一事。"又曰："《初學記》鳥部引一事，題劉艾《漢帝傳》。《太平御覽》車部引《獻帝傳》'董卓以地動問蔡邕'云云一事，與《魏志》注所引《獻帝紀》同。"按地動事見《蔡邕傳》，范氏所據蓋本此。

按章氏所舉《初學記》、《御覽》引《漢帝傳》、《獻帝傳》，自是以獻爲漢，以紀爲傳，皆稱引偶誤者。攷《獻帝傳》載禪代衆事，又言山陽公薨，見《魏志·文紀》、《明紀》注。自是魏晉人作，別爲一書。章氏乃以《獻帝傳》歸之劉艾，謂《漢志》有《高祖傳》、《孝文傳》。艾既爲獻作紀，又更爲傳，是必不然。

右編年類，凡五家五部。

鄭衆　春秋外傳國語章句　眾始末見經部易類。

韋昭《國語解》序曰："及劉光祿於漢成世始更考校。至於章帝，鄭大司農爲之訓注，解釋疑滯，昭晰可觀。至於細碎，有所闕略。"

宋庠《國語補音》序曰："後漢大司農鄭眾作《國語章句》，亡其篇數。"

馬國翰輯本序曰："鄭大司農章句久亡。《詩·周頌·昊天有成命》正義引之，今合以韋解中所引，輯錄《周語》三節，《魯語》、《楚語》各一節。"

賈逵　春秋外傳國語解詁二十一卷　逵始末見經部書類。

范書本傳；逵父徽，從劉歆受《左氏春秋》，兼習《國語》。逵悉傳父業，尤明《左氏傳》、《國語》，爲之解詁五十一篇。永平中，上疏獻之，顯宗重其書，寫藏祕館。章懷注云："《左氏》三十篇，《國語》二十一篇也。"

韋昭《國語解》序曰："鄭大司農爲之訓注，至於細碎，有所闕略。侍中賈君敷而衍之，其所發明大義，略舉爲已瞭矣，然於文閒，時有遺亡。"

《隋志》經部春秋篇：《春秋外傳國語》二十卷，賈逵撰。

宋庠《國語補音》序曰："賈景伯《國語解詁》二十一篇，唐已亡。"

《四庫提要》曰："韋昭自序稱兼采鄭眾、賈逵。今攷所引鄭說寥寥數條，惟賈援據駁正爲多。"又曰："《國語》二十一篇，《漢志》雖載《春秋》後，然無《春秋外傳》之名。《漢書·律曆志》始稱《春秋外傳》。"又曰："攷《國語》上包周穆王，下暨魯悼公，與《春秋》時代首尾皆不相應，其事亦多與《春秋》無關。係之《春秋》，殊爲不類；附之於經，於義未允。《史通》六家，

《國語》居一，實古左史之遺。今改隸襍史類焉。”

王謨輯本序錄曰：“今從韋《解》內鈔出八十一條，又《文選注》九十條，《史記集解》十二條，《後漢書注》三條，《經典釋文》三條，《類聚》一條，《書鈔》七條，《初學記》二條。”又云：“附唐固注三十餘條。”馬氏玉函山房亦輯存二卷，又汪氏振綺堂三君注輯存四卷。今日本國傳出《大藏音義》百卷，《續音義》十卷，唐本《玉篇》三卷半，此三書引賈氏《國語注》至多，輯之猶可成卷。

楊終　春秋外傳十二篇　終始末見正史類。

范書本傳：年十三爲郡小吏，太守奇其才，遣詣京師受業，習《春秋》。建初中，詔諸儒於白虎觀論攷同異，會終坐事繫獄。博士趙博、校書郎班固、賈逵等以終深曉《春秋》，學多異聞，表請之，卽日貰出。後坐徙北地，貰還故郡。著《春秋外傳》十二篇，改定章句十五萬言。

按本傳，是書成於還蜀後，中廢十五年。中先嘗承詔刪《太史公書》爲十餘萬言矣，此又以刪外傳《國語》二十一篇者爲十二篇。《漢志》又有劉向分析《國語》五十四篇，不知子山所刪爲何本。時鄭、賈《解詁》已行世二十餘年，終旣刪本文，故又改定其章句，爲十五萬言，以爲一家之學歟？又按史不曰刪，而曰著，或如孔衍《春秋》時《國語》之類。若是，則改定章句十五萬言，別爲一書。考終爲《公羊》家學，此所改定豈《公羊》章句歟？然史文合外傳而言，自以改定《外傳》章句爲近。

延篤　戰國策論一卷　篤始末見經部春秋類。

《隋書・經籍志》：《戰國策論》一卷，漢京兆尹延篤撰。《唐・經籍志》：《戰國策論》一卷，延篤撰。《藝文志》：延篤《戰國策論》一卷。

章宗源《隋志攷證》曰：“《史記・高祖紀》，又《魯鄒列傳》、《蘇秦列傳》、《匈奴傳》索隱，《文選・求立太宰碑》注、曹公《與孫權書》注、《檄吳將校部曲》注、阮籍《詠懷詩》注，並引延篤《戰國策注》。《顏氏家訓・書證篇》引稱延篤《戰國策音義》。”

侯《志》曰：“據諸書所引，全非論體。顏黃門稱《戰國策音義》，其名似勝《隋》、《唐志》。

按其書卷首或有論，《隋》、《唐志》遂以論名之，此亦鄭漁仲所謂見前不見後之類歟？延叔堅有《史記音義》，自以顏黃門所稱爲得其實。”

高誘　戰國策注三十三卷　誘始末見經部禮類。

《隋書・經籍志》：《戰國策》二十一卷，高誘撰注。《唐日本國見在書目》：《戰國策》三十三卷，劉向撰，高誘注。《唐・經籍志》：《戰國策》三十二卷，高誘注。《藝文志》：高誘注《戰國策》三十二卷。《宋志》子部縱橫家三十三卷。

《崇文總目》曰：“又有高誘注本二十卷，今闕第一、第五、第十一至二十，止存八卷。”

曾鞏校定序曰：“此書有高誘注者二十一篇，或曰二十二篇。《崇文總目》存者八篇，今存者十篇。”

《四庫簡明目錄》曰：“《戰國策》三十三卷，舊本題漢高誘注。今攷其書，實宋姚宏因誘注殘本而補之，其中二卷至四卷、六卷至十卷、三十二、三十三兩卷，合十篇，此十一字原本敚漏，據《提要》補。爲誘原注，餘皆宏所補注也。”

右注譔前代書，五家五部。注釋三家，譔述二家。

伏無忌　古今注八卷

范書《伏湛傳》：湛，琅邪東武人也。九世祖勝，字子賤，所謂濟南伏生者也。湛高祖父孺，武帝時客授東武，因家焉。湛以建武三年代鄧禹爲大司徒，封陽都侯。六年，徙封不其侯。二子：隆、翕。翕嗣爵，卒，子光嗣。光卒，子晨嗣。晨卒，子無忌嗣。無忌亦傳家學，博物多識，順帝時，爲侍中屯騎校尉。永和元年，詔無忌與議郎黃景校定中書五經、諸子百家、藝術。元嘉中，桓帝復詔無忌與黃景、崔寔等共撰《漢記》。又自采集古今，删著事要，號曰《伏侯注》。章懷注曰：“其書上自黃帝，下盡漢質帝，爲八卷，見行於今。”按無忌子質，質子完，完女爲孝獻皇后，完子典。曹操殺后誅伏氏，國除。時建安十九年也。

《隋書·經籍志》：《古今注》八卷，伏無忌撰。《唐·經籍志》同。《藝文志》子部褋家：伏侯《古今注》三卷。

章宗源《隋志攷證》曰：“劉昭《續漢志》注多引伏侯《古今注》，《後漢書》注及《初學記》服食部、鳥部，《御覽》咎徵部、器物部亦引數事。”

馬國翰輯本序曰：“伏侯《古今注》，《隋志》著錄褋史類八卷，《唐志》入褋家三卷，今佚。從《後漢書》注、《北堂書鈔》、《藝文類聚》、《初學記》、《開元占經》、《白孔六帖》、《太平御覽》等書采輯成卷，多言符瑞災異，而於漢諸帝名諱、山陵爲詳。”

高郵茆泮林輯本跋曰：“《唐志》褋家《伏侯注》反在崔豹後，蓋失攷也。今裒輯諸書，尠見周秦以上事，所見者惟孔子生一條，及秦錢半兩、蒲脯鹿馬二事而已。”

侯《志》曰：“范書紀傳諸注、《續漢志》注所引，或稱伏侯，或不稱伏侯，核其文義，皆出伏書。《史記索隱》屢引《古今注》，不著名姓，其不見崔豹書者，當皆出此。然今所行崔書，亦非原帙。《索隱》所引，終難定其爲崔爲伏耳。”

蔡邕撰集漢事　邕始末見經部禮類。

范書本傳：司徒王允收邕，付廷尉治罪。邕陳辭謝，乞黥首刖足，繼成漢史。士大夫多矜救之，不能得。太尉馬日磾馳往謂允曰：“伯喈曠世逸才，多識漢事，當續成後史，爲一代大典。”及邕死獄中，北海鄭玄聞而歎曰：“漢世之事，誰與正之！”其撰集漢事，未見錄以繼後史。

按此乃所集修史襃橐也。傳注引《邕別傳》：邕上書自陳，有曰："臣所事師故太傅胡廣，①知臣頗識其門戶，略以所有舊事與臣。雖未備悉，驪見首尾。"則其中有胡廣撰集者在焉。

應劭　狀人紀　劭始末見正史類。

范書本傳：初，父奉爲司隸時，並下諸官府郡國，各上前人像贊，劭乃連綴其名，錄爲《狀人紀》。

《續漢·郡國志》注引應劭《漢官》曰："郡府聽事壁諸尹畫贊，肇自建武，迄於陽嘉，注其清俗進退，所謂不隱過、不虛譽，甚得述事之實。後人是瞻，足以勸懼，雖《春秋》采毫毛之善，貶纖介之惡，不避王公，無以過此，尤著明也。"

應劭　中漢輯序

范書本傳：又論當時行事，著《中漢輯序》。

王粲　漢末英雄記十卷　粲始末見經部書類。

《隋書·經籍志》：《漢末英雄記》八卷，王粲撰，殘闕。梁十卷。《唐·經籍志》：《漢書英雄記》十卷，王粲等撰。《藝文志》：王粲《漢書英雄記》十卷。

按《續漢·郡國志》會稽郡注引《英雄交爭記》，言初平三年事，似卽此書本名《英雄交爭記》，後人省"交爭"字，加"漢末"字。又其中不盡王粲一人之作，故《舊唐志》題王粲等撰。

右新撰，四家五部。

右雜史類，凡二門，綜九家十部。侯《志》有衛颯《史要》、周長生《洞歷》、應奉《漢事》、侯瑾《漢皇德傳》、荀爽《漢語》，今並析入史鈔類。《越絕書》、《越紐錄》、

---

① 原文作"臣所事師胡太傅故廣"，據本卷"胡廣漢制度"條、《補編》本、殿本《後漢書》改。

《吳越春秋》，今並析入載記類。

建武注記

范書《馬援傳》：援兄子嚴，字威卿，仕郡督郵。援卒後，嚴乃與弟敦歸安陵。明德皇后既立，嚴乃更徙北地，斷絕賓客。永平十五年，皇后敕，使移居洛陽。顯宗召見嚴，有詔留仁壽闥，與校書郎杜撫、班固等襍定《建武注記》。

又《和熹鄧后紀》：元初五年，平望侯劉毅上書安帝曰："漢之舊典，世有注記。"惠棟《補注》："《藝文志》曰：'《漢著記》百九十卷。'《五行志》曰：'凡漢著記十二世，二百一十二年。'谷永言災異，有'八世著記，久不塞除'之語。荀悅有復內外注記之說，云：'先帝故事，有起居注，日用動靜之節必書焉。宜復其式，內史掌之，以紀內事。'"按荀悅是說出《申鑒》。

按《漢志》春秋家：《漢著記》百九十卷，師古注曰："若今之起居注。"此西京十二朝之注記。東京可攷見者，惟此及顯宗、長樂宮、靈、獻五書。

顯宗起居注

范書《后紀》：明德馬皇后諱某，伏波將軍援之小女也。永平三年，立爲皇后，及帝崩，肅宗卽位，尊后曰皇太后。自撰《顯宗起居注》，削去兄防參醫藥事，帝請曰："黃門舅旦夕供養，且一年，既無襃異，又不錄勤勞，無乃過乎！"太后曰："吾不欲令後世聞先帝數親后宮之家，故不著也。"又《馬融傳》：潁陽侯防，以顯宗寢疾入參醫藥，又平定西羌，增邑千三百五十戶。

袁宏《後漢紀》曰："初，明帝寢疾，馬防爲黃門郎，參侍醫藥。及太后爲《明帝起居注》，削去防名。"

《隋書·經籍志》曰："漢武帝有《禁中起居注》，後漢明德馬后撰《明帝起居注》，然則漢時起居注似在宮中爲女史之職，然皆零落不可復知。"

侯《志》曰:《初學記》三十引《風俗通》曰:"按《明帝起居注》曰:'東巡泰山,到滎陽,有鳥飛鳴乘輿上,虎賁王吉射中之,作辭曰:烏鳥啞啞,引弓射左腋,陛下壽萬歲,臣爲二千石。帝賜錢二百萬,令亭壁畫爲烏也。'"《御覽》七百三十六、九百廿同。《文選·赭白馬賦》注小異。今《風俗通》佚此文。

長樂宮注

《東觀記》曰:"孝安皇帝謙讓恪懃,孜孜經學,篤志供養,委政長樂宮。"

范書《后紀》:和熹鄧皇后諱綏,大傅禹之孫也。父訓,永元七年,與諸家子俱選入宮。八年冬,入掖庭爲貴人。十四年冬,立爲皇后。后自入宮掖,從曹大家受經書,兼天文算數。殤帝立,尊爲皇太后,太后臨朝。及殤帝崩,太后定策,立安帝,猶臨朝政。元初五年,平望侯劉毅以太后多德政,欲令早有注記,上書安帝曰:"古之帝王,左右置史;漢之舊典,世有注記。宜令史官著《長樂宮注》、《聖德頌》,以敷宣景燿,勒勳金石,懸之日月,攄之罔極,以崇陛下烝烝之孝。"帝從之。

漢靈帝起居注

袁宏《紀》自序曰:"聊以暇日,撰集爲《後漢紀》,其所綴會《漢紀》、謝承書、司馬彪書、華嶠書、謝沈書、《漢山陽公紀》、《漢靈獻起居注》。"

侯《志》曰:"《漢靈帝起居注》,見袁宏《後漢紀序》。序尚有《獻帝起居注》,其書似魏人作,故不錄。"

漢獻帝起居注五卷

《隋書·經籍志》:《漢獻帝起居注》五卷。又曰:"今之存者,有漢獻帝及晉代以來起居注,皆近侍之臣所錄。"《唐·經籍志》:《漢獻帝起居注》五卷。《藝文志》同。

章宗源《隋志攷證》曰：“《魏志·武紀》注、《文紀》注、《董卓傳》注、《邴原傳》注，《蜀志·先主傳》注，《續漢·禮儀》、《祭祀》、《五行》、《百官》、《輿服志》注，《後漢書·獻紀》、《董卓傳》注，《初學記》職官部、《御覽》職官部、《通典》禮門注並引《獻帝起居注》，共數十事。”

侯康《補三國藝文志》曰：“《魏志·文紀》注引一條，云：‘建安十五年，爲司徒趙溫所辟。太祖表：溫辟臣子弟，選舉故不以實。使侍中守光祿勳郗慮持節奉策免溫官。’稱曹操爲太祖，則此書成於魏時也。”

按起居注，惟天子得有此制。獻帝自遜位之後，自不得再有起居注。起居所注記，自不得連及山陽就封之後。其記後事，別有《漢獻帝傳》、《山陽公記》諸書在焉。書中稱太祖，書名題獻帝，則碻爲魏人手筆。《史通》云：“及在許都，楊彪頗存注記。”意卽是彪所存。彪卒於魏文帝黃初六年，其改稱太祖，亦或出自彪手。至稱獻帝，則在魏明青龍二年之後矣。侯氏析入三國，今仍歸之後漢。又按是類之書，關涉魏事，魏之文、明諸帝皆所寓目，故魏之臣子改其文曰太祖，其原書之名，則必稱《今上起居注》，是不得不有所改。青龍之前亦當改稱《漢帝起居注》，其後乃加獻字耳。

右起居類，凡五家五部。

越絕書十六卷

《隋志》雜史篇：“《越絕記》十六卷，子貢撰。”《唐·經籍志》：《越絕書》十六卷，子貢撰。《藝文志》：子貢《越絕書》十六卷。《宋志》霸史類：“《越絕書》十五卷，或云子貢作。”

《崇文總目》：《越絕書》十五卷，子貢撰。或曰子胥舊有《內紀》八、《外傳》十七。今文題闕舛，裁二十篇。又載春申君，疑後人竄定。世或傳二十篇者，非是。

陳振孫《書錄解題》曰：“《越絕書》十五卷，無撰人名氏，相傳以爲子貢者，非也。其書襍記吳越事，下及秦漢，直至建武二十八年，蓋戰國後人所爲，而漢人又附益之耳。越絕之義曰：聖人發一隅，辨士宣其辭。聖文絕於彼，辨士絕於此。故曰越絕。雖則云然，未可曉也。”

《四庫提要》曰：“《越絕書》十五卷，不著撰人名字。書中《吳地傳》稱‘句踐徙瑯琊，到建武二十八年，凡五百六十七年’，則後漢初人也。書末《敘外傳記》以廋詞隱其姓名。其云‘以去爲姓，得衣乃成’，是袁字也。‘厥名有米，覆之以庚’，是康字也。‘禹來東征，死葬其疆’，是會稽人也。又云‘文詞屬定，自於邦賢，以口爲姓，[①]承之以天’，是吳字也。‘楚相屈原，與之同名’，是平字也。然則此書爲會稽袁康所作，同郡吳平所定也。據《崇文總目》，則在北宋之初已佚五篇。”

又《簡明目錄》曰：“《越絕書》十五卷，漢袁康撰，其友吳平同定。《隋志》稱子貢作者，謬也。原本二十五篇，今佚五篇。其事與《吳越春秋》相出入。而文章博奧偉麗，則趙煜弗及也。”

吳君高　越紐錄

王充《論衡·案書篇》曰：“臨淮袁太伯、會稽吳君高位雖不至公卿，囊橐文雅之英雄也。觀太伯之《易章句》、君高之《越紐錄》，劉子政、楊子雲不能過也。”

四庫著錄《越絕書》提要曰：“王充《論衡》所謂吳君高，殆即吳平之字；所謂《越紐錄》，殆即《越絕書》歟？楊慎《丹鉛錄》、胡

---

① “口”，原作“日”，據《補編》本、《四庫全書總目》改。

侍《珍珠船》、田藝衡《留青日札》皆有是說。"

侯《志》曰："此書論者多疑卽《越絕書》,然究無實證,今仍分錄之。"

趙曄　吳越春秋十二卷　<small>曄始末見經部詩類。</small>

范書《儒林傳》:曄著《吳越春秋》。

《隋志》襍史篇:"《吳越春秋》十二卷,趙曄撰。"《唐·經籍志》同。《藝文志》:趙曄《吳越春秋》十二卷。《宋志》別史類:"趙曄《吳越春秋》十卷。"又見霸史類。

《文獻·經籍攷》:《中興書目》:《吳越春秋》十卷,內吳外越,以紀其事,吳起泰伯至闔閭,越起無余至句踐。

晁公武《讀書志》曰:"吳起泰伯盡夫差,越起無余盡句踐,內吳外越,本末咸備。"

《四庫提要》曰:"是書前有舊序,云《史記》注有徐廣所引《吳越春秋》,而《索隱》以爲今無此語。他如《文選注》引季札見遺金事,《吳地記》載闔閭時夷亭事,及《水經注》嘗載越事數條,類援據《吳越春秋》。今本咸無其文云云。攷證頗爲詳悉。"

又《簡明目錄》曰:"記吳、越二國興亡始末,中或參以小說家言。《隋志》十二卷,今佚二卷。《漢魏叢書》併爲六卷,彌失其初。"

張遐　吳越春秋外紀　<small>遐始末見經部五經總義類。</small>

江西《餘干縣志》:張遐字子遠,試五經,補博士,撰《吳越春秋外紀》。[1]

　按隋唐三史《經籍》、《藝文志》襍史類有《吳越記》六卷,不

① "越"原缺,據《補編》本及上下文意補。

著撰人。《日本國見在書目》云七卷，亦無撰人。疑卽
是書。

右載記類，凡四家四部。

按《班固傳》：固又撰功臣、平林、新市、公孫述事，作列傳、
載記二十八篇，奏之。載記之名，蓋始於後漢《東觀記》，今
錄《後漢藝文》以《越絕書》等舊列於僞史、霸史者，別立爲
此類。

衛颯　史要十卷

范書《循吏傳》：衛颯字子產，河內修武人也。家貧好學問，隨
師無糧，嘗傭以自給。王莽時，仕郡歷州宰。建武二年，辟大
司徒鄧禹府。除侍御史，襄城令，遷桂陽太守。二十五年，徵
還。以被疾歸家，卒。

《隋書·經籍志》：《史要》十卷，漢桂陽太守衛颯撰。約《史
記》要言，以類相從。《唐·經籍志》：《正記要傳》十卷，衛颯
撰。按《正記》是《史記》之譌。《藝文志》：衛颯《史記要傳》十卷。

周樹　洞歷十篇

《論衡·超奇篇》："周長生者，文士之雄也。在州爲刺史任安
舉奏，在郡爲太守孟觀上書。事解憂除，州郡無事。長生死
後，州郡遭憂，無舉奏之吏，以故事結不解。長生之才非徒銳
於牒牘也，作《洞歷》十篇，上自黃帝，下至漢朝，鋒芒毛髮之
事，莫不紀載，與太史公表、紀相似類也，上通下達，故曰《洞
歷》。然則長生非徒文人所謂鴻儒者。"又曰："仲舒既死，豈
在長生之徒歟？何言之卓殊，文之美麗也。"又曰："會稽文
才，豈獨周長生哉？所以未論列者，長生尤蹻出也。"又曰：
"長生家於會稽。"

又《按書篇》曰："會稽吳君高、周長生之輩，位雖不至公卿，囊
橐文雅之英雄也。觀君高之《越紐錄》、長生之《洞歷》，劉子

政、楊子雲不能過也。”

謝承書曰：“周樹達於法，善能解煩釋疑，八辟從事。”又曰：“樹爲從事，刺史孟觀有罪，俾樹作章，陳事序要，得無罪也。”

《唐書‧經籍志》：《洞歷紀》九卷，周樹撰。《藝文志》：周樹《洞歷紀》九卷。

> 按王仲任數言周長生《洞歷》，推之甚至。據《書鈔》、《御覽》引謝氏書，始知長生名樹，而兩《唐志》猶載其書九卷，似已亡其一篇矣。

古曆注

《吳志‧韋昭傳》：鳳皇元年，昭因獄吏上辭曰“囚昔見世閒有《古曆注》，其所紀載既多虛無，在書籍者亦復錯謬，[①]囚尋按傳記作《洞紀》”云云。

> 按韋宏嗣言世閒有《古曆注》，則後漢時所當有。

侯瑾　漢皇德傳三十卷

范書《文苑傳》：侯瑾字子瑜，敦煌人也。少孤貧，依宗人居。性篤學，恆傭作爲資，暮還輒燃柴以讀書。州郡累召公車，有道徵，並稱疾不到。徙入山中，覃思著述。案《漢記》撰中興以後行事，爲《皇德傳》三十篇行於世。西河人敬其才而不敢名之，皆稱爲侯君云。

《隋志》襍史篇：“《漢皇德紀》三十卷，漢有道徵士侯謹撰。謹當爲瑾。起光武至沖帝。”《唐‧經籍志》編年類：“《漢皇德紀》三十卷，侯瑾撰。”《藝文志》：侯瑾《漢皇德紀》三十卷。

章宗源《隋志攷證》曰：“《宋書‧大且渠傳》：元嘉十四年，茂虔表獻《漢皇德傳》二十五卷。《御覽》皇王部、人事部、禮儀部、獸部引《漢皇德傳》四事，又資產部‘侯瑾字子瑜’云云，其

---

① “謬”，原缺，據《補編》本殿本《三國志》補。

文同范書。稱《漢皇德頌》。"

應奉　漢事十七卷

范書本傳：奉字世叔，汝南南頓人也。爲郡決曹史，大將軍梁冀舉茂才。永興元年，拜武陵太守。延熹中，爲車騎將軍馮緄從事中郎，緄薦爲司隸校尉。及黨事起，奉乃慨然以疾自退，卒。

袁山松書曰："奉又刪《史記》、《漢書》及《漢記》三百六十餘年，自漢興至其時，凡十七卷，名曰《漢事》。"

章宗源《隋志攷證》曰："《史記‧匈奴傳》索隱、《通典》職官門注各引應奉一條，章懷《雷義傳》注亦引之。"

　　按章氏所舉三引，但稱"應奉曰"，不著書名，恐亦是《後序》中語。《後序》見子部儒家。

荀爽　漢語 爽始末見經部易類。

范書本傳：又集《漢事》成敗可爲鑒戒者，謂之《漢語》。

章宗源《隋志攷證》曰："《史記》文帝遺詔'臨者無踐'，裴駰《集解》：'晉灼曰：《漢語》作跣。'按此亦見班書《文紀》。《索隱》曰：'《漢語》，書名。荀爽所作。'又《漢書‧昭帝紀》注'丁外人字少君'，《宣帝紀》注'馮英字子都'，《霍光傳》注'光嫡妻東閭氏，生上官安夫人，昭后之母也'，又云'東閭氏亡，霍光妻顯，以婢代立，素與馮殷姦也'，四事皆晉灼引《漢語》。"

右史鈔類，凡六家六部。

　　按《隋‧經籍志》曰："又自後漢已來，學者多鈔撮舊史，自爲一書。或起自人皇，或斷之近代，亦各其志云"。是史鈔之學起於後漢，而其書則自衛颯《史要》始，《隋志》附之襍史篇，而隱分其類。侯瑾《漢皇德紀》亦是類之屬也。今彙次諸家書，立此一類。

范升　條上左氏及太史公違戾四十五事

范書本傳：升字辨卿，代郡人也。九歲通《論語》、《孝經》，及長，習《梁丘易》、《老子》，教授後生。王莽大司空王邑辟爲議曹史。邑令乘傳使上黨，升遂與漢兵會，因留不還。建武二年，光武徵詣懷宮，拜議郎，遷博士。時尚書韓歆上疏，欲爲《費氏易》、《左氏春秋》立博士，詔下其議。四年正月，朝公卿大夫博士，見於雲臺，帝曰：“范博士可前平說。”升起與韓歆及太中大夫許淑等互相辨難，日中乃罷。升退而謹奏《左氏》之失，凡十四事。時難者以太史公多引《左氏》，升又上太史公違戾五經，謬孔子言，及《左氏春秋》不可錄三十一事。詔以下博士。永平中爲聊城令，坐事免，卒於家。

又《陳元傳》：元詣闕上疏曰：“臣元竊見博士范升等所議奏《左氏春秋》不可立，及太史公違戾，凡四十五事。按升等所言前後相違，皆斷截小文，媟黷微辭。以年數小差掇爲巨謬，遺脱纖微指爲大尤，抉瑕擿釁，掩其弘美，所謂小辨破言，小言破道者也。”

班彪　前史得失略論　彪始末見正史類。

范書本傳：彪因斟酌前史，而譏正其得失，其《略論》曰云云。《文心彫龍·史傳篇》：“爾其實錄無隱之旨，博雅宏辨之才，愛奇反經之尤，條例蹖落之失，叔皮論之詳矣。”

　　按范氏采入本集者，多刪節其文。《史通·正史篇》云：“建武中，司徒掾班彪以爲雄、歆褒美偽新，誤後惑眾，不當垂之後代。”此即《略論》中語。而本傳無此文，以是知范氏多有刪落。劉子玄之所以得見全文者，則以其時本集未亡也。

張衡　條上司馬遷班固不合十餘事　衡始末見經部禮類。

范書本傳：永初中，謁者僕射劉珍、校書郎劉騊駼等著作東觀,撰集《漢記》,因定漢家禮儀。上言請衡參論其事,會並卒。衡常歎息,欲終成之,乃按乃是及之誤。爲侍中,上疏請得專事東觀,收檢遺文,畢力補綴。又條上司馬遷、班固所敍與典籍不合者十餘事。又以爲王莽本傳但應載篡事而已,至於編年月、紀災祥、宜爲元后本紀。又更始居位,人無異望,光武初爲其將,然後卽眞,宜以更始之號建於光武之初。書數上,竟不聽。及後之著述,多不詳典。時人追恨之。

章懷太子曰:"《衡集》其略曰:'《易》稱宓犧氏王天下,宓犧氏沒,神農氏作,神農氏沒,黃帝、堯、舜氏作。史遷獨載五帝,不記三皇,今宜并錄。'又一事曰:'《帝系》:黃帝產青陽、昌意。《周書》曰:乃命少皞行清。[1] 清卽青陽也,今宜實定之。'"

　　按張平子論史十餘事,今傳及注所載惟四事耳。范蔚宗爲皇后立紀,似亦本其言。所云并錄三皇,則小司馬祖其說。

蔡邕　奏漢記十意　邕始末見經部禮類。

范書本傳:光和元年,有詔減死一等,與家屬髡鉗徙朔方,居五原安陽縣。邕前在東觀,與盧植、韓說等撰補《後漢記》,按此後字似衍。會遭時流離,不及得成,因上書自陳,奏其所著《十意》,分別首目,連置章左。帝嘉其才,明年大赦,乃宥邕還本郡。邕自徙及歸,凡九月焉。

《續漢·律曆志》注:蔡邕戍邊上章曰:"臣自在布衣,常以爲《漢書》十志,下盡王莽,而世祖以來,惟有紀傳,無續志者。謹先顚踣,科條諸志,臣欲刪定者一,所當接續者四,前志所無臣欲著者三,及經典羣書所宜捃摭,本奏詔書所當依據,分別首目,并書章左。"

---

① 殿本《後漢書》無"行"字。

嚴可均《全後漢文編》曰：“案文云有《律曆意》、《禮意》、《樂意》、《郊祀意》、《天文意》、《朝會意》、《車服意》、《五行意》，十意中僅有八意，其餘二意無攷，蓋《地理》、《藝文》也。”

按所謂“前志所無，欲著者三”者，則《禮》與《朝會》、《車服》也。前書雖有《禮樂志》，而禮文不備，班氏自言之矣。本傳注引《邕別傳》云：“前志所無，欲著者五。”“五”當是“三”之譌。

右史評類，凡四家四部。

按《唐·藝文》以論史諸書附文史類，繫總集末。晁氏《志》從文史類摘出爲史評，入史部。史評之類，蓋始於此。今攷後漢人亦有論史事之文，是史論之最古者，彙而次之，得四家焉。今立爲史評類，以見是類亦權輿於後漢云。

建武故事三卷

袁山松書曰：“伏湛建武二年拜尚書，典定舊志。”

范書《伏湛傳》：光武卽位，知湛名儒舊臣，欲令幹任内職，徵拜尚書，使典定舊制。

范書《侯霸傳》：建武四年，光武徵霸與車駕會壽春，拜尚書令。時無故典，朝廷又少舊臣，霸明習故事，收錄遺文，條奏前世善政法度有益於時者，皆施行之。每春下寬大之詔，奉四時之令，皆霸所建也。

《唐書·藝文志》：《建武故事》三卷。

按東京立故事，自伏、侯兩尚書始，皆收集前世遺文爲之，猶西京張蒼定章程也。《唐志》刑法類有《建武律令故事》三卷，此與《永平故事》相屬，與刑法類實別爲一書。

馬援　請鑄五銖錢奏議

范書本傳：援字文淵，扶風茂陵人也。王莽時，爲新城大尹。莽改漢中爲新城，改太守爲大尹。及莽敗，去郡，避地西州，隗囂以爲綏德將軍。建武四年，囂使援奉書洛陽，帝以爲待詔。九年，

拜太中大夫。十一年,拜隴西太守。視事六年,徵入爲虎賁
中郎將。十七年,拜伏波將軍,擊交阯。十九年,封新息侯。
二十四年,征五溪蠻,明年病卒。時年六十三。梁松因事陷之,帝
大怒,追收新息侯印綬。永平初,援女立爲皇后,至十七年,
援夫人卒,乃更修封,樹起祠堂。建初三年,肅宗使五官中郎
將持節追策,謚援曰忠成侯。

又曰:"初,援在隴西上書,言宜如舊鑄五銖錢。事下三府,三
府奏以爲未可許,事遂寢。及援還,從公府求得前奏,難十餘
條,用隨牒解釋,更具表言。帝從之,天下賴其便。"本紀:"建武十
六年初,王莽亂後,貨幣雜用布、帛、金、粟,是歲始行五銖錢。"注:"武帝始爲五銖錢,
王莽時廢,今始行之。"

《東觀記》曰:"援在隴西上書曰:'富民之本,在於食貨,宜如
舊鑄五銖錢。'三府以爲未可。凡十三難,援一一解之,條奏
其狀。"

馬將軍故事

范書《馬援傳》:建武十七年,璽書拜援伏波將軍,南擊交阯。
十八年,嶠南悉平。所過輒爲郡縣,治城郭,穿渠灌溉以利
民。條奏越律與漢律駁者十餘事,與越人申明舊制,以約束
之。自後駱越奉行馬將軍故事。

永平故事二卷

袁宏建初五年《紀》:是時,用永平故事,吏治尚嚴,尚書決事,
類近於重。范書《陳寵傳》亦云。

范書《桓帝紀》:永興二年二月癸卯,詔輿服制度,有踰侈長飾
者,宜申明舊令,如永平故事。

《唐書‧藝文志》:《永平故事》二卷。

　　按《新唐志》載此書於《建武故事》之次,應劭《漢朝駁》之
前,則碻爲漢之永平,非晉惠帝永平矣。范書《襄楷傳》,楷

上書引永平舊典，亦卽是書。

元和故事

范書《蔡邕傳》：邕上封事曰"孝元皇帝策書：'禮之至敬，莫重於祭，所以竭心親奉，以致肅祇者也。'又《元和故事》，復申先典"云云。

《宋書·樂志》：章帝元和二年，《宗廟樂故事》、食舉有《鹿鳴》、《承元氣》二曲。三年，帝自作詩四篇云云。

按蔡中郎條奏引《元和故事》，沈休文引《元和宗廟樂故事》，尤明析，似其書編年紀載，而又分以事目。

又按歷朝皆有故事，今以其尤著明者，錄建武、永平、元和三朝，餘皆未有碻證，姑從闕如。李法上疏、李固對策並稱永平、建初故事，班勇上議稱永元故事，似此者不一，然皆泛言，非證實。

尚書舊事

范書《應劭傳》：劭刪定律令爲《漢議》，奏之曰："臣輒撰具《律本章句》、《尚書舊事》。"《魏志·衛覬傳》注曰："初，漢朝遷移臺閣，舊事散亂。自都許之後，漸有綱紀，覬以古義，多所正定。"

惠棟《後漢書補注》曰："《尚書舊事》卽《尚書故事》也。謝承曰：'高祖及光武之後，將相名臣策文通訓，條在南宮，祕於省閣。按《玉海》五十一引謝承書曰："明帝條李壽前後所上便宜爲《南宮故事》。"惟臺郎升複道取急，因得開覽。'武帝案尚書大行無遺詔。左雄案尚書故事，乳母無爵邑之制。靈帝徙南宮，閱錄故事。胡三省曰：'漢故事，皆尚書主之也。'"

按范書《鄭弘傳》：弘建初時爲尚書令，前後所陳有補益王政者，皆著之南宮，以爲故事。《左雄傳》：雄爲尚書令，多所匡肅，每有章表奏議，臺閣以爲故事。然則《尚書故事》亦稱《南宮故事》，又稱舊事，皆制策章奏之類。據《楊賜傳》稱靈帝閱錄故事，則凡諸臣所奏，雖留中不報者亦編入之。應仲遠作《漢議》，嘗取裁焉。又按《尚書故事》似卽建武、永平、元和歷朝故事之總名。《唐·藝文》所載《建武故事》三卷、《永平故事》二卷，似卽此書之佚存本。

漢舊事

章宗源《隋志攷證》曰：《初學記》禮部'封諸侯，受茅土'，引《漢舊事》。《藝文類聚》禮部同。《書鈔》封爵部作《漢襐事》。又《初學記》'廟者，所以藏主列昭穆'，引作《漢書舊事》。"

按范書《陳寵傳》云："漢舊事，斷獄報重，常盡三冬之月。"又《王允傳》云："及董卓遷都長安，允集漢朝舊事，所當施用者一皆奏之。"似漢舊事，司徒官屬所掌，以次接續，至漢末，與《尚書故事》別爲一編，以其非一人所作，故諸書所引皆不著撰人。《隋》、《唐志》有《漢魏吳蜀舊事》八卷，則又與《三國舊事》合爲一編。又諸書引漢雜事，兼載前後漢，合而爲一。《書鈔》封爵部引《漢襐事》"封諸侯，受茅土"一條，《初學記》、《類聚》禮部引作《漢舊事》。又《書鈔》儀飾部引《漢末襐事》，則法部引《漢襐事篇》，疑《漢襐事》卽《漢舊事》之篇目，或舊事之別名。兩《唐志》襐史類有《後漢襐事》十卷，不著撰人，似卽此舊事之佚存本。

韋氏　三輔舊事一卷

《唐書·經籍志》：《三輔舊事》一卷，韋氏撰。《唐·藝文志》：韋氏《三輔舊事》一卷。

章宗源《隋志攷證》曰："《唐志》故事類有韋氏《三輔舊事》一卷，據《後漢書·韋彪傳》'帝數召彪入，問以三輔舊事、禮儀風俗'。《羣輔錄》載韋孟達爲扶風三達之一，是韋氏固三輔聞人也。"

按《新唐志》列此書於應劭之前，則固以爲漢人。章氏以爲韋彪，張氏二酉堂輯本亦有是說。張輯屬地理類之《三輔舊事》，非此書。今考范書本傳，彪字孟達，扶風平陵人。高祖賢，宣帝時丞相。彪以建武末舉孝廉，除郎中，數遷。建初七年，車駕西巡狩，以彪行太常從，數召入，問以三輔舊事、禮儀風俗。還拜大鴻臚，永元元年卒。是彪以章帝問爲是書，亦事所常有。又本傳云彪著書十二篇，號《韋卿子》。或嘗編入《韋卿子》書中，故范蔚宗但述其事，不復言其書。

應劭　漢朝駁三十卷　劭始末見正史類。

《唐書·藝文志》：應劭《漢朝駁》三十卷。

按《隋》、《唐志》刑法類有應劭《漢朝議駁》三十卷，此似複出。然攷劭本奏，則其書不盡刑法，自當入故事。今兩出之。

漢諸王奏事十卷

《唐書·藝文志》：《漢諸王奏事》十卷。

按《唐志》不著編緝人姓名，列漢魏之閒，不知何人裒錄。既不得其主名，則當以所錄漢之諸王爲斷，從《唐志》錄入此類。

又按《通志·校讐略》曰："漢朝駁義、諸王奏事之類，《隋志》編入刑法類者，以隋人見其書也。若不見其書，卽其名以求之，安得有刑法意乎？《唐志》見其名爲奏事，直以爲故事也，編入故事類，是之謂見名不見書。"今攷《隋志》刑法類實無諸王奏事之目，其說既爲無據，又故事之體多載章奏，《唐志》入此類，未爲失當。

右故事類，凡九家十部。

漢百官簿

司馬彪《續漢·百官志》序曰："世祖中興，務從節約，并官省職，費減億計。"又曰："世祖節約之制，宜爲常憲，故依其官簿，麤注職分，以爲《百官志》。"臣昭曰："本志既久按"久"似"以"字之譌。是注曰《百官簿》。"

按司馬氏因世祖時《百官簿》以爲志及注，不取胡廣、蔡質、應劭諸家之書。梁劉昭復取諸家書爲之補注，其序有曰

“百官就乎故簿”，即爲此《百官簿》也。

王隆　漢官篇

范書《文苑傳》：王隆字文山，馮翊雲陽人也。王莽時，以父任爲郎，後避難河西，爲竇融左護軍。建武中，爲新汲令。

《續漢・百官志》序曰：“故新汲令王隆作《小學漢官篇》，諸文倜說，較略不究。”

《續漢・百官志》注：胡廣曰：“故新汲令王文山小學爲《漢官篇》，略道公卿内外之職，旁及四夷，博物條暢，多所發明。”孫星衍輯本序曰：“《漢官篇》仿《凡將》、《急就》，四字一句，故在小學中。”

胡廣　漢官解詁三卷　廣始末見正史類。

《續漢・百官志》注：廣自序口：“顧見故新汲令王文山小學爲《漢官篇》，足以知舊制儀品。蓋法有成易，而道有因革，是以聊集所宜，爲作解詁，各隨其下，綴續後事，令世施行，庶明厥志，廣前後憤盈之念，增助來哲多聞之覽焉。”

《隋書・經籍志》：《漢官解詁》三篇，漢新汲令王隆撰，胡廣注。《唐・經籍志》：《漢官解故事》三卷。失注名氏。《藝文志》：王隆《漢官解詁》三卷，胡廣注。按《隋志》云胡廣注者，即謂其解詁也，當易“注”字爲解詁，則明顯矣。自《隋志》此條後，後人多以爲廣注《漢官解詁》。《御覽》引文稱王隆《漢官解詁》，又稱胡廣注《解詁》，實不然也。

按此即本傳所謂諸解詁若干篇之一，後人編入本集，《御覽》二百廿一引《胡廣集》曰：“給事中，掌侍從，左右無員，位次侍中常侍，或名儒，或國親。”其文即《漢官解詁》也。孫氏《平津館叢書》有輯本一卷。

應劭　漢官注五卷　劭見正史類。

《隋書・經籍志》：《漢官》五卷，應劭注。《唐・藝文志》：應劭《漢官》五卷。《通志・藝文略》：《漢官》五卷，應劭注。今存一卷。

高似孫《史略》曰：“《漢官》不知何人作，應劭所注，舊五卷，今存其一。”

侯《志》曰：“《隋志》於《漢官》稱應劭注，《漢官儀》稱應劭撰，疑《漢官》卽王隆《小學篇》，劭與胡廣皆有注也。”

按《初學記》十二引《漢官》應劭注，《御覽》二百廿九引應劭《漢官注》，一百六十四引應劭《漢官解詁》，似補注胡廣書，亦稱《解詁》。

胡廣　百官箴四十八篇　廣始末見正史類。

范書本傳：初，揚雄依《虞箴》作《十二州》、《二十五官箴》，其九篇亡闕，後涿郡崔駰及子瑗又臨邑侯劉騊駼增補十六篇，廣復繼作四篇，文甚典美。乃悉撰次首目，爲之解釋，名曰《百官箴》，凡四十八篇。

《太平御覽》五百八十八引胡廣《百官箴敍》曰：“箴諫之興，所由尚矣。聖君求之於下，賢臣納之於上。故《虞書》曰‘予違汝弼。汝無面從，退有後言’，墨子著書稱《夏箴》之辭。”

《文心雕龍·銘箴篇》：“揚雄稽古，始範《虞箴》，作卿尹、州牧二十五篇。及崔、胡補綴，總稱百官，指事配位，鞶鑑可徵，信所謂追清風於前古，攀辛甲於後代者也。”

侯《志》曰：“《百官箴》，今載《古文苑》者四十一篇，葢亦從諸書采輯而來，不免漏脫。”

蔡質　漢官典職儀式選用二卷

《續漢·律曆志》注：蔡邕戍邊上章曰：“臣邕叔父故衛尉質時爲尚書，按時當熹平二年。質奉機密，趨走陛下，遂由端右，出相外藩，按《邕傳》注，質嘗爲下邳相。還引輦轂，按此似卽由下邳相還爲衛尉。旬日之中，登躋上列。父子一門兼受恩寵，一旦被章，父子家屬徙充邊方，完全軀命，喘息相隨。”按事在光和元年，明年大赦，宥還本郡，質以後殆不復出。《晉書·蔡豹傳》：豹高祖質，漢衛尉，左中郎將邕之叔父也。

范書《蔡邕傳》：邕與叔父從弟同居三世，不分財，鄉黨高其義。又曰：邕叔父衛尉質。章懷注："質字子文，著《漢職儀》。"從弟名谷，見本傳。

惠棟《後漢書補注》：《邕集》與人書曰："邕薄祜，早喪二親，年踰三十，鬢髮二色。叔父親之，猶若幼童，陸則對坐，食則比豆。"案叔父謂蔡子文也。

《隋書·經籍志》：《漢官典職儀式選用》二卷，漢衛尉蔡質撰。《唐·藝文志》：蔡質《漢官典儀》一卷。《宋志》同。

陳振孫《書錄解題》曰："《隋志》有《漢官典職儀式》二卷，今存一卷，漢衛尉蔡質撰，襍記官制及上書謁見禮式。"

孫星衍輯本序曰："諸書所引有作蔡質《漢官典職》、《漢官典儀》者，皆後人省文也。今錄成一卷。按范書《鍾離意傳》注又引蔡質《漢官儀》。

　　按此二卷，蓋後人從蔡氏《漢儀》全書中節錄成編，其曰"選用"，明是選錄之本，取其合時宜者而用之。

應劭　漢官儀十卷

《隋書·經籍志》：《漢官儀》十卷，應劭撰。《唐日本國見在書目》：《漢官職》十卷，漢應劭撰。《唐·經籍志》：《漢官儀》十卷，應劭撰。《藝文志》：應劭《漢官》五卷，《漢官儀》十卷。《宋志》：應劭《漢官儀》一卷。

《玉海》五十一："《漢官儀》十卷，《中興書目》云今存一卷，載光武以來三公百官名氏。"按此似即《續漢·百官志》注所引應劭《漢官名帙》。

侯《志》曰："《續漢·百官志》注引應劭《漢官名帙》，《輿服志》注及《宋書·樂志》、《唐六典》引劭《漢官·鹵簿圖》，《六典》又引《漢官儀·鹵簿篇》，蓋皆此書子目。又《御覽》二百三十七引《漢官・宰尹下》，其文與《書鈔》引《漢官儀》略同。《宰尹》，葢亦其篇名，而又分其上下也。”

孫星衍輯本序曰：“《書錄解題》有應劭《漢官儀》一卷，李塤補一卷，俱不傳。諸書引有作應劭《漢官》、應劭《漢官儀》，亦有彼此互殊，不可分別，今併錄爲二卷。”

嚴可均輯本目錄曰：“《漢官儀》卷上凡二百十三條，卷下凡九十六條。”

按此十卷似卽《續漢書》所謂十一種之一。

漢官目錄

高似孫《史略》曰：“《後漢書・百官志》注引《漢官目錄》，亦爲奇書。”

章宗源《隋志攷證》曰：“《漢官目錄》，《續漢・百官志》注引之。”

孫星衍輯本序曰：“《續漢志》劉昭補注引《漢官》，不標名應劭者，悉是《目錄》，不知何人所撰，別爲一卷。”

按此似東京通行之本，據劉昭所引，有建武十二年事。備載百司掾屬若干人，秩若干石，又載郡國刺史治，去洛陽若干里。其體略如今之搢紳，然亦疑應劭所作。

崔瑗　南陽文學官志　瑗始末見經部小學類。

范書《崔駰附傳》：瑗高於文辭，尤善爲書記，所著《南陽文學官志》稱於後世。諸能爲文者，皆自以弗及。

《文心雕龍・頌讚篇》曰：“崔瑗文學，蔡邕樊渠，並致美乎序，而簡約乎篇。”

嚴可均《全後漢文編》曰：“《藝文類聚》三十八、《御覽》五百三十四並引崔瑗《南陽文學頌》。”

王粲　荆州文學官志　粲始末見經部書類。

《藝文類聚》禮部學校門：魏王粲《荆州文學記官志》曰：“有漢

荆州牧曰劉君,乃命五業從事宋衷所作文學延朋徒焉。宣德音以贊之,隆嘉禮以勸之,五載之閒,道化大行。耆德故老綦毋闓_{按當爲"闓"。}等負書荷器自遠而至者,三百有餘人。"

嚴可均《全後漢文編》曰:"《類聚》三十八、《御覽》六百八並引王粲《荆州文學記官志》。"

　　按《文學官志》備載文學祭酒從事,及學官弟子姓名爵里。王粲稱三百餘人者,是也。劉勰稱"簡約乎篇",亦卽指是。《類聚》、《御覽》所錄,皆是志序文。

會稽貢舉簿

《吳志·后妃傳》:孫破虜吳夫人,吳主權母也,建安七年薨。

裴松之曰:"《志林》曰:案《會稽貢舉簿》,建安十二年到十三年闕,無舉者,云府君遭憂。此則吳后以十二年薨也。八年、九年皆有貢舉,斯甚分明。"

　　按《會稽貢舉簿》,晉虞喜嘗見之,葢漢時郡國各有貢舉簿,每歲舉上。計掾吏亦當在貢舉簿中。今可見者惟此。又《續漢·郡國志》揚州吳郡海鹽縣下,劉昭案今計偕簿,亦卽是類之書。

右職官類,凡九家十一部。

衛宏　漢舊儀四篇　_{宏始末見經部書類。}

范書《儒林傳》:宏作《漢舊儀》四篇,以載西京襍事。

《隋書·經籍志》:《漢舊儀》四卷,衛敬仲撰。《唐·經籍志》:《漢書儀》四卷,衛宏撰。《藝文志》:衛宏《漢舊儀》四卷。《宋志》三卷。

《書錄解題》曰:"《漢官舊儀》三卷,漢議郎東海衛宏敬仲撰,或云胡廣。按宏本傳不名《漢官》,今此惟三卷,而又有《漢官》之目,未知果當是時本名否。"

《四庫簡明目錄》曰:"《漢官舊儀》一卷,《補遺》一卷,漢衛宏撰。原本久佚，今從《永樂大典》錄出，所記皆西漢典禮。本曰《漢舊儀》，後來輾轉傳寫，與應劭《漢官儀》混淆爲一，遂妄增'官'字於書名中，非其舊也。"

孫星衍輯本序曰："《永樂大典》本作《漢官舊儀》，今以內聚珍板二卷本爲定，依宏本傳作《漢舊儀》，以諸書所引校證於下，別爲《補遺》二卷。《漢舊儀》本有注，魏、晉、唐人引《漢儀注》，悉是此書，今不復別分云。"①

衛宏　漢中興儀一卷

《隋書・經籍志》：梁有衛敬仲《漢中興儀》一卷，亡。

按《續漢・禮儀志》引譙周《五經然否》曰"漢中興，定禮儀，羣臣欲令三老答拜"云云，似卽《中興儀》中一事。

又按《張純傳》，純在朝歷世，明習故事。建武初，舊章多闕，自郊廟婚冠喪紀禮儀多所正定。此衛敬仲是書所本。

馬第伯　封禪儀記

《續漢・祭祀志》注：應劭《漢官》引馬第伯《封禪儀記》曰："車駕正月二十八日發雒陽宮。"又曰："馬第伯自云，某等七十人先之山虞，觀祭山壇及故明堂宮郎官等郊肆處。入其幕府，觀治石。"

嚴可均輯本題識曰："馬第伯《封禪儀記》，《續漢・祭祀志》注、《水經・汶水》注、舊寫本《書鈔》、《類聚》、《初學記》、《白孔六帖》、《通典》、《御覽》、《錦繡萬花谷》共引四十九條，合錄成篇。明孫鑛有補訂本，采輯不全。"

按馬第伯爵里未詳，據書中自言，葢卽建武三十二年東封以郎官從事者。

---

① "復別"，原作"別復"，據《補編》本改。

曹充　封禪禮　充始末見經部禮類。

《東觀書》曰：“上至泰山，有司復奏《河》、《雒》圖記，表章赤漢
九世尤著明者，前後凡三十六事。與博士曹充等議，以爲漢
統中絕，王莽盜位，宗廟不祀，十有八年。陛下興復祖宗，集
就天下，海内治平，夷狄慕義，功德盛於高宗、宣王，宜封禪，
爲百姓祈福。請親定刻石紀號文。”

范書《曹褒傳》：褒父充，建武中爲博士，從巡狩岱宗，定封
禪禮。

　　按建武一朝禮儀，多司空張純正定。《純本傳》云，三十年，
純奏上宜封禪。中元元年，帝乃東巡岱宗，以純視御史大
夫從，并上元封舊儀及刻石文，則此封禪禮，亦純所典
頌也。

曹充　七廟三雍大射養老禮儀

范書《曹褒傳》：褒父充，定封禪禮，還，受詔儀立七廟、三雍、
大射、養老禮儀。注：五帝及天地爲七廟。

又《梁統傳》：統子松，明習故事，與諸儒脩明堂、辟雍、郊祀、
封禪禮。

又《光武本紀》：中元元年，是歲初，起明堂、靈臺、辟雍。

《續漢·祭祀志》：“建武中元二年正月辛未，郊。別祀地祇，
高皇后配。按本紀“初立北郊，祀后土”。高皇后，薄太后也。永平二年正
月辛未，初祀五帝於明堂，光武帝配。”又《禮儀志》：“永平二
年三月，上始帥羣臣躬養三老、五更於辟雍，行大射之禮。如
是七郊禮樂三雍之義備矣。三老李躬，五更桓榮。

東平王蒼　南北郊冠冕車服制度　東平王始末見經部樂類。

范書《光武十王列傳》：顯宗卽位，拜爲驃騎將軍。是時中興
三十餘年，四方無虞，蒼以天下化平，宜修禮樂，乃與公卿共
議定南北郊冠冕車服制度，及光武廟登歌八佾舞數，語在《禮

樂》、《輿服志》。章懷注:"其志今亡。"

又《樊儵傳》:儵爲長水校尉,與公卿襍定郊祀禮儀。

又《儒林·董鈞傳》:鈞習《慶氏禮》,永平中爲博士,時草刱五郊祭祀,及宗廟禮樂,威儀章服,輒令鈞參議,多見從用。《犍爲人士贊》云:"永平初,議天地宗廟郊祀儀禮,鈞與太常定其制,又定諸侯王喪禮。"

袁宏《紀》:永平二年春正月辛未,祀光武皇帝於明堂,始服冕佩玉。自三代服章皆有典禮,周衰而其制漸微,至戰國時各爲靡麗之服。秦有天下,收而用之,上以供至尊,下以賜百官,而先王服章於是殘毀矣。漢初文學既缺,時亦草刱輿服旗幟,一承秦制,故雖少改,所用尚多。至是天子依《周官》、《禮記》制度,冠冕、衣裳、佩玉、乘輿,擬古式矣。范書本紀:帝及公卿列侯始服冠冕、衣裳、佩玉、絇屨以行事。

《續漢·輿服志》注引蔡邕《表志》曰:"永平初,詔書下車服制度,中宮皇太子、諸侯王以下至於士庶,嫁娶被服,各有秩品。"

曹襃　漢禮一百五十篇并章句　襃始末見經部禮類。

范書本傳:襃嘗憾朝廷制度未備,慕叔孫通漢禮儀,晝夜研精,沈吟專思,寢則懷抱筆札,行則誦習文書,當其念至,忘所之適。及拜博士,肅宗欲制定禮樂,元和二年下詔曰:"雖欲從之,末由也已。"襃知帝旨,乃上疏言:"宜定文制,著成漢禮。"章下太常,太常巢堪以爲一世大典,非襃所定,不可作。帝知羣僚拘攣,難與圖治,朝廷禮憲,宜時刊立,明年復下詔曰:"因循故事,未可觀省,有知其說者,各盡所能。"襃省詔,歎息謂諸生曰:"當仁不讓,吾何辭哉!"遂復上疏,具陳禮樂之本,制改之意。拜襃侍中,從駕南巡,既還,以事下三公,未及奏,詔召玄武司馬班固,問改定禮制之宜,固曰:"京師諸儒,多能說禮,宜廣招集,共議得失。"帝曰:"諺言'作舍道旁,三年不成'。會禮之家，名爲聚訟，互生疑異，筆不得下。昔堯作《大章》，一夔足矣。"章和元年正月，乃召襃詣嘉德門，令小黃門持班固所上叔孫通《漢儀》十二篇，敕襃曰："此制散略，多不合經，今宜依禮條正，使可施行。於南宮、東觀盡心集作。"襃既受命，乃次序禮事，依準舊典，襍以五經讖記之文，撰次天子至於庶人冠婚吉凶終始制度，以爲百五十篇，寫以二尺四寸簡。其年十二月奏上。帝以眾論難一，故但納之，不復令有司平奏。會帝崩，和帝即位，襃乃爲作章句，帝遂以《新禮》二篇冠。擢襃監羽林左騎。後太尉張酺、尚書張敏等奏襃擅制《漢禮》，破亂聖術，宜加刑誅。帝雖寢其奏，而《漢禮》遂不行。《儀禮》疏：鄭康成曰："《易》、《詩》、《書》、《禮》、《樂》、《春秋》，策皆二尺四寸，《孝經》謙半之，《論語》八寸策者，三分居一又謙焉。"

又《張純傳》：純子奮，和帝永元十三年上疏曰："漢當改作禮樂，圖書著明。謹條禮樂異議三事，願下有司，以時攷定。昔孝武皇帝、光武皇帝封禪告成，而禮樂不定，事不相副。先帝已詔曹襃，今陛下但奉而成之，猶周公斟酌文武之道，非自爲制，誠無所疑。久執謙謙，令大漢之業不以時成，非所以章顯祖宗功德，建太平之基，爲後世法。"帝雖善之，猶未施行。

袁宏《紀》曰："和帝永元三年春正月甲子，皇帝加元服，儀用新禮，擢襃爲射聲校尉。尚書張敏奏襃擅制禮儀，破亂聖術，宜加削除。上寢其奏，是後眾人不能信襃所制。又會禮儀轉迫，遂寢而不行。"按《順帝紀》：永建四年正月丙子，帝加元服。惠氏《補注》：《開元禮儀鑑》曰："漢順帝冠用曹襃新禮四加：初加緇布進賢，次爵弁，武弁，次通天，皆於高祖廟以禮謁見世祖者。"按武弁上似敚"次"字。

袁《紀》又曰："漢興撥亂，日不暇給，禮儀制度闕如也。夫政治綱紀之禮，哀樂死葬之節，有異於古矣。而言禮者，必證於古，古不可用，而事各有宜。是以人用其心，而家殊其禮。起而治之，不能紀其得失者，無利之弊也。曹褒父子慨然發憤，可謂得其時矣。然褒之所撰，多案古式，建用失宜，異於損益之道，所以廢而不修也。"

胡廣　漢制度 廣始末見正史類。

謝承書曰："太傅胡廣博綜舊儀，立漢制度。"或引作謝沈書。

《續漢·律曆志》注：蔡邕戍邊上章曰："臣所師事故太傅胡廣，知臣頗識其門戶，略以所有舊事與臣，雖未備悉，麤見首尾。范書本傳云："達練事體，明解朝章，屢有補闕之益。京師諺曰：'萬事不理問伯始。'"

《南齊書·百官志》序曰："胡廣舊儀，事惟簡撮。"又《禮志》序曰："太尉胡廣撰舊儀，綴識時事。"

孫星衍輯本題識曰："按《漢制度》之名，不見於《隋書·經籍志》，今羣書所引，附於胡廣《漢官解詁》之後。"

侯《志》曰："《御覽》服章部引董巴《輿服志》中，每引胡廣說，應出此書。"

蔡質　漢儀 質始末見職官類。

《南齊書·禮志》序曰："太尉胡廣撰《舊儀》，應劭、蔡質咸綴識時事，而司馬彪之書不取。"

按《續漢志》注屢引蔡質《漢儀》，而《禮儀志》注臣昭曰"漢立皇后，國禮之大，而志無其儀，良未可了。今取蔡質所記立宋皇后儀以備闕"云云。按靈帝后也，建寧四年立。《南齊書》亦言質書綴識時事，其體葢亦博綜典儀，與胡廣、應劭兩家相同，不僅官職一類。《隋志》載《漢官典職儀式選用》二卷，葢卽從此書析出者。

蔡邕　朝會志 邕始末見經部禮類。

蔡邕　車服志

范書本傳：適作《靈紀》及十意，又補諸列傳四十八篇，因李傕之亂，湮沒多不存。

《續漢·禮儀志》注：蔡邕曰："羣臣朝見之儀，視不晚朝十月朔之故，以問胡廣。廣曰：舊儀，公卿以下每月常朝，先帝以其頻，故省，惟六月、十月朔朝。後復以六月朔盛暑，省之。"按此所引在朝會儀下，似即蔡邕《朝會志》之文。

《續漢·輿服志》注：蔡邕《表志》曰："永平初，詔書下車服制度，中宮皇太子親服重繒厚練，浣已復御，率下以儉化起機。諸侯王以下至於士庶，嫁娶被服，各有秩品。當傳萬世，揚光聖德。臣以爲宜集舊事儀注本奏，以成志也。"

《史通·正史篇》：邕別有《朝會》、《車服》二志。後坐事，徙朔方，上書求還，續成十志。會董卓作亂，大駕西遷，史臣廢弃，舊文散佚。據此，則兩志成於徙朔方之前，其曰別有，則未嘗編入《東觀記》。

嚴可均《全後漢文編》曰："《御覽》六百九十二引蔡邕《輿服志》，又七百七十三引《車服志》。按劉昭補志序云，車服之本即依董、蔡所立，則《續漢·輿服志》，即董巴及邕志也。"

按蔡中郎十志，據本傳多散亡於傕、汜之亂，未嘗編入《東觀記》。今但求其可攷見者，分錄各類。

蔡邕　禮志
蔡邕　樂志

謝承書曰："太傅胡廣博綜舊儀，立漢制度，蔡邕因以爲志，譙周後改定以爲《禮儀志》。"或引作謝沈。蔡邕上章曰："故太傅胡廣，略以所有舊事與臣。"

又曰："建寧五年正月，車駕上原陵。蔡邕爲司徒掾，從公行到陵，見其儀，愾然謂同坐者曰：'聞古不墓祭。朝廷有上陵之禮，始謂可損。今見威儀，察其本意，乃知孝明皇帝至孝惻隱，不可易舊。'邕見太傅胡廣曰：'國家禮有煩而不可省者，不知先帝用心周密之至於此也。'廣曰：'然。子宜載之，以示學者。'邕退而記焉。"按此是蔡氏《禮志》之一篇。

《續漢・禮儀志》注引蔡邕《禮樂志》曰："漢樂四品：一曰《大予樂》，典郊廟上陵殿中諸食舉之樂；二曰《周頌雅樂》，典辟雍饗射六宗社稷之樂；三曰《黃門鼓吹》，天子所以宴樂羣臣；其《短簫鐃歌》，軍樂也。孝章皇帝親著歌詩四章，又制雲臺十二門新詩。熹平四年正月中出雲臺十二門新詩，皆當撰錄，以成《樂志》。"

嚴可均《全後漢文編》曰："本紀稱邕所著百四篇，有《敍樂》一篇。今案《書鈔》九十六引蔡邕《敍樂》，卽戍邊上章之樂，意唯多首二語耳。"

蔡邕　郊祀志

《續漢・祭祀志》序曰："今但列自中興以來所修用者，以爲《祭祀志》。"劉昭注：謝沈書曰："蔡邕引中興以來所修者爲《祭祀志》，卽邕之意也。"

《續漢・祭祀志》注：蔡邕《表志》曰："孝明立世祖廟，以明再受命祖有功之義，後嗣遵儉，不復改立，皆藏主其中。聖明所制，一王之法也。自執事之吏，下至學士，莫能知其所以兩廟之意，誠宜具錄本事。建武乙未、元和丙寅詔書，下宗廟議及齋令，宜入《郊祀志》，永爲典式。"

又蔡邕《表志》曰："宗廟迭毀議奏，國家大體，班固錄《漢書》乃置《韋賢傳》末。臣以問胡廣，廣以爲實宜在《郊祀志》，去中鬼神仙道之語，取《賢傳》宗廟事實其中，旣合孝明旨，又使祀事以類相從。"

按劉昭注補《續漢志》序曰"自蔡邕大宏鳴條，實多紹宣。協妙元卓，律曆以詳。承洽伯始，禮儀克舉。郊廟社稷，祭祀該明。輪騑冠章，車服贍列。於是應、譙纘其業，董巴襲其軌。司馬續書，總爲八志”云云。是《律曆》、《禮》、《樂》、《郊祀》、《車服》五志，皆應劭、譙周、董巴、司馬彪諸家所依據。并《朝會》、《天文》，可攷見者凡七志。餘三志，實無攷。《朝會志》、《樂志》，司馬彪散入《禮儀》、《祭祀志》中。《律曆》、《天文》二志並詳見子部中。

應劭　禮義故事　劭始末見正史類。

范書本傳：建安二年，詔拜劭爲袁紹軍謀校尉。時始遷都於許，舊章埋沒，書記罕存。劭慨然歎息，乃綴集所聞，著《漢官》、《禮儀故事》，凡朝廷制度，百官典式，多劭所立。

《續漢書》曰：“劭又著《中漢輯敘》、《漢官儀》及《禮儀故事》，凡十一種百三十六卷。朝廷制度，百官儀式，所以不亡者，由劭記之。”

《南齊書·百官志》序曰：“胡廣舊儀，事惟簡撮。應劭官典，殆無遺憾。”又《禮志》序曰：“胡廣撰舊儀，應劭、蔡質咸綴識時事。”

尚方故事

崔豹《古今注·輿服篇》：“大駕指南車，起黃帝。① 舊說周公所作也。所以示服遠人，正四方。車法具在《上方故事》。漢末傷亂，其法中絕。”又曰：“大章車，所以識道里也。起於西京，亦曰記里車。《尚方故事》有作車法。”

按《宋書·禮志》云：“指南車，其始周公所作，以送荒外遠使。至於秦、漢，其制無聞。後漢張衡始復創造。”是指南車法，得具載於《尚方故事》者，始於張平子之時。大章車車法，猶在其前，以是證知《尚方故事》，東漢時所有也。范

---

① “黃”，原作“皇”，據《補編》本改。

書《宦者·蔡倫傳》云：'倫爲尚方令，監作諸器械，莫不精
工，爲後世法。'倫所作諸法，亦當在《尚方故事》中。"

東園祕記

《太平御覽》八百十一引漢《東園祕記》曰："亡人以黃金塞九
竅，則尸終不朽。"

范書《梁竦傳》注曰："東園，署名，主知棺槨。"

按《東園祕記》葢漢時主者典守之書，不欲宣示，故曰祕，亦
凶禮中之支流也。漢之王公卿士，類多賜東園祕器，以爲
飾終之典。《續漢·禮儀志》言東園匠職司諸事甚多。東
園匠，前漢屬將作大匠，成帝省，後漢以守宮令兼其職，屬
少府，而《百官志》不著。

右皆朝廷典禮。

鄭眾　婚禮謁文　　眾始末見經部易類。

馬國翰輯本序曰："鄭氏《婚禮》，後漢鄭眾撰。《晉書·禮志》
云：'古者婚禮皆有醮，鄭氏醮文三首具存。'杜佑《通典》云：
'後漢鄭眾《百官六禮辭》，大略因於周。'《藝文類聚》引鄭氏
《婚禮謁文》，又引《謁文贊》，皆其篇目。《隋》、《唐志》不載此
書，佚已久。茲據《通典》所引，參以《類聚》、《書鈔》、《御覽》
諸書，輯爲一帙，篇雖多闕，而禮物贊辭略備，韻語古雅，固可
誦也。"

嚴可均《全後漢文編》曰："《通典》五十八引鄭氏《婚物贊》，又
載禮物三十種。自玄纁至陽燧僅二十九種，據《類聚》八十九
引有'女貞之樹'云云一贊，而此無女貞，豈脫此一種耶？今
輯存《婚禮》一條，《婚禮謁文》一條，《婚禮謁文贊》十二條，附
錄二條。"

崔駰　婚禮結言

范書本傳：駰字亭伯，涿郡安平人也。年十三能通《詩》、

《易》、《春秋》。少遊太學,與班固、傅毅同時齊名。竇憲爲車騎將軍,出擊匈奴,辟爲主簿。察高第,出爲長岑長。自以遠去,不得意,遂不之官而歸。永元四年,卒於家。所著《婚禮結言》、《達旨》、《酒警》,合若干篇。

惠棟《後漢書補注》曰:"鄭仲師有《婚禮謁文》,駰因之作《結言》,葢納徵、問名之辭也。"

嚴可均《全後漢文編》曰:"崔駰《婚禮結言》,今見於《類聚》、《初學記》所引凡二條。"

何休　冠禮約制　<small>休始末見經部春秋類。</small>

馬國翰輯本序曰:"《冠禮約制》,漢何休撰。《隋》、《唐志》均不載,惟杜佑《通典》引之。意以古禮繁重,人多憚行,冠禮浸以日廢,乃參酌時制,約而爲此,亦委曲存禮之苦衷歟?"

侯《志》曰:"何休《冠儀約制》,《宋書·禮志一》引作何楨,《通典》五十六引作何休,而冠以'後漢'二字,則非休字誤矣。"

蔡邕　獨斷二卷

范書本傳:所著《論議》、《獨斷》凡若干篇,傳於世。

《唐日本國見在書目》襍家:"《獨斷》一卷。"今案蔡邕篡襍記,自古國家制度,及漢朝故事,王莽無髮,葢見於此。

陳振孫《書錄解題》曰:"《獨斷》二卷,漢左中郎將陳留蔡邕伯喈撰。言漢世制度,禮文車服,及諸帝世次,而兼及前代禮樂。"

《四庫簡明目錄》曰:"《獨斷》二卷,漢蔡邕撰,皆考論舊制,綜述遺文,與《白虎通義》、《風俗通義》俱爲講漢學者之資糧。然《風俗通義》多說襍事,不及二書之字字皆爲典據也。"

餘姚盧文弨校刊序目曰:"《獨斷》,蔡中郎所著,見《後漢書》本傳。唐人多引用之,而傳者絕少。宋《崇文書目》云二卷,采前古及漢以來典章制度,品式稱謂,攷證辨釋,凡數百事。"

按《獨斷》今所傳者，似中郎修史時隨筆劄記之文，亦多見於《續漢》八志中。其原書恐不若是，頗似後人輯錄者。唐以前編入本集，故《隋》、《唐志》皆不著。其別本單行，始見於《日本書目》、《崇文總目》。

應劭　汝南君諱議二卷　原名《舊君諱議》。

《隋書·經籍志》：《汝南諱議》二卷。《通志·校讐略》以爲《謚議》，非也。

《吳志·張昭傳》注曰："汝南主簿應劭議，宜爲舊君諱，論者皆互有異同，事在《風俗通》。"錢氏《攷異》曰："漢人以郡守爲君也。"

侯《志》曰："《左傳·成十年》疏引應劭《舊君諱議》，今以《張昭傳》注覈之，則所引乃張昭之言，非應劭之言。"按此侯氏誤會也。

按《春秋》經疏，漢末有汝南應劭作《舊君諱議》云："昔者周穆王名滿，晉厲公名州滿，今本作"州蒲"。又有王孫滿，是同名不同諱。"孔疏引應劭《舊君諱議》如此，是議其不當諱也。裴注載張昭論云："建武以來，舊君名諱五十六人。應劭以爲後生不得協，皆當諱。"今檢《風俗通》，無此文，其言亦與孔疏所引齟齬不合。《風俗通》所載多力辨時俗之謬，此類非一，葢時人有是說，而應劭辨之，非是說出於應劭，劭所論辨必不如此，觀其他文字可知。張子布弱冠著論，以爲應劭有是議，不亦誣乎？侯《志》謂孔疏所引乃張昭之言，今按昭論亦引穆王諱滿、王孫滿之語，而無晉厲公州滿之言，與應劭原文不同，孔疏所引實應劭《舊君諱議》中語，非張昭論中語。此葢後人裒錄諸家之議，《隋志》以其出自眾論，故不著撰人。

又按《意林》引《風俗通》云："彭城孝廉張子矯議云，若君臣不得相襲作名，周穆王諱滿，至定王時有王孫滿；厲王諱胡，莊王之子名胡。"此即張昭論中語，而《意林》節引其文。昭字子布，此云子矯，亦誤。然昭之論不知何以亦在《風俗通》中，豈此二卷舊附《風俗通》後，故裴松之、馬總皆以爲《風俗通》歟？

右皆私家記述。

右儀制類，凡二門，綜一十四家二十二部。

叔孫宣　漢律章句

郭令卿　漢律章句

馬融　漢律章句

鄭玄　漢律章句

《晉書·刑法志》：漢承秦制，蕭何定律爲九篇，叔孫通益律所不及旁章十八篇，張湯《越宮律》或引作"官"。二十七篇，趙禹《朝律》六篇，合六十篇。又漢時決事，集爲令甲以下三百餘篇，及司徒鮑公撰嫁娶辭訟決爲《法比都目》，凡九百六卷。世有增損，率皆集類爲篇，結事爲章，一章之中或事過數十。事類雖同，輕重乖異，而通條連句，上下相蒙，錯糅無常，後人生意，各爲章句。叔孫宣、郭令卿、馬融、鄭玄諸儒章句十有餘家，家數十萬言，凡斷罪所當由用者，合二萬六千二百七十二條，七百七十三萬二千二百餘言，言數益繁，覽者益難，天子按謂魏明帝時。於是下詔但用鄭氏章句，不得襍用餘家。

侯《志》曰："叔孫宣、郭令卿不知何時人，《晉志》敘於馬、鄭之前，且魏時其律章句已行，則必後漢人矣。"

按范書《陳寵傳》：永元中，寵上奏曰："律有三家，其說各異。"時通行者已有三家，馬、鄭不在其內，應劭上奏稱《律本章句》者，即此類之書。又《郭躬傳》：躬，潁川陽翟人。父弘，習《小杜律》躬少傳父業，講受徒衆常數百人。郭氏自弘後數世皆傳法律，子孫至公者一人，廷尉七人，侯者三人，刺史二千石、郎將者二十餘人，侍御史正監平者甚眾。東京律學惟郭氏最著云。又有洛陽郭賀，字喬卿，亦能明法。見《蔡茂傳》。

建武律令故事三卷

《唐六典》曰：“編錄當時制敕，永爲法則，以爲故事。漢建武有《律令故事》上、中、下三篇，皆刑法制度也。”

《隋書·經籍志》：案梁《建武律令故事》二卷，亡。《唐·經籍志》：《漢建武律令故事》三卷。《藝文志》同。

廷尉板令

范書《應劭傳》：劭上《漢議》，奏曰：“輒撰具《律本章句》、《尚書舊事》、《廷尉板令》。”惠棟《補注》曰：“漢有尉律，廷尉作用之律。許慎曰：‘今雖有尉律，不課。’又云：‘廷尉說律，至以字斷法是也。’《張湯傳》曰：‘上所是，受而著讞法廷尉挈令。’挈獄之要也。板令者，猶云板官、板詔也。”

廷尉決事比二十卷

范書《應劭傳》：劭上奏曰：“輒撰具《廷尉板令》、《決事比例》。”惠棟《補注》：鄭眾《周禮注》曰：“邦成，若今時《決事比》也。”賈公彥曰：“若今律，其有斷事，皆依舊事斷之。其無條取，比類以決之，故云《決事比》。”

范書《陳忠傳》：初，忠父寵在廷尉，上除漢法益於《甫刑》者，未施行。忠略依寵意，奏上二十三條，爲《決事比》，以省請讞之敝。

《唐書·經籍志》：《廷尉決事》二十卷。《唐·藝文志》同。

按《新唐志》：《漢臣名奏》二十九卷，《廷尉決事》二十卷。蒙上“漢”字。又按《決事比》始於前漢董仲舒。仲舒《春秋斷獄》，《崇文總目》作《春秋決事比》是也。

廷尉駁事十一卷
廷尉雜詔書二十六卷

《唐書·經籍志》：《廷尉駁事》十一卷，《廷尉襍詔書》二十六卷。《藝文志》同。

按《新唐志》此二書皆蒙上"漢"字,並在應劭之前。

陳寵　司徒辭訟比七卷

范書本傳:寵字昭公,沛國浚人也。曾祖父咸,成、哀閒以律令爲尚書。平帝時,王莽輔政,多改漢制,咸心非之,即乞骸骨去。及莽篡位,召咸以爲掌冠大夫,謝病不肯應。時三子參、豐、欽皆在位,乃悉令解官。父子相與歸鄉里,收斂其家律令書文,皆壁藏之。欽子躬,爲廷尉左監,早卒。躬生寵,明習家業,少爲州郡吏,辟司徒鮑昱府,數爲昱陳當世便宜。昱高其能,轉爲辭曹,掌天下獄訟。其所平決,無不厭服人心。時司徒辭訟,久者數十年,事類溷錯,易爲輕重,不良吏得生因緣。寵爲昱撰《辭訟比》七卷,決事科條,皆以事類相從。昱奏上之,其後公府奉以爲法。永元六年,代郭躬爲廷尉。十六年,代徐防爲司空,在位三年薨。

鮑昱　司徒都目八卷

司馬彪書曰:"鮑昱字守文。"

范書《鮑永傳》:永,上黨屯留人也。子昱,字文泉,建武初高都長,後爲沘陽長。再遷。中元元年,拜司隸校尉。坐免,拜汝南太守。永平十七年,代王敏爲司徒。建初四年,代牟融爲太尉。六年薨。

《東觀記》曰:"時司徒例訟,久者至數十年。比例輕重,非其事類,錯襍難知。昱奏定《辭訟》七卷,《決事都目》八卷,以齊同法令,息遏人訟也。"

范書《應劭傳》:劭上奏曰:"輒撰具《廷尉板令》、《決事比例》、《司徒都目》。"章懷太子曰:"司徒,即丞相也。總領綱紀,故有都目。"惠棟曰:"鄭眾《周禮注》曰:'八成者,行事有八篇,若今之《決事比》。"

　　按《晉書·刑法志》曰："司徒鮑公撰嫁娶辭訟決爲《法比都目》,凡九百六卷。"[①]意《都目》八卷,是其總最。若其事類,則九百六條,以一條爲一卷歟?

五曹詔書

　　范書《應劭傳》:劭上奏曰:"輒撰具《廷尉板令》、《決事比例》、《司徒都目》、《五曹詔書》。"章懷太子曰:"成帝初置尚書員五人,《漢舊儀》有常侍曹、二千石曹、戶曹、主客曹、三公曹也。"《御覽》五百九十三引《風俗通》曰:"光武中興以來,《五曹詔書》題鄉亭壁,歲補正,多有闕誤。永建中,兗州刺史過翔箋撰卷別,改著板上,一勞而久逸。"

應劭　漢議二百五十篇　劭始末見正史類。侯《志》曰:"本傳作《漢儀》。"今據《晉書·刑法志》。

　　范書本傳:劭又刪定律令爲《漢儀》。建安元年乃奏之曰:"夫國之大事,莫尚載籍也。載籍也者,決嫌疑,明是非,賞刑之宜,允獲厥中,俾後之人永爲監焉。故膠東相董仲舒老病致仕,朝廷每有政議,數遣廷尉湯親至陋巷,問其得失。於是作《春秋決獄》二百三十三事,動以經對,言之詳矣。逆臣董卓,蕩覆王室,典憲焚燎,靡有孑遺,開辟以來,莫或茲酷。今大駕東邁,巡省許都,拔出險難,其命維新。臣累世受恩,榮祚豐衍,竊不自揆,貪少云補,輒撰具《律本章句》、《尚書舊事》、《廷尉板令》、《決事比例》、《司徒都目》、《五曹詔書》及《春秋斷獄》,凡二百五十篇,蠲去復重,爲之節文。"

　　按《經義攷》以此書爲應劭《春秋斷獄》,列之春秋類,非也。

---

　　①　"百",原誤作"言",據《補編》本改。

《春秋斷獄》與《律本章句》等,同爲劭所引據之書耳。《文獻·經籍攷》亦以董仲舒《春秋決事比》爲獻帝時應劭所上,似皆誤解史文"撰具"二字,故有此失。

應劭　駁議三十篇

劭奏曰:"又集《駁議》三十篇,以類相從,凡八十二事。其見《漢書》二十五,《漢記》四,皆刪敘潤色,以全本體。其二十六,博采古今瓌瑋之事。文章煥炳,德義可觀。其二十七,臣所拊造。豈緊自謂必合道衷,心焉憤邑,聊以藉手,是用敢露頑才,廁於明哲之末。雖未足綱紀國體,宣洽時雍,庶幾觀察,增闡聖德。唯因萬機之餘暇,游意省覽焉。"獻帝善之。傳載其《駁議》一事,末云:"劭凡爲《駁議》三十篇,皆此類也。"

《文心雕龍·議對篇》曰:"迄至有漢,始立駁議。駁者,襍也。議不純,故曰駁也。漢世善駁,則應劭爲首。"又曰:"仲瑗博古,而銓貫有敘。"

《隋書·經籍志》:《漢朝議駁》三十卷,應劭撰。《唐·經籍志》:《漢朝駁義》三十卷,應劭撰。《藝文志》:應劭《漢朝議駁》三十卷。

按劭以陶謙殺曹操父嵩於泰山郡界,因畏操,棄郡奔袁紹,未嘗身至許下。其作此二書及《漢官禮儀故事》,皆在於鄴。此二書則由鄴奏進於朝,得拜軍謀校尉。其《漢官禮儀故事》未必奏上。史稱"朝廷制度,百官典式,多劭所立"云云者,謂其所立之紀載耳,非當時實有其事也。

南臺奏事二十二卷

《隋書·經籍志》:《南臺奏事》二十二卷。《唐·經籍志》同。《藝文志》同。

《玉海·藝文》曰:"《漢南臺奏事》,《唐志》刑法二十二卷,《隋志》無'漢'字。順帝永建元年九月辛亥，初令三公尚書入奏事。"按此云《隋志》無"漢"字者，蓋亦以爲《唐志》蒙上"漢"字也。

按《玉海》載此書繫以《順帝本紀》一條，蓋著其朔而未明其故，似有所闕略也。三公尚書者，《續漢·百官志》注云："《漢舊儀》：三公曹，主斷獄。蔡質《漢儀》：典天下歲盡集課事。"五曹尚書之一也。東漢尚書曹在南宮，謝承書云"條在南宮"，《鄭宏傳》云"著之南宮"是也。《唐六典》注："後漢尚書亦稱臺閣，故曰南臺。"此《南臺奏事》，卽三公曹奏事，故入刑法。是書蓋昉於順帝初年，《新唐志》亦蒙上"漢"字。

又按華嶠書"桓焉以《尚書》授安帝，拜太傅，錄尚書。復入授順帝於禁中，因宴見奏，宜引三公尚書入省事，天子從之"，則此事自焉發之也。

漢名臣奏二十九卷

《唐書·經籍志》：《漢名臣奏》又二十九卷。《唐·藝文志》：《漢名臣奏》二十九卷。

按《舊志》次陳壽書之後，故曰"又二十九卷"。《新志》與《南臺奏事》並在應劭之前，又別有陳壽《漢名臣奏事》三十卷，知此二十九卷在陳壽之前。《新志》固以爲漢人書矣。

右刑法類，凡一十五家一十六部。按《隋志》引《七錄》有應劭《律略論》五卷，實魏劉劭撰，今錄入《三國藝文志》。侯《志》有陳忠《決事比》二十三條，卽在《廷尉決事比》二十卷中，今不別出。

曹大家　列女傳注十五卷

范書《列女傳》：扶風曹世叔妻者，同郡班彪之女也，名昭，字惠班，一名姬。博學高才。世叔早卒，有節行法度。和帝數召入宮，令皇后、諸貴人師事焉，號曰大家。及鄧太后臨朝，與聞政事。以出入之勤，特封子成關内侯，官至齊相。昭年七十餘卒，皇太后素服舉哀，使者監護喪事。所著賦、頌、銘、誄、問、注，凡若干篇。

《隋書·經籍志》：《列女傳》十五卷，劉向撰，曹大家注。《唐日本國見在書目》同。《唐·藝文志》：劉向《列女傳》十五卷，曹大家注。

曾鞏《序錄》曰："劉向敘《列女傳》凡八篇，《隋書》及《崇文總目》皆稱向《列女傳》十五篇，曹大家注。以頌義攷之，蓋大家所注，離其七篇爲十四，與頌義凡十五篇。而益以陳嬰母及東漢以來凡十六事，非向書本然也。"

侯《志》曰："《顏氏家訓》卷六引大家注，《初學記》卷十三引大家注。"

　　按本傳載所著賦、頌、銘、誄、問、注，此卽注之一也。

馬融　列女傳注　　融始末見經部易類。

范書本傳：注《孝經》、《論語》、《詩》、《易》、三《禮》、《尚書》、《列女傳》。

劉熙　列女傳八卷　　熙始末見經部禮類。

《唐書·藝文志》：劉熙《列女傳》八卷。

　　按《唐志》列是書於趙母注本之前，又八卷與劉中壘原本八篇合，疑亦注劉氏書。

　　右注訓前代傳記。

梁鴻　逸民傳

范書《逸民傳》：梁鴻字伯鸞，扶風平陵人也。父讓，王莽時爲城門校尉，封修遠伯，使奉少昊後，寓於北地而卒。鴻時尚幼，以遭亂世，因卷席而葬。後受太學，家貧而尚節介，博覽無不通，而不爲章句。與妻孟光共入霸陵山中，以耕織爲業，詠《詩》、《書》，彈琴以自娛。仰慕前世高士，而爲四皓以來二十四人作頌。後至吳，依大家皋伯通舍。卒，葬於吳，妻子歸扶風。

《史通·襍述篇》：若劉向《列女》、梁鴻《逸民》，此之謂別傳者也。

章宗源《隋志攷證》曰："《文苑英華》許南容、李令琛對策，並言梁鴻作《逸人傳》。"

惠棟《後漢書補注》曰："鴻所作頌，今不傳。唯李善《文選》十九卷引梁鴻《安丘嚴平頌》，此其一也。"嚴可均《全後漢文編》曰："此葢頌安丘望之、嚴君平二人也。皇甫謐《高士傳序》云'梁鴻頌逸民'，卽此。[①] 亦見《雪賦》注、《補亡詩》注。"

侯《志》曰："按本傳但稱爲二十四人作頌，而劉知幾謂之別傳，則當日每人各係以傳也。"

三君八俊錄

袁山松書曰："桓帝時，朝廷日亂，李膺風格秀整，高自標尚，後進之士升其堂者，以爲登龍門。太學生三萬餘人，榜天下士，上稱三君，次八俊，次八顧，次八及，次八廚，猶古之八元、八凱也。因爲七言謠曰'不畏彊禦陳仲舉，九卿直言有陳蕃，天下模楷李元禮'云云。"

范書《黨錮列傳》曰："太學諸生三萬餘人，郭林宗、泰。賈偉節彪。爲其冠，並與李膺、陳蕃、王暢更相襃重。學中語曰：'天下模楷李元禮，不畏彊禦陳仲舉，天下俊秀王叔茂。'海內希風之流，遂共相標榜，指天下名士，爲之稱號。上曰三君，次曰八俊，曰八顧，曰八及，曰八廚。"又曰："三君、八俊等三十五人。"

　按陶淵明《四八目》載竇武、陳蕃、劉淑三君，而下三十五人，並云見《三君八俊錄》。其中"八及"作"八友"。又八顧

---

① "卽"下，《補編》本有"指"字。

中有劉儒，無范滂；八友中有范滂，無翟超；八廚中有劉
翊，無劉儒，並與《黨錮傳》所載異。據袁、范兩書，知是錄
起於太學諸生，或亦編入《漢末名士傳》、《海內士品錄》諸
書中。

　　右總錄傳記。

京兆耆舊傳

《文苑英華·策問》：《京兆耆舊》之篇起於何代？許南容對：
《京兆耆舊》光武創其篇。李令琛對：《京兆耆舊》之篇，刱於
光武。

　　按侯《志》云《京兆耆舊》即《三輔耆舊》。今攷《郡國志》京
兆、馮翊、扶風三郡並屬司隸校尉部，三輔可包京兆，京兆
不可以包三輔。《隋志》稱沛、三輔有耆舊節士之序者，與
此別爲一書。

沛國耆舊傳

三輔耆舊傳

魯國先賢讚

廬江先賢讚

《隋書·經籍志》曰：“後漢光武始詔南陽撰作風俗，故沛、三
輔有耆舊節士之序，魯、廬江有名德先賢之讚，郡國之書由是
而作。”又曰：“魯、沛、三輔，序、讚並亡。”

　　按侯《志》云：“沛、魯、廬江諸書，《隋志》但渾括其名，無從
著錄。”今攷《隋志》，有《魯國先賢傳》，蓋後人續編之書。
又載諸郡國傳記，以耆舊、先賢名書者尤多。以後況前，不
甚相遠。《隋志》稱節士名德，當在耆舊先賢之中。今以
沛、三輔稱《耆舊傳》，魯、廬江稱《先賢傳》，著於錄。

趙岐　三輔決錄七卷

范書本傳：岐字邠卿，京兆長陵人也。初名嘉，字臺卿。娶扶

風馬融兄女。仕州郡，辟司空掾。其後爲大將軍梁冀所辟，舉理劇，爲皮氏長。西歸，京兆尹延篤復以爲功曹。先是，中常侍唐衡兄玹爲京兆虎牙都尉，岐數爲貶議，玹深毒恨。延熹元年，玹爲京兆尹，收岐家屬宗親，陷以重法，盡殺之。岐遂逃難四方。後諸唐死滅，因赦乃出。九年，應司徒胡廣之命，擢拜并州刺史，坐黨事免。中平元年，徵拜議郎。舉爲敦煌太守，行至襄武爲賊邊章等所執，得免，展轉還長安。及獻帝西都，復拜議郎，稍遷太僕。李催專政，使太傅馬日磾撫慰天下，以岐爲副。岐南說劉表，以老病，遂留荊州，就拜爲太常。年九十餘，建安六年卒。岐多所述作，著《孟子章句》、《三輔決錄》傳於時。摯虞曰：岐娶馬敦女宗姜爲妻，融嘗至岐家，與從妹宴飲。

岐自序曰：“三輔者，本雍州之地，世世徙公卿吏二千石高資，皆以陪諸陵。五方之俗襍會，非一國之風，不但繫《詩·秦》、《豳》也。其爲士好高尚義，貴於名行。其俗失則趣埶進權，唯利是視。余以不才，生於西土。耳能聽而聞故老之言，目能視而見衣冠之疇，心能識而觀其賢愚。近從建武以來，暨於斯今，其人既亡，行乃可書，玉石朱紫，由此定矣，故謂之《決錄》矣。”按《蜀志·先主傳》引《孝經鉤命決錄》，似“決錄”之名本之緯書。

《隋書·經籍志》：《三輔決錄》七卷，漢太僕趙岐撰，摯虞注。《唐·經籍志》：《三輔決錄》七卷，趙岐撰，摯虞注。《藝文志》：趙岐《三輔決錄》十卷，摯虞注。

侯《志》曰：“據范書《隗囂傳》注所引，則其書似有韻語作贊。《魏志·荀彧傳》注稱岐作《三輔決錄》，恐時人不盡其意，故隱其書，惟以示同郡嚴象，則當時葢甚自矜重。今見於諸書所引者尚夥，然每與摯虞注相紊。”

張澍二酉堂輯本序曰：“諸書徵引，錄與注不盡分晰，余鈔撮特分別之。《隋》、《唐志》七卷,《新唐志》十卷,今定爲二卷。"
茆泮林輯本《題識》曰:"惟陶宗儀《說郛》輯有一卷,僅得十五
事而已。泮林隨遇輒錄,摯仲洽注一併輯之,計《決錄》九十
四事,注三十六事,而以《邠卿事蹟錄》冠於卷首。"

袁湯　陳留耆舊傳

范書《袁安傳》:安,汝南汝陽人也。子京,京子彭。彭弟湯,
字仲河,少傳家學。<small>袁氏家世《孟氏易》,詳見易類。</small>諸儒稱其節,多歷
顯位。桓帝初,爲司空,以豫議定策封安國亭侯,累遷司徒、
太尉,以災異策免,卒,諡曰康侯。

袁宏《紀》:桓帝永興元年十一月,太尉袁湯致仕。湯初爲陳
留太守,褒善敘舊,以勸風俗。嘗曰:"不值仲尼,夷、齊西山
餓夫,柳下東國黜臣,致聲名不泯者,篇籍使然也。"乃使戶曹
吏追錄舊聞,以爲《耆舊傳》。

圈稱　陳留耆舊傳二卷

應劭《風俗通·姓氏篇》:圈氏,楚鬻熊之後。

《隋書·經籍志》:《陳留耆舊傳》二卷,漢議郎圈稱撰。

《史通·襍述篇》曰:"若圈稱《陳留耆舊》,此之謂郡書者也。"

章宗源《隋志攷證》曰:"《元和姓纂》:'後漢末有圈稱字幼舉,
撰《陳留風俗傳》。'《廣韻》注同。稱字幼舉,顏師古《匡謬正
俗》書爲孟舉,誤。"<small>按顏氏親見《風俗傳》自序,其稱孟舉,未可直斷其誤。</small>

　　按《隋志》圈稱書凡五卷:《耆舊傳》二,《風俗傳》三,分別著
錄於襍傳、地理兩類中。兩《唐志》但有《風俗傳》三卷,則
此二卷唐時已亡。可知章氏《攷證》謂《隋志》《耆舊》名疑
有誤,《史通》稱《耆舊》亦當云《風俗》,是皆不然。<small>又按此與袁
湯《耆舊傳》時代甚相近,疑卽湯使戶曹吏所作者。圈稱或爲本部戶曹,後舉上計
留爲郎,轉爲議郎者歟?袁《紀》所言似得之於本書序文,以重在袁湯,故未於戶
曹吏下著圈稱姓名,斯則未可知耳。</small>

鄭廑　巴蜀耆舊傳

《華陽國志·三州士女目錄》曰："述作：漢中太守鄭廑字伯邑，臨邛人也，作《耆舊傳》。"

又《後賢志·陳壽傳》云："益部自建武後，蜀郡鄭伯邑、太尉趙彥信及漢中陳申伯、祝元靈、廣漢王文表皆以博學洽聞，作《巴蜀耆舊傳》。"按陳申伯名術，三國時人。

按范書《西羌傳》："安帝永初四年春，羌寇褒中，漢中太守鄭勤移屯褒中。勤出戰，大敗。主簿段崇門下史王宗、原展以身扞刃，與勤俱死。"葢即此鄭廑。《文選·長楊賦》注：《古今字詁》曰："廑，今勤字也。"《三州士女目》稱臨邛人。《漢中人士贊》又云太守河閒鄭廑，則以爲河閒人。

趙謙　巴蜀耆舊傳

范書《趙典傳》：典，蜀郡成都人也。兄子謙，字彥信，初平元年代黃琬爲太尉。獻帝遷都長安，以謙行車騎將軍，爲前置。明年病罷。復爲司隸校尉。轉爲前將軍，遣擊白波賊，有功，封郫侯。李傕殺司徒王允後，代允爲司徒，數月病免，拜尚書令。是年卒，諡曰忠侯。

常璩《後賢志·陳壽傳》云："太尉趙彥信作《巴蜀耆舊傳》。"

又《蜀郡士女目錄》曰："侍御史常詡字孟元，江原人，在趙太尉公《耆舊傳》。"

王商　巴蜀耆舊傳

范書《王堂傳》：堂，廣漢郪人也。曾孫商，益州牧，劉焉以爲蜀郡太守，有治聲。

《廣漢人士贊》：王商，字文表，廣漢人也。博學多聞。州牧劉璋辟爲治中，試守蜀郡太守。荆州牧劉表、大儒南陽宋仲子遠慕其名，皆與交好，許文休稱商"中夏王景興輩也"。在官一十年而卒。又《三州士女目》曰："堂長子博，博子遵，並失官位。商，遵子也。"亦見《蜀志·許靖傳》注引《益州耆舊傳》。

又《後賢志·陳壽傳》：廣漢王文表作《巴蜀耆舊傳》。

祝龜　漢中耆舊傳

《漢中人士贊》：祝龜，字元靈，南鄭人也。年十五，遠學汝、潁及太學，通博蕩達，能屬文。州牧劉焉辟之，不得已，行，授葭萌長。撰《漢中耆舊傳》，以著述終。

常璩《序志》曰："漢末時，漢中祝元靈性滑稽，用州牧劉焉談調之末，與蜀士燕胥，聊著翰墨。當時以爲極歡，後人有以爲惑。"

侯《志》曰："按仙人唐公房碑陰有處士南鄭祝龜，蓋未授葭萌長以前之稱也。"

仲長統　山陽先賢贊一卷

范書本傳：統字公理，山陽高平人也。少好學，博涉書記，贍於文辭。年二十餘，游學青、徐、并、冀之間，與交友者多異之。性俶儻，敢直言，不矜小節，默語無常。時人或謂之狂生。每州郡命召，輒稱病不就。尚書令荀彧聞統名，奇之，舉爲尚書郎。後參丞相曹操軍事。獻帝遜位之歲，統卒，時年四十一。

《唐書·經籍志》：《兗州山陽先賢贊》一卷，仲長統撰。《藝文志》：仲長統《山陽先賢傳》一卷。

章宗源《隋志攷證》曰："據《元和姓纂》稱晉太宰參軍長仲毅著《山陽先賢傳》，則《唐志》仲長統誤。"按郡國傳記之書，大抵多後人以次注續，不止一家，兩《唐志》既明載其書，未有確證，不當直斷其誤。

　按《隋志》有《兗州先賢傳》一卷，不著撰人，似即是書。

　　右郡國傳記。

趙承等　李固德行一篇

范書《李固傳》：固字子堅，漢中南鄭人，司徒郃之子也。少好學,究覽墳籍,結交英賢。四方有志之士,多慕其風而來學。以順帝陽嘉二年對策,拜議郎。爲大將軍梁商從事中郎、荆州刺史、太山太守、將作大匠、大司農。沖帝卽位,以太尉與梁冀參錄尚書事。及質帝遇弒,固引。司徒胡廣、司空趙戒、大鴻臚杜喬皆以爲淸河王蒜明德著聞,又屬最尊親,宜立爲嗣。冀不從,竟立蠡吾侯志,是爲桓帝。後歲餘,甘陵劉文、魏郡劉鮪各謀立蒜爲天子,梁冀因此誣固與文、鮪共爲妖言,下獄。門生勃海王調、貫械上書,證固之枉,河內趙承等數十人亦要鈇鑕,詣闕通訴,太后明之,乃赦焉。及出獄,京師市里皆稱萬歲。冀聞之大驚,畏固名德終爲己害,乃更據奏前事,遂誅之。時年五十四。弟子趙承等悲歎不已,乃共論固言迹,以爲《德行》一篇。《桓帝本紀》：建和元年十一月,淸河劉文反,殺國相謝暠,欲立淸河王蒜爲天子。事覺伏誅,蒜坐貶爲尉氏侯,徙桂陽自殺。前太尉李固、杜喬皆下獄死。

謝承書曰:"固所授弟子潁川杜訪、汝南鄭遂、河內趙承等七十二人,相與哀歎悲憤,以爲眼不復瞻固形容耳,不復聞固嘉訓,乃共論集《德行》一篇。"

楊孚　董卓別傳

章宗源《隋志攷證》曰:"楊孚《董卓別傳》見《續漢志》補注。《太平御覽》、《後漢書》注亦引之。"

侯《志》曰:"《續漢・五行志》注引楊孚《卓傳》,葢卽《董卓別傳》也。楊孚當是撰傳之人,孚又有《交州異物志》一書。據黃佐《廣州先賢傳》、歐大任《百越先賢志》,則孚在章和時,無由撰《董卓傳》。然未知所本,今仍題楊孚名,而不敢必爲卽撰《異物志》之人,或異人同姓名也。其書又見本傳注、《袁紹傳》注、《禮儀志下》注及《御覽》屢引之。"

梁寬　龐娥傳

《魏志·龐淯傳》注：皇甫謐《列女傳》曰："酒泉烈女龐娥親者，表氏龐子夏之妻，禄福趙君安之女也。君安爲同縣李壽所殺，娥親有男弟三人，皆遭疫死。壽聞，相慶賀。至光和二年二月，娥親殺壽於都亭，歸罪有司，會赦得免。涼州刺史周洪、酒泉太守劉班共表上，稱其義烈，刊石立碑，顯其門閭。太常弘農張奐<small>按奐本酒泉人，内徙弘農，詳見經部書類。</small>貴尚所履，以束帛禮之。故黃門侍郎安定梁寬追述娥親，爲其作傳。"

按龐娥報讐事，范書《列女傳》、《魏志·龐淯傳》並載之。淯之母也，范書云字娥，《魏志》亦云淯母娥、淯外祖父趙安，<small>卷首目錄注云淯母娥英。</small>與皇甫氏稱娥親、趙君安並異，當從正史。又"禄福"當作"福禄"，酒泉縣郡所治也。梁寬始末未詳，或當是獻帝時人。

右別傳家之有撰人者。

王閎本事

《東觀記》曰："王閎者，王莽叔父，平阿侯譚之子也。莽篡位，潛忌閎，乃出爲東郡太守。閎懼誅，嘗繫藥手内。莽敗，漢兵起，閎獨完全。"<small>按此從《御覽》九百八十四鈔出者，其語未畢。</small>

范書《張步傳》：莽敗，漢兵起，閎獨完全東郡三十餘萬戶，歸降更始。又曰：更始遣魏郡王閎爲琅邪太守。又曰：步待以上賓之禮，令閎關掌郡事。又曰：建武五年，帝自幸劇，張步降，王閎亦詣劇降。又曰：王閎者，哀帝時爲中常侍。

侯《志》曰："《御覽》三百六十八引之，云閎爲琅邪太守，張步欲誅之。出東武城門，馬奔，墮車折齒，閎心惡，移病歸府，遂得免。康按，王閎，范書附《張步傳》，又見前書《董賢傳》，不載此事。"①

按王閎實乃心漢室者，自建武五年歸降後，不復見其事蹟。《御覽》七百十六引《漢名臣奏》曰："王莽斥出王閎，太后憐之，閎伏泣失聲，太后親自以手巾拭閎泣。"前、後書不載此事，當亦在本事中。

桓譚別傳

章宗源《隋志攷證》曰："《桓譚別傳》見《太平御覽》，《隋》、《唐志》不著錄。"

按譚見經部樂類。范書與《馮衍傳》同卷。此史傳編次之微意。

張純別傳

章宗源《隋志攷證》曰："《張純別傳》見《太平御覽》。"

侯《志》曰："《御覽》二百四十一引之，云純字伯仁，郊廟、冠婚、喪紀禮儀多所正定，上甚重之，以純兼虎賁中郎將，一日數見。康按此事范書亦載之。"

按純京兆杜陵人，高祖父安世。昭帝時封富平侯，建武中更封武始侯。二十三年，代杜林爲大司空。中元元年三月薨，諡曰節侯。范書與曹襃、鄭玄傳同卷。

鍾離意別傳

章宗源《隋志攷證》曰："《鍾離意別傳》見《續漢志》補注，亦見《太平御覽》、《後漢書》注。"

侯《志》曰："本傳注、《郡國志》注及《御覽》屢引之，其事多本傳所不載。"

按意字子阿，會稽山陰人。永平中，由尚書僕射出爲魯相，卒官。范書與第五倫、宋均、寒朗傳同卷。

---

① "事"，原作"書"，據《補編》本、《粤雅堂叢書》本《補後漢藝文志》改。

賈逵別傳

章宗源《隋志攷證》曰:"《賈逵別傳》見《太平御覽》。"

按逵見經部書類。范書與鄭興、興子眾、范升、陳元、張霸傳同卷。

樊英別傳

章宗源《隋志攷證》曰:"《樊英別傳》見《世說新語》注,亦見《太平御覽》。"

侯《志》曰:"《世說・文學篇》注、《御覽》三百七十三引之,此二事本傳不載,蓋以其事瑣屑也。餘見《藝文類聚》及《御覽》者尚多,皆與本傳同。"

按英見經部易類。范書列《方術傳》上篇。

張衡別傳

章宗源《隋志攷證》曰:"《張衡別傳》見《太平御覽》。"

按衡見經部禮類。范書列傳第四十九自爲一卷,而論之曰:"崔瑗之稱平子曰'數術窮天地,制作侔造化'。斯致可得而言歟! 推其範圍兩儀,天地無所蘊其靈; 運情機物,有生不能參其智。"

李郃別傳

章宗源《隋志攷證》曰:"《李郃別傳》見《藝文類聚》,亦見《太平御覽》。"

侯《志》曰:"《類聚》四十六、《御覽》二百三十二、又二百三十六、又二百五十二、又三百六十三、四、七十、又四百八十五、又五百二十八並引之,此數事本傳皆不載。惟《類聚》卷一、《御覽》七百七十九所引與本傳同。"

按郃字孟節,漢中南鄭人,固之父也。元初四年,代袁敞爲司空。安帝崩,北鄉侯立爲司徒。明年,賜策免。年八十餘,卒於家。門人上黨馮冑獨制服,心喪三年,時人異之。

范書列在《方術傳》上篇。

李固別傳七卷

《唐書・經籍志》：《李固別傳》七卷。《藝文志》同。

章宗源《隋志攷證》曰："《李固別傳》七卷，見《唐志》。《御覽》職官部、人事部、禮儀部並引《固別傳》。"

侯《志》曰："《御覽》二百六十五引之，云益州及司隸辟，皆不就。門徒或稱從事掾，固曰：'未曾受其位，不能獲其號。'此事本傳不載，餘多見本傳。又四百二十八引《李固外傳》，當卽一書。"

按固始末見前，范書與《杜喬傳》同卷。固弟子趙承等所集《德引》一篇，及《御覽》所引外傳，或皆編入此七卷中。

李燮別傳

章宗源《隋志攷證》曰："《李燮別傳》見《太平御覽》。"

侯《志》曰："《御覽》二百五十二、又六百五十二引之，其事皆本傳不載。《續漢書》及《華陽國志》載之。按《御覽》所引後一事，本傳亦略及之。

按李固二子基、茲皆死獄中。小子燮，得脫，亡命。燮字德公，靈帝時拜議郎，遷河南尹，在職二年卒。時人感其世忠正，咸傷惜焉。范書附見《固傳》末，其姊文姬及其父門生王成并著焉。

梁冀傳二卷

《唐書・經籍志》：《梁冀傳》二卷。《藝文志》同。

章宗源《隋志攷證》曰："《梁冀傳》二卷，見《唐志》。《通典》職官門元嘉二年加冀禮儀引《梁冀別傳》。"

侯《志》曰："《續漢・五行志》、《百官志》注俱引《梁冀別傳》，其事皆足與本傳互證。《御覽》亦屢引，事多與本傳同。惟二百三十二一引、二百四十二一引皆本傳所不載。"

　　按冀字伯卓，安定烏氏人。范書附見《梁統傳》，統玄孫也。
冀一門前後七封侯，三皇后，六貴人，二大將軍。夫人女食
邑稱君者七人，尚公主三人。其餘卿將尹校五十七人。延
熹二年八月丁丑自殺，内外宗親數十人皆伏誅。

馬融別傳

　　章宗源《隋志攷證》曰：“《馬融別傳》見《藝文類聚》。”

　　侯《志》曰：“《藝文類聚》六十九卷引之，其文全與傳同。”

　　按融見經部易類。范書列傳第五十合《蔡邕傳》爲上下篇。

郭泰別傳

　　章宗源《隋志攷證》曰：“《郭泰別傳》見《三國志》注，亦見《太
平御覽》、《後漢書》注。”

　　侯《志》曰：“《魏志·衛臻傳》注引《郭林宗傳》，乃別傳也，其
事本傳不載。《王昶傳》注亦引一條，則本傳載之。餘見本
傳注、《董憲傳》注、《世說注》。《類聚》、《御覽》引者甚多，間
亦足補本傳之缺，然皆范蔚宗所謂後之好事附益增張
者也。”

　　按泰字林宗，太原介休人。建寧二年卒於家，時年四十二，
四方之士千餘人皆來會葬，同志者乃共刻石立碑，蔡邕爲
文，既而謂涿郡盧植曰：“吾爲碑銘多矣，皆有慙德，惟郭有
道無媿色耳。”范書與符融、許劭傳同卷，“泰”作“太”。章
懷太子曰：“范曄父名泰，故改爲此太。”又按《御覽·經世
圖書綱目》載《郭泰別傳》、《郭林宗別傳》，書中又引《郭子
別傳》，似相傳不止一本。

陳寔別傳

　　章宗源《隋志攷證》曰：“《陳寔別傳》見《文選注》及《御覽》。”

　　侯《志》曰：“《御覽》二百六十四、四百三、四百九十九引之，事
已見本傳。”

按寔字仲弓，潁川許人。爲太丘長，後懸車不起，中平四年，年八十四，卒於家。海内赴者三萬餘人，制衰麻者以百數，共刻石立碑，謚爲"文範先生"。范書與其子紀及荀淑、淑子爽、爽從子悅，并韓韶、鍾皓傳同卷。

何顒使君家傳一卷

《隋書‧經籍志》：《何顒使君家傳》一卷。《唐‧經籍志》：《何顒傳》一卷。《藝文志》同。

章宗源《隋志攷證》曰："《何顒傳》一卷，不著錄，見《唐志》。《御覽》人事部、疾病部引《何頌別傳》：頌有人倫鑒，謂張仲景將爲名醫，卒如其言。"按章氏謂是傳《隋志》不著錄，非也。

侯《志》曰："《御覽》四百四十四、七百二十二俱引《何永別傳》，其事本傳不載。"

按顒字伯求，南陽襄鄉人。少與郭林宗、賈偉節等游學洛陽，顯名太學。太傅陳蕃、司隸李膺皆深接之。及黨事解，辟司空府，累遷北軍中候。董卓逼爲長史，託疾不就。與司空荀爽、司徒王允等共謀卓，會爽薨，顒以他事爲卓所繫，憂憤而卒。范書列在《黨錮傳》末，亦見《魏志‧荀攸傳》及注。《漢末名士錄》云："後荀或爲尚書令，遣人迎叔父司空爽喪，使并致顒尸，而葬之於爽冢旁。"

盧植別傳

章宗源《隋志攷證》曰："《盧植別傳》見《北堂書鈔》及《御覽》。"

侯《志》曰："《御覽》五百五十五引之，事已見本傳。"

按植見經部書類。范書與吳祐、延篤、史弼、趙岐傳同卷。

蔡邕別傳

章宗源《隋志攷證》曰："《蔡邕別傳》見《北堂書鈔》。"

侯《志》曰:"見本傳注。"

按邕見經部禮類。范書合馬融傳爲上、下篇,今本集有外傳。

王允別傳

章宗源《隋志攷證》曰:"《王允別傳》見《北堂書鈔》。"

侯《志》曰:"《御覽》二百六十三引之,其事已見本傳。"

按允字子師,太原祁人。初平元年,代楊彪爲司徒。三年夏四月辛巳,結呂布誅董卓,夷其三族。六月甲子,爲李傕所殺,時年五十六。范書與陳蕃傳同卷。

鄭玄別傳

章宗源《隋志攷證》曰:"《鄭玄別傳》見《三國志》注。《後漢書》注亦引之。"

侯《志》曰:"本傳注引之,餘見諸書,引者多與本傳同。惟《世說·文學篇》注、《御覽》五百四十一、又五百八十八、又八百三十九引數事,皆本傳不載。"

按玄見經部易類,范書與張純、曹褒傳同卷。

趙岐別傳

章宗源《隋志攷證》曰:"《趙岐別傳》見《太平御覽》。"

侯《志》曰:"《御覽》五百五十八引之,其文全同本傳。"

按岐始末見前,范書與吳祐、延篤、史弼、盧植傳同卷。

禰衡別傳

章宗源《隋志攷證》曰:"《禰衡別傳》見《藝文類聚》。"

侯《志》曰:"《魏志·荀彧傳》注引《平原禰衡傳》,當卽《別傳》也。餘見《類聚》、《御覽》,引者多與本傳同。惟《御覽》五百九十六弔胡政文一事,本傳不載。又八百三十三黃祖殺衡事,亦視本傳爲詳。"

按衡字正平,平原般人也。有才辨,而率意傲物。初以大罵曹操，操送之荆州，復侮慢劉表，表又送之江夏太守黃祖。卒以大罵黃祖被殺，時年二十六，當在建安六年。范書列《文苑傳》末。

孔融別傳

章宗源《隋志攷證》曰："《孔融別傳》見《藝文類聚》。"

侯《志》曰："本傳注兩引《融家傳》，核以《御覽》三百八十五所引，卽《別傳》也。餘見《類聚》七十三、《御覽》三百九十六、四百二十八，其事皆見范書中。與范書異者，本傳稱'年十歲詣河南尹李膺'，《別傳》作'詣漢中李公'。攷融卒於建安十三年，年五十六，則年十歲當桓帝延熹五年，是時李固誅死已久，《別傳》誤也。"

按融見經部春秋類。范書與鄭泰、荀彧傳同卷。

司馬徽別傳

章宗源《隋志攷證》曰："《司馬徽別傳》見《世說》注。"

侯《志》曰："范書無徽傳，《世說·言語篇》注引《別傳》，載徽事甚詳。"

按徽字德操，潁川陽翟人。有人倫鑒識。居荆州，荆州破，爲曹操所得。操欲大用，會其病死，此《別傳》所云云者。《蜀志·龐統傳》亦略及之，注引《襄陽記》云："龐德公稱諸葛孔明爲臥龍，龐士元爲鳳雛，司馬德操爲水鏡。"又《蜀志》：梓潼李仁、尹默俱游荆州，從司馬徽、宋忠受古學。亦見《華陽國志》。

王喬傳一卷

《隋書·經籍志》：《王喬傳》一卷。《唐·經籍志》同。《藝文志》子部神仙家同。

章宗源《隋志攷證》曰："《王喬傳》一卷，《唐志》同。《御覽》時序部：漢永和元年十二月夜，王喬墓上采薪者見人衣冠曰：'我王喬也，汝莫取我墓樹。'忽不見。此稱蔡邕《王喬錄》。"

按王喬見范書《方術傳》，云河東人，顯宗世爲葉令，有神術。或云此卽古仙人王子喬也。《史通•襍記篇》謂范曄誤采干寶《搜神記》之說以入史。章氏及侯《志》據《御覽》引蔡邕《王喬錄》，以是傳卽蔡邕所撰。今攷《蔡中郎集》有王子喬碑，《御覽》所引卽碑文中語，而稱爲錄，疑"碑"字之誤。章、侯兩家又欲以是傳當之，去之益遠。《隋》、《唐志》不著撰人，無以知其爲何人作也。

劉根別傳

章宗源《隋志攷證》曰："《劉根別傳》見《藝文類聚》。"

侯《志》曰："《類聚》、《御覽》屢引之，皆神仙家言，本傳不載。本傳稱潁川太守史祁以根爲妖妄，收執詣郡。《別傳》則載太守高府君從根求消除疫氣之術，蓋在史祁前也。

按《通志•略》道家有《劉真人内傳》一卷，注云："漢王珍遇劉根事。"似卽此書。根，潁川人，隱居嵩山中，范書《方術傳》列之左慈前。《初學記》二十一引《劉道士傳》曰劉根字君安。

周義山内傳一卷

《通志•藝文略》道家："《周義山内傳》一卷。後漢人，居紫陽山"。

白雲霽《道藏目錄》洞真部：《紫陽真人内傳》一卷，真人姓周名義山，字季通，汝陽人也。

蘇耽傳一卷

《通志•藝文略》道家：《蘇耽傳》一卷。注云："漢人，又有《成武丁傳》附。"

區大任《百越先賢志》：桂陽唐珍，熹平中爲司空，素師事郴人成武丁，得黃老養性之術。《靈帝本紀》：熹平二年秋七月，司空楊賜免太常，潁川唐珍爲司空。三年十二月，司空唐珍罷。

侯《志》曰："二人皆不見范書。據《水經・耒水》注引《桂陽列仙傳》，耽漢末時郴縣人。少孤，養母至孝，後仙去。《御覽》道部六引陰君自序：'武丁，桂陽人。後漢時爲縣小吏。少言大度，博通經學。後爲地仙。'又《御覽》三百四十五、八百二十四、九百八十四引《桂陽先賢畫讚》，亦載二人事。"按《唐》、《宋・藝文志》道家並有《周季通蘇君記》一卷，似卽此書，則是傳周義山作也。

荀采傳

章宗源《隋志攷證》曰："《荀采傳》見《藝文類聚》。"

侯《志》曰："《御覽》八百七十引之，其事與范書《列女傳》同而文異，蓋《別傳》也。"

按范書《列女傳》：南陽陰瑜妻者，潁川荀爽之女也，名采，字女。荀年十九，而瑜卒，後同郡郭奕喪妻，爽以采許之，采不屈，遂自縊於郭氏。

蔡琰別傳

章宗源《隋志攷證》曰："《蔡琰別傳》見《藝文類聚》。"

侯《志》曰："《類聚》四十四引一條，又見《御覽》。本傳不載。章懷注引劉昭《幼童傳》載之，亦不及《別傳》之詳。餘見《御覽》引者，皆不出本傳之外。"

按琰見經部樂類。陳留蔡邕之女也。范書《列女傳》不言其所終。

右別傳家之無撰人者。侯氏《志》曰："凡別傳，多無撰人，大約皆同時人作，故今悉爲著錄。今攷《隋志》載《梁任昉襍傳》一百四十七卷，至隋存三十六卷。《賀蹤襍傳》七十卷，至隋存四十卷。《陸澄襍傳》十九卷，《無名氏襍傳》十一卷，兩漢人

別傳大抵皆薈稡此四家書中。諸書所引大抵亦本諸此。"又
按別傳多是家傳,《何顒使君家傳》其一也,范書《列女傳》序云"若梁嬺、李姬各附
家傳",言各附《梁竦》、《李固傳》後也。惠氏《崔駰傳》補注亦云:"棟案駰、瑗諸
傳,大趣本崔氏家傳。"

山陽丁氏弟子籍　《春秋》公羊家學。

范書《儒林傳》:丁恭字子然,山陽東緡人也。習《公羊嚴氏春
秋》。恭學義精明,教授常數百人。建武初,爲諫議大夫、博
士,封關內侯。十一年,遷少府。諸生自遠方至者,著錄數千
人,當世稱爲大儒。太常樓望、侍中承宮、長水校尉樊儵等皆
受業於恭。二十年,拜侍中祭酒、騎都尉,卒於官。

河内張氏弟子籍　《春秋》公羊家學。

范書《儒林傳》:張玄字君夏,河内河陽人也。少習《嚴氏春
秋》,兼通數家法。建武初,舉明經,補弘農文學,遷陳倉縣
丞。清淨無欲,專心經書,方其講問,乃不食終日。及有難
者,趣爲張數家之說,令擇從所安,諸儒伏其多通,著錄千餘
人。後舉孝廉爲郎,拜《顏氏》博士。居數月,諸生上言玄兼
說《嚴氏》、《宣氏》,或云宣氏似筅氏之誤。① 不宜專爲《顏氏》博士。
光武且令還署,未及遷而卒。

樂安牟氏弟子籍　《尚書》歐陽家學。

范書《儒林傳》:牟長,少習《歐陽尚書》,自爲博士。及在河
内,諸生講學者常有千餘人,著錄前後萬人。子紆,又以隱居
教授,門生千人。肅宗聞而徵之,欲以爲博士,道物故。牟長始
末見經部尚書類。

淮陽薛氏弟子籍　《韓詩》學。

《東觀記》曰:"薛漢字子公,范書作"公子"。才高名遠,兼通書傳,

---

① "似"原作"以",據《補編》本改。

無不照覽，道術尤精。教授常數百，弟子自遠方至者著爲錄。"范書《儒林傳》曰："漢弟子犍爲杜撫、會稽澹臺敬伯、鉅鹿韓伯高最知名。"薛漢始末見經部詩類。

潁川張氏弟子籍　《易》梁丘氏學。

范書《儒林傳》：張興字君上，潁川鄢陵人也。習《梁丘易》以教授。建武中，舉孝廉爲郎，謝病去，復歸聚徒。後辟司徒府，稍遷博士。永平初，遷侍中祭酒。十年，拜太子少傅。顯宗數訪問經術，既而聲稱著聞，弟子自遠至者著錄且萬人，爲梁丘家宗。著於籍錄。十四年，卒於官。子魴，張掖屬國都尉，傳興業。

任城魏氏弟子籍　《魯詩》學。

范書《儒林傳》：魏應字君伯，任城人也。少好學，建武初詣博士受業。習《魯詩》，閉門誦習，不交僚黨。京師稱之。後歸爲郡吏，舉明經，除濟陰王文學，以疾免官。教授山澤中，徒眾常數百人。永平初，爲博士，再遷侍中。十三年，遷大鴻臚。十八年，拜光祿大夫。建初四年，拜五官中郎將，詔入受千乘王伉。應經明行修，弟子自遠方至，著錄數千人。肅宗甚重之，數進見論難於前。時會京師諸儒於白虎觀講論五經同異，使應專掌難問。明年，出爲上黨太守，徵拜騎都尉，卒於官。

陳留樓氏弟子籍　《春秋》公羊家學。

范書《儒林傳》：樓望字次子，陳留雍丘人也。少習《嚴氏春秋》，仕郡功曹。永平中，爲侍中越騎校尉，入講省內。十六年，遷大司農。十八年，代周澤爲太常。建初中，爲左中郎將。教授不倦，世稱儒宗，諸生著錄九千餘人。永元十三年，卒於官。門生會葬者數千人，儒家以爲榮。

汝南蔡氏弟子籍　五經學。

范書《儒林傳》：蔡玄字叔陵，汝南南頓人也。學通五經，門徒常千人，其著錄者萬六千人。順帝特詔徵拜議郎，講論五經異同，甚合帝意。遷侍中，出爲弘農太守，卒官。

右儒林弟子籍。范蔚宗曰："自光武中年以後，干戈稍戢，專事經學，自是其風世篤焉。其服儒衣，稱先王，游庠序，聚橫塾者，蓋布之於邦域矣。若乃經生所處，不遠萬里之路，精廬暫建，贏糧動有千百，其耆名高義開門受徒者，編牒不下萬人，皆專相傳祖，莫或訛襍。至有分爭王庭，樹朋私里，繁其章條，穿求崖穴，以合一家之說。"又曰："廣漢楊厚以圖讖學教授門生，上名錄者三千餘人。"《東觀記》亦云："薛漢弟子著爲錄。"夫曰著錄，曰編牒，曰上名錄，則當時各有記載可知。《續漢書》云："李膺門生皆禁錮。侍御史景毅子顧實爲膺門徒，而未有錄牒，故不及譴，毅慨然曰：'本謂膺賢，遣子師之，豈可以漏脫名籍，苟安而已。'遂自表免歸。"則桓、靈時，且按籍以爲黨人，而禁錮之。今但就見於《儒林傳》者，傅於此篇，此外若魯恭、桓榮父子、賈、馬、鄭諸儒，亦必有之。史文所略，不悉載焉。

右雜傳記類，凡六門，綜五十八部。侯《志》有《南陽風俗傳》，今析入地理類。又應劭《狀人紀》，今與《中漢輯序》依本傳次序並入襍史類。

三輔黃圖一卷

《玉海》地理門引《三輔黃圖》序曰："孔子作《春秋》，築一臺，新一門，必書於經。今哀秦漢以來宮殿、門闕、樓觀、池苑在關輔者，著於篇，東都不與焉。"

《隋書·經籍志》：《黃圖》一卷，記三輔宮觀、陵廟、明堂、辟雍、郊畤等事。《唐·經籍志》：《三輔黃圖》一卷。《藝文志》同。

孫星衍輯本序曰：“《三輔黃圖》始見於《隋·經籍志》，不著撰人，如淳、晉灼多引其文。劉昭注《郡國志》引《黃圖》云：‘下邽縣并鄭，桓帝西巡復之。’<small>按見司隸京兆尹。</small>則爲漢末人。其書亦名《西京黃圖》，舊有敘，不傳。故臣瓚引《西京黃圖序》‘民摩錢取屑也’。<small>按見《漢書·食貨志》注。</small>舊書有圖，特以文爲標識，故其詞甚簡。今書中所稱舊圖云云者，標識之辭。下有文複出者，圖說是也。漢人著書存者絕少，今刺取舊文，依《隋志》成爲一卷。”

長安圖

《史記·文紀》後六年注：裴駰案：如淳曰：“《長安圖》：細柳倉在渭北，近石徼。”<small>《漢書》注此條刪落“圖”字。</small>

按如淳魏陳郡丞，其人距漢末不遠，而所注《漢書》引《長安圖》，則是圖漢時所有審矣。并疑西京盛時，卽有是圖，不始於東都也。《文選·西征賦》注及《御覽》地部引《長安圖》，其文似後漢人語，未必是如淳所見本。

司空郡國輿地圖

《周禮·地官·大司徒》注：若今司空郡國輿地圖。賈公彥曰：“汉蕭何收秦圖籍，以知天下阨塞廣遠，至後漢乃有司空郡國輿地圖。”

范書《光武紀》建武十五年：初，巴蜀旣平，大司馬吳漢上書請封皇子，不許，重奏連歲。三月，廼詔羣臣議。大司空融、固始侯通、膠東侯復、高密侯禹、太常登等奏議曰：“宜因盛夏吉時，定位號，以廣藩輔。臣請大司空上輿地圖。”又按建武二十七年<small>五月丁丑，詔曰：“昔契作司徒，禹作司空，皆無‘大’名，其令二府去‘大’。”又改大司馬爲太尉。故鄭注《周禮》稱今司空。</small>

張衡　地形圖一卷　衡始末具經部禮類。

張彥遠《歷代名畫記》曰：“張平子高才過人，性巧，明天象，善畫。”又曰：“古之祕畫珍圖固多，散佚人閒，不得見之。今麤舉領袖，則有《地形圖》一卷，張衡撰。”

按范書本傳言衡所著有《懸圖》，章懷注云《衡集》作《玄圖》，謂“玄”與“懸”通。竊謂《懸圖》者，衡常所懸之圖，凡靈憲、地形、渾天、地動諸儀象，胥在其中。而《玄圖》亦其中之一。後人以其圖不止一端，故綜而名之曰《懸圖》。此雖臆說，或亦近似。

應劭　十三州記　劭始末具正史類。

章宗源《隋志攷證》曰：“《水經·淄水》注‘泰山萊蕪縣，魯之萊柞邑’，《泗水》注‘漆鄉，邾邑也’，並引應劭《十三州記》。”

侯《志》曰：“《水經·泗水》、《淄水》注並引之，《夏水》注引云：‘江別入沔，爲夏水源。’”

應劭　地理風俗記

章宗源《隋志攷證》曰：“《水經·河水》注、《溫水》注、《御覽》香部、《太平寰宇記》河北道並引應劭《地理風俗記》。”

侯《志》曰：“應劭《地理風俗記》，《水經注》屢引之。”

按應仲遠此兩書雖不傳，其體制略可想見，《十三州記》如班書《地理志》，《風俗記》如班氏志郡國。以後繫以分野、風俗。兩書當合爲一編，其即《續漢書》所謂十一種、百三十六篇之一歟？《水經·淮水》注、《御覽》州郡部劍南道益州亦引之。

右宮殿都會總志之屬。

南陽風俗傳

《藝文類聚》居處部引《東觀漢記》曰：“光武中興，都洛陽，又於南陽置南都。”

《隋書·經籍志》曰："後漢光武始詔南陽撰作《風俗》，郡國之書由是而作。"

圈稱　陳留風俗傳三卷

《隋書·經籍志》：《陳留風俗傳》三卷，圈稱撰。《唐·經籍志》誤作"闕稱"。《藝文志》：圈稱《陳留風俗傳》三卷。

顏師古《匡謬正俗》卷八：圈稱《陳留風俗傳》自序云："圈公之後。公爲秦博士，避地南山，漢祖聘之不就。惠太子卽位，以圈公爲司徒。自圈公至稱，傳世十一。"按班書述四皓，但有園公，非圈公也。公當秦之時避地而入商洛深山，則不爲博士明矣。又漢初不置司徒，安得以圈公爲之乎？且呼惠帝爲惠太子，無意義，孟堅之說實爲鄙野。

《漢書·王貢兩龔鮑傳》注：顏師古曰："四皓更無姓名可稱。後代皇甫謐、圈稱之徒，竟爲四人施安姓字，自相錯互，語又不經。"

盧植　冀州風土記 植始末具經部書類。

章宗源《隋志攷證》曰："《寰宇記》河北道：盧植《冀州風土記》曰：'黃帝以前，未可備聞。唐虞以來，冀州乃聖賢之泉藪，帝王之舊地。'"按泉藪，唐人所改也。

侯《志》曰："《御覽》一百六十一引之，云冀州聖賢之泉藪，帝王之舊地。"

鄭廑　蜀本紀
尹貢　蜀本紀

《華陽國志·序志》曰："司馬相如、嚴君平、揚子雲、陽成子玄、鄭伯邑、尹彭城等各集傳記，以作本紀，略舉其隅。"

按鄭廑字伯邑，有《巴蜀耆舊傳》，見前襃傳記類。常璩《南中志》曰："夜郎尹貢亦有名德，歷尚書郎、長安令、巴郡太守、彭城相，與毋斂尹珍、平夷傅保號南州人士。"按尹珍爲

　　許愼、應奉弟子,見范書《西南夷傳》,貢與之同時,則桓、靈
時人也。

趙寧　蜀郡鄉俗記

　　《華陽國志·蜀記》曰:"太守陳留高眹亦播文教。太尉趙公
初爲九卿,適子寧還蜀,眹命文學,撰《鄉俗記》。"

　　侯《志》曰:"范書《趙典傳》載典父戒及兄子謙皆爲太尉,寧不
知爲戒子、爲謙子也?《隸釋》有益州太守高眹,修周公禮殿,
記陳留人事,在初平五年,高眹盍卽高眹。"

巴郡圖經

　　《華陽國志·巴志》:孝桓帝以并州刺史泰山但望字伯闓爲巴
郡太守。永興二年三月,望上疏曰"謹按《巴郡圖經》,境界南
北四千,東西五千,周萬餘里。屬縣十四,鹽、鐵五官各有丞、
史。戶四十六萬四千七百八十,口百八十七萬五千五百三十
五。遠縣去郡千二百至千五百里,鄉亭去縣或三、四百,或及
千里"云云。

　　按桓帝時巴郡守但望上疏引《巴郡圖經》,則圖經之名起於
漢代,諸郡必皆有圖經,特無由攷見耳。

王逸　廣陵郡圖經

　　范書《文苑傳》:王逸字叔師,南郡宜城人也。元初中,舉上
計吏,爲校書郎。順帝時,爲侍中。《史通·史官篇》曰:"劉、曹二史
皆當代所撰,能成其事者,盍唯劉珍、蔡邕、王沈、魚豢之徒耳。而舊史載其同作非
止一家,如王逸、阮籍亦預其列。"則逸嘗與史事。此劉子玄見《東觀記》,舊本銜題
所載者。

　　章宗源《隋志攷證》曰:"《文選·蕪城賦》注:王逸《廣陵郡圖
經》曰:'郡城,吳王濞所築。'"

　　侯《志》曰:"王逸《廣陵郡圖經》,《文選·蕪城賦》注引之。"

　　右州郡之屬。

楊終　哀牢傳　<small>終始末具正史類。</small>

范書《明紀》：永平十二年春正月，益州徼外夷哀牢王相率内屬，於是置永昌郡，罷益州西部都尉。

《論衡・佚文篇》：楊子山爲郡上計吏，見三府爲《哀牢傳》不能成，歸郡作上，孝明奇之，徵在蘭臺。"

《史通・史官篇》：楊子山爲郡上計吏，獻所作《哀牢傳》，爲明帝所異，徵在蘭臺。蘭臺之職，著述之所也。"

侯《志》曰："楊終《哀牢傳》，范史《西南夷傳》注引之。"

班超　西域風土記

范書本傳：超字仲升，扶風平陵人，徐令彪之少子也。顯宗除爲蘭臺令史。永平十六年，奉車都尉竇固出擊匈奴，以超爲假司馬。使西域有功，帝以超爲軍司馬。建初八年，拜超爲將兵長史。永元三年，以超爲都護。六年，西域五十餘國悉皆納質内屬。明年，下詔封超爲定遠侯。超在西域三十一年。十四年八月還洛陽，拜爲射聲校尉。九月卒，年七十一。朝廷愍惜焉。

又《西域傳》序曰："和帝永元三年，班超遂定西域，因以超爲都尉，居龜兹。六年，班超復擊破焉耆，於是五十餘國悉納質内屬。其條支、安息諸國至於海瀕四萬里外，皆重譯貢獻。九年，班超遣掾甘英窮臨西海而還。<small>《續漢書》"甘英"作"甘莫"。</small>皆前世所不至，《山經》所未詳，莫不備其風土，傳其珍怪焉。"

又曰："西域風土之載，前古未聞焉。漢世張騫懷致遠之略，班超奮封侯之志，終能立功西遐，羈服外域。其後甘英乃抵條支而歷安息，臨西海以望大秦，拒玉門、陽關者四萬餘里，靡不周盡焉。若其境俗性智之優薄，產載物類之區品，川河領障之基源，氣節涼暑之通隔，梯山棧谷繩行沙度之道，身熱首痛風災鬼難之域，莫不備寫情形，審求根實。"

班勇　西域風土記

范書《班超傳》：超少子勇，字宜僚，少有父風。安帝永初元年，西域反叛，以勇爲軍司馬。延光二年，復以勇爲西域長史。順帝永建二年，以討焉耆後期，徵下獄，免。後卒於家。和帝永元十二年，超以久在絕域，年老思土，上疏求還，曰：“臣不敢望到酒泉郡，但願生入玉門關。謹遣子勇隨獻物入塞，及臣生在，令勇目見中土。”

又《西域傳》序曰：“班固記諸國風土人俗，皆已詳備《前書》。今撰建武以後其事異於先者，以爲《西域傳》，皆安帝末班勇所記云。”

又曰：“西域風土之載，其後甘英莫不備寫情形，審求根實。至於佛道神化，興自身毒，而二漢方志莫有稱焉。班勇雖列其奉浮圖，不殺伐，而精文善法導達之功，靡所傳述。”

嚴可均《全後漢文編》曰：“班勇有西域諸國記若干卷，今全卷在范書。”

惠棟《後漢書補注》曰：“《西域傳》云‘世傳明帝夢見金人，長大，頂有光目’云云，此以下范氏續述所聞，非班勇之文也。”

　　右外紀之屬。

楊孚　南裔異物志一卷

區大任《百越先賢志》：楊孚字孝元，南海人。章帝朝，舉賢良，對策上第，拜議郎。和帝時，南海屬交趾部刺史，夏則巡行封部，冬則還奏天府，舉刺不法。其後競事珍獻，孚乃枚舉物性靈悟，指爲異品，以諷切之，著爲《南裔異物志》，自後羅浮、璵珣之屬日絕，時謂能通神明。後爲臨海太守。又曰：“孚家江滸北岸。”

《隋書·經籍志》：《異物志》一卷，後漢議郎楊孚撰。

章宗源《隋志攷證》曰：“《後漢書·賈琮傳》注、《馬融傳》注、《北堂書鈔》酒食部並引楊孚《異物志》，《續漢志》注、《文選注》諸書多引《異物志》，不著撰名。"又曰："《水經·葉渝河》注、《溫水》注並引楊氏《南裔異物志》。"

按區氏《志》所載，證以《水經注》，似《隋志》敚"南裔"二字。南裔所包者廣，合交州七郡言之，似其書之總名，或不止一卷。

楊孚　交州異物志一卷

《隋書·經籍志》：《交州異物志》一卷，楊孚撰。《唐·經籍志》同，譌作"文州"。《藝文志》：楊孚《交州異物志》一卷。

章宗源《隋志攷證》曰："《藝文類聚》鳥部引一條，稱楊孝元《交州異物志》，又一引稱楊孝元《交趾異物志》。"

按區氏《志》所云，則是書似卽《南裔異物志》之殘帙，或別有此一本。交趾郡，屬交州刺史部，《類聚》一引稱交州，亦卽其書之總名；一引稱交趾，則篇目也。

楊孚　臨海水土記

區大任《百越先賢志》曰："孚後爲臨海太守，復著《臨海水土記》。世服孚高識，不徒博雅。"

按《續漢·郡國志》唯有勃海、東海、北海、南海郡，無臨海郡。《吳志·孫亮傳》：太平二年春二月，以會稽東部爲臨海郡。臨海立郡始此，時爲魏高貴鄉公甘露二年。區氏稱臨海太守，豈南海之譌歟？抑漢時嘗立臨海郡，後復省并，史失其事歟？是書名目亦恐未碻，今姑過而錄之。

　　右襍記之屬。

右地理類，凡四門，綜二十部。

宋衷　世本四卷　衷始末具經部易類。

《隋書·經籍志》：《世本》四卷，宋衷撰。《唐·經籍志》同。《藝文志》：宋衷《世本》四卷。

《史記·燕召公世家》索隱曰："按今《系本》無燕代，系宋衷依

《太史公書》以補其闕。”

高似孫《史略》曰：“《世本》凡三，其一曰《世本》，劉向所作者，二卷；其一亦曰《世本》，宋衷所作者，四卷。”

章宗源《隋志攷證》曰：“諸書多徵引宋衷《世本》注。‘衷’又作‘忠’，或稱宋仲子注。”

張澍二酉堂輯本序曰：“《隋志》又有《世本》四卷，宋衷撰。衷蓋注而廣之也。”

侯《志》曰：“諸書引《世本》，多兼引宋衷注，故存者尚夥。”

宋衷　世本別錄一卷

《唐書·經籍志》：《世本》四卷，宋衷撰。《世本別錄》一卷。不著撰人。

《唐·藝文志》：宋衷《世本》四卷，《世本別錄》一卷。

侯《志》曰：“《唐志》載此書，文承宋衷之下，未知是衷撰否，姑存之。”

　　按此一卷稱別錄者，似乎卽小司馬所謂補燕世系之闕。《新唐志》之例，凡一人有數書者，皆類聚其閒。他類常有之，不特此類爲然。然惟於此類此書，亦正不能無疑。

漢諸王世譜

《續漢·百官志》：“宗正，卿，掌序錄王國嫡庶之次，及諸宗室親屬遠近，郡國歲因計上宗室名籍。”劉昭補注：胡廣曰：“又歲一治諸王世譜，差序秩第。”

鄧氏官譜

《范書·鄧禹傳》：禹字仲華，南陽新野人也。內文明，篤行淳備，事母至孝。天下旣定，常欲遠名勢。有子十三人，各使守一藝，修整閨門，教養子孫，皆可以爲後世法。又曰：“鄧氏自中興以後，累世寵貴，凡侯者二十九人，公二人，大將軍以下十三人，中二千石十四人，列校二十二人，州牧郡守四十八人，其餘侍中、將、大夫、郎、謁者不可勝數，東京莫與爲比。"_按^{此傳云云，似卽據《鄧氏官譜》。}

《隋書·經籍志》曰："後漢有《鄧氏官譜》。"又曰："《鄧氏官譜》，晉亂已亡。"

按范書列傳所載如耿氏弇、竇氏融、馬氏援、樊氏宏、陰氏識、梁氏統、張氏純、張氏霸、桓氏榮、班氏彪、袁氏安、崔氏駰、楊氏震、荀氏淑、李氏郃諸家，與此鄧氏禹，並東京世宙，當時皆各有其譜牒，以次注續至晉宋時。范蔚宗《列女傳》序稱梁氏、李氏家傳者，卽此類之書。范亦時取以參訂諸傳。自鄭默、荀勗、李充、謝靈運、王儉諸簿錄散佚之後，遂不可復攷。今旣無從著錄，聊附識其大略於此。

聊氏萬姓譜

《廣韻》三蕭聊字注：聊亦姓，《風俗通》有聊倉，爲漢侍中，著子書。^{按見《漢書·藝文志》從橫家，云趙人，武帝時。}又有聊氏爲潁川太守，著《萬姓譜》。

鄧名世《古今姓氏書辯證》：《風俗通》曰："又漢有潁川太守聊謀，_{按此似"某"之譌。}著《萬姓譜》。"

《通志·氏族略》："漢有《鄧氏官譜》，應劭有《氏族篇》，又有潁川太守聊氏《萬姓譜》。"又曰："聊氏望出潁川，《風俗通》漢侍中聊蒼著書，號《聊子》，又有潁川太守聊某著《萬姓譜》。"

右譜系類，凡四家五部。

蘭臺書部

東觀新記

仁壽閣新記

范書《儒林傳》序：昔王莽、更始之際，天下散亂，禮樂分崩，典文殘落。及光武中興，愛好經術，未及下車，而先訪儒雅，采求闕文，補綴漏逸。先是四方學士多懷挾圖書，遁逃林藪。

自是莫不抱負墳策，雲會京師，范升、陳元、鄭興、杜林、衞宏、劉昆、桓榮之徒，繼踵而集。初，光武遷還洛陽，其經牒祕書載之二千餘兩，自此以後，參倍於前。

阮孝緒《七錄·序目》曰：“及後漢，蘭臺猶爲書部，又於東觀及仁壽閣撰集《新記》，校書郎班固、傅毅並典祕籍。”

《隋書·經籍志》序曰：“光武中興，篤好文雅，明、章繼軌，尤重經術，四方鴻生鉅儒負裘自遠而至者，不可勝算。石室、蘭臺彌以充積，又於東觀及仁壽閣集新書，校書郎班固、傅毅等典掌焉。並依《七略》而爲書部。”

按兩漢簿錄之書，可攷見者前漢惟劉中壘父子《別錄》、《七略》，後漢惟此三書。此三書，蓋亡於卓、催之亂，故《七志》、《七錄》及《五代史志》皆無由著錄。其曰《書部》，曰《新記》，創立首目，不相因襲。後荀勗因《中經》著《新簿》，其定名取義，遞相祖述，未必不由於此。“部”與“簿”本相通也。嚴氏《全後漢文編》謂蔡邕十志，僅有八意可攷，以爲其二是《地理》、《藝文》。據所云云，則蔡邕有《藝文志》。然未見明文，又無別證，故今亦置不復錄焉。

王允　條上蘭臺石室圖書　允始末具襯傳記類。

范書本傳：初平元年，代楊彪爲司徒，守尚書令如故。及董卓遷都關中，允悉取斂蘭臺、石室圖書祕緯要者以從。既至長安，皆分別條上。又集漢朝舊事所當施用者，一皆奏之。經籍具存，允有力焉。按條上者，條列其篇目也。

又《儒林傳》序曰：“初，光武遷還洛陽，其經牒祕書載之二千餘兩，自此以後，參倍於前。及董卓移都之際，吏民擾亂，自辟雍、東觀、蘭臺、石室、宣明、鴻都諸藏典策文章，競共割散，其縑帛圖書，大則連爲帷蓋，小廼制爲縢囊。及王允所收而西者，裁七十餘乘，道路艱遠，復棄其半矣。後長安之亂，一時焚蕩，莫不泯盡焉。”

古經錄一卷

　　唐沙門智昇《開元釋教錄》曰：“《古經錄》一卷，尋諸《舊錄》，多稱爲《古錄》，似是秦始皇釋利防等所齎經錄。”

　　《四庫提要》曰：“唐釋智昇《開元釋教錄》第十卷載歷代佛經目錄，首爲《古經錄》一卷，謂爲秦始皇時釋利防等所齎經錄，其說恍惚無徵。”

　　　　按《高僧傳》，今在釋藏外別行者，以梁沙門慧皎書十四卷爲最古。慧皎所敍始於漢明帝時，攝摩騰其前無聞焉。智昇稱秦釋利防，竟不知爲何許人。其稱《舊錄》者，即《舊經錄》。

舊經錄一卷

　　《開元釋教錄》曰：“《舊經錄》一卷，似是前漢劉向校書天祿閣往往見有佛經，即謂古藏經錄。謂孔壁所藏，或秦正焚書人中所藏者。”

　　《四庫提要》曰：“《開元釋教錄》第十卷載歷代佛經目錄，首爲《古經錄》一卷，其說恍惚無徵。次爲《舊經錄》一卷，稱爲劉向校書天祿閣所見，蓋依據《列仙傳序》稱‘七十二人已見佛經’之文。至稱‘爲孔壁所藏’，則無庸置辨矣。”

　　　　按右二錄，智昇所言皆不足信。《提要》發之詳矣。佛經始濫觴於明帝時，此二錄出明帝以後，緇流所記。彼族流傳，至唐時猶未亡耳，今列之後漢，於事理庶幾近之。

漢時佛經目錄一卷

　　《開元釋教錄》曰：“《漢時佛經目錄》一卷，似是明帝時迦葉騰創譯《四十二章經》，因即撰。”

　　　　按迦葉摩騰即攝摩騰，其始末具佛經錄。

古簿錄類，凡七部。

後漢藝文志卷三

子之類十有二：曰儒家，曰道家，曰法家，曰兵家，曰農家，曰雜家，曰小說家，曰天文家，曰曆算家，曰五行家，曰醫家，曰雜藝術家。

程曾　孟子章句 曾始末見經部五經總義類。

范書《儒林傳》：曾著書百餘篇，皆五經通難，又作《孟子章句》。

馬國翰輯本序曰："《孟子》程氏章句，《隋志》不著錄，佚在隋前，諸書亦絕少徵引，惟宋熙時子所注《孟子外書》第三篇引有一則。"按宋時所傳殘本《孟子外書》四篇，其中有程氏注一條，似殘本所原有，未必出熙時子所引。

按《孟子外書》自趙臺卿始闕而不取，前此固未嘗有議及之者。程秀升卒於建初中，遠在臺卿之前，今觀《外書》中所注，知其本猶是《漢志》之十一篇。

鄭玄　孟子注七卷 玄始末具經部易類。

《隋書·經籍志》：《孟子》七卷，鄭玄注。《唐·經籍志》同。
《藝文志》：鄭玄注《孟子》七卷。

臨海洪頤煊《讀書叢錄》曰："《史記·五帝本紀》'堯知子丹朱之不肖'，《索隱》引鄭玄曰：'肖，似也。不似，言不如人也。'疑即《孟子注》。"

《鄭學錄》曰："《孟子注》，《隋志》七卷，唐後亡。唯《史記·五帝本紀》索隱引'鄭玄曰'一條，是其遺文僅見者。"

馬國翰曰："《後漢書》本傳詳列所著書，不言《孟子》，而《隋志》有《孟子》七卷鄭玄注，《唐志》亦有鄭玄注《孟子》七卷，未知何據，或爲鄭學者依託其說而成此書歟？今佚，傳記絕無徵引，茲取玄注諸書中所引《孟子》及隱括《孟子》義者，輯錄以補缺遺。"

趙岐　孟子章句十四卷　岐始末具史部雜傳記類。

范書本傳：岐少明經，多所述作，著《要子章句》傳于時。

惠棟《後漢書補注》：吳氏《補遺》曰："《刊誤》曰'要'當作'孟'，古書無'要子'。就令有之，而岐所作《孟子章句》傳之至今，本傳何得反不記也？仁傑按古文'要'作'嫛'，與'黽'相近，疑'孟'與'黽'通。《岐傳》作《黽子章句》，而譌作'嫛'耳。《水經》'清漳水出大黽谷'，注云大要谷，類此。"棟案劉氏既有《刊誤》，而萬曆廿四年國子監本遂刊去"要"字，改爲《孟子章句》，殊失古意。此傳仍當作"要"，而存劉氏《刊誤》，乃得其實。岐《題辭》曰："又有《外書》四篇，《性善》、《辨文》、《說孝經》、《爲正》，其文不能弘深，不與《內篇》相似，似非孟子本真，後世依倣而託之者也。"又曰："孝文皇帝欲廣游學之路，《論語》、《孝經》、《孟子》、《爾雅》皆置博士。後罷傳記博士，獨立五經而已。迄今諸經通義得引《孟子》以明事，謂之博文。余少蒙義方，訓涉典文。知命之際，嬰戚于天，邅屯離蹇，詭姓遁身，經營八紘之內，十有餘年，心勤形療，何勤如焉。常息肩施擔于濟岱之間，或有溫故知新雅德君子矜我劬瘁，睠我皓首，訪論稽古，慰以大道，予困瘁之下，精神遐漂，靡所濟集，聊欲係志于翰墨，得以亂思遺老也。唯六籍之學，先覺之士釋而辨之者既以詳矣。儒家唯有《孟子》閎遠微妙，縕奧難見，宜在條理之科。于是乃述己所聞，證以經傳，爲之章句，具載本文，章別其旨，分爲上、下、凡十四卷。"

《隋書·經籍志》：《孟子》十四卷，齊卿孟軻撰，趙岐注。《唐·經籍志》：《孟子》十四卷，孟軻撰，趙岐注。《藝文志》：趙岐注《孟子》十四卷,注云孟軻。

《四庫提要》曰:"是注卽岐避難北海時,在孫賓石家夾柱中所作。"按夾柱卽本傳所謂"藏岐複壁中"是也。賓石名嵩,時年二十餘。及興平元年,岐奉使荆州督租糧時,嵩亦寓于表,表不爲禮,岐乃稱嵩素行篤烈,因共上爲青州刺史,北海郡屬青州刺史部也。

高誘　孟子章句　誘始末具經部禮類。

誘注《呂氏春秋》自序曰:"誘正《孟子章句》,作《淮南》、《孝經解》畢訖。"

侯《志》曰:"高誘正《孟子章句》,見《呂氏春秋序》,似是正程曾之書也。"

馬國翰輯本序曰:"誘自言正《孟子章句》,其書久佚,故歷代書志不著錄。宋熙時子注《孟子外書》引高氏誘二則,此外亦無引之者。焦循作《孟子正義》,頗得于古訓,以誘所注諸書多及《孟子》,尚可攷見,乃詳取《呂氏春秋》、《淮南子》、《戰國策》三注,凡涉《孟子》者,彙集之,附于《序說》。茲就所集次第編錄,並熙時子所引,合訂成卷,以存漢學。"

俞樾《孟子高氏學錄要》曰:"漢高誘自言嘗正《孟子章句》,而其書不傳,因就高氏所注《呂氏春秋》、《淮南子》、《戰國策》中刺取其有涉《孟子》者,以存高氏之學。如'楊子拔一毛'句,高本作'拔骭一毛',此等處亦可云一字千金矣。"

劉熙　孟子注七卷　熙始末具經部禮類。

《隋書‧經籍志》:《孟子》七卷,劉熙注。《唐‧經籍志》同。

《藝文志》:劉熙注《孟子》七卷。

《經義攷》曰:"劉熙注《孟子》,李善《文選注》凡三引之。"

馬國翰輯本序曰:"熙于《後漢書》無傳,附見《三國‧吳志》程秉、薛綜二傳中,知熙嘗居交州。焦循《孟子正義》引《綜傳》,以爲相傳安南太守者,亦以其在交州而譌,非南安之誤也。

晉李石《續博物志》云'漢博士劉熙'。熙注《孟子》,《隋》、《唐志》並云七卷,今佚。《史記》、《漢書》、《文選》等注尚有徵引,而經文往往與今本不同,蓋所據之本劉與趙異。宋熙時子傳《孟子外書》四篇,其第三引劉氏熙一則。案熙注七卷,無外書,不知熙時子何據,姑依錄之。"

按《經義攷》言李善三引劉熙注,今按《選注》所引凡二十餘條。其《琴賦》注引劉向《孟子注》云"搜,牽也"一條,證以重刊宋本,亦劉熙注。余氏蕭客《古經解鈎沈》載劉向《孟子注》,亦因此誤。

又按熙時子傳《外書》殘本中有高誘、劉熙舊注,則此兩家所注並是《漢志》之十一篇。《隋志》但載劉注七卷,或非其全。

劉陶　復孟子　陶始末具經部書類。

范書本傳:陶著書數十萬言,又作《匡老子》、《反韓非》、《復孟軻》。

惠棟《後漢書補注》:《韓非》有《解老》、《喻老》之篇,故陶作書,匡《老子》之失,反《韓非》之說,而折中于《孟子》也。

侯芭　太玄經注　芭始末具經部詩類。

《漢書·揚雄傳》:鉅鹿侯芭常從雄居,受其《太玄》、《法言》焉。按此芭下敚"子"字,已具詳經部詩類。

《論衡·案書篇》曰:"楊子雲作《太玄》,侯鋪子隨而宣之。非私同門,雲、鋪共朝,覿奇見益,不爲古今變心易意;實事貪善,不遠爲術併肩,以迹相輕,好奇無已,故奇名無窮。"

北宋刊范望注本題記曰:"楊氏始作之本,已畫方、州、部、家四位,定五行之數,分七百二十九贊,爲天、地、人三玄。惟宋陸注本不畫首象,其餘侯芭、虞翻注本並畫首象。"

唐王涯《說玄立例篇》曰:"自揚子雲研機揲數,刱制《玄經》,

唯鉅鹿侯芭子常親承雄學,然其精微獨得,章句不傳。"_{按章句至}
_{唐已亡,故曰不傳。}

《太玄經釋文》題識曰:"此本自侯芭、虞翻、宋衷、陸績互相增
損,傳行于世,非後人之所作也。"

　　按已上諸說,則侯芭有《太玄注》,後人又從注本中輯出爲
釋文。芭之注本則雄原定天、地、人三篇,首、衝、錯、測、
攡、瑩、數、文、掜、圖、告十一篇,凡十四篇也。

鄒邠　玄思

《論衡·案書篇》曰:"東番周伯奇,囊橐文雅之英雄也。觀伯
奇之《玄思》,揚子雲不能過也。"

　　按陸績《述玄》云"昔嘗見同郡鄒邠字伯岐與邑人書,歎揚
子雲所述《太玄》,連推求玄本,不能得"云云,卽《論衡》所
謂東番鄒伯岐也。與陸績同郡,則會稽人。然攷兩漢《地
理》、《郡國志》,無東番縣,东番疑卽會稽東部。然則伯奇
卽伯岐,名邠,_{與趙臺卿名岐字邠卿取義同。}會稽東部人,今台州
郡縣地也。仕履未詳。時吳會尚未分郡,陸績稱同郡者,
葢據邠時地域言之。_{按晁氏《讀書志》引郭元亨《太玄疏》序云"吳郡鄒伯}
_{岐求本不能得",其言葢亦據陸績《述玄》。其云吳郡鄒伯岐者,因陸績稱同郡而}
_{誤會。又陸績求本不得,誤以爲鄒伯岐。}

張衡　玄圖一卷　_{衡見經部禮類。}

范書本傳:"衡常耽好《玄經》,謂崔瑗曰:'吾觀《太玄》,方知
子雲妙極。道數乃與五經相擬,非徒傳記之屬,使人難論陰
陽之事,漢家得天下二百歲之書也。復二百歲,殆將終乎?
所以作者之數,必顯一世,常然之符也。漢四百歲,《玄》其興
矣。'"又曰:"所著《巡誥》、《懸圖》凡若干篇。"章懷注曰:"《衡
集》作《玄圖》,葢玄與懸通。"_{按《巡誥》卽東西南北巡狩誥。}

《隋書·經籍志》天文篇:《玄圖》一卷,不著撰人。

《太平御覽》天部引張衡《玄圖》曰：“玄者，包含道德，構掩乾坤，橐籥元氣，稟受無源。”又曰：“玄者，無形之類，自然之根，作于太始，莫之與先。”_{亦見《文選·盧子諒贈劉琨詩》注。}又《文選·吳都賦》注引云：“梟羊喜獲，先笑後悲。”

侯《志》曰：“康按據李賢本傳注，則《玄圖》本在《衡集》中。而《隋志》有《玄圖》一卷，無撰人，必出張衡無疑。蓋後人析出別行也。”

按《太玄》十一篇中有《玄圖》一篇，據《選注》、《御覽》所引，蓋即解釋此篇。《隋志》以爲玄象，編入天文類，實不然也。其書亦編入本集，亦別本單行。

張衡　太玄經注

常璩《蜀郡士女贊》：“揚雄以經莫大于《易》，故則而作《太玄》。”又曰：“其玄淵源懿，後世大儒張衡、王子雍等皆爲注解。”

按本傳但載與崔子玉論《太玄》，而不言其爲《太玄》注。常道將所云似即因《玄圖》而牽合其說，若是，則平子但有《玄圖》一篇之解耳。今從侯《志》，并存之。

崔瑗　太玄經注　_{瑗始末具經部小學類。}

范書《崔駰附傳》：瑗明天官、曆數、《京房易傳》、六日七分，諸儒宗之。與扶風馬融、南陽張衡篤相友好。

陸績《述玄》引張平子與崔子玉書曰：“乃者以朝駕明日披讀《太玄經》，知子雲特極陰陽之數也。以其滿汎故，故時人不務此，非特傳記之屬，心實與五經擬。漢家得二百歲卒乎？所以作興者之數，其道必顯一代，常然之符也。《玄》四百歲其興乎！竭己精思，以揆其義，更使人難論陰陽之事。足下累世窮道極微，子孫必命世不絕。且幅寫一通，藏之以待能者。”

常道將《蜀郡士女贊》：揚雄《太玄》，大儒張衡、崔子玉、宋仲子等皆爲注解。

按本傳不載有是書，常道將言之鑿鑿，必非無據。

宋衷　太玄經注九卷　衷始末具經部易類。

陸績《述玄》曰：“章陵宋仲子爲作解詁，仲子以所解與張子布，績得覽焉。仲子之思慮誠爲深篤，然《玄》道廣遠，淹廢歷載，師讀斷絕，難可一備，故往往有違本錯誤。夫《玄》之大義，撲蓄之謂。而仲子失其指歸，休咎之占，靡所取定，雖得文閒義說，大體乖矣。”

《隋書·經籍志》：揚子《太玄經》九卷，宋衷注。《唐日本國見在書目》：揚子《太玄經》十三卷，宋衷注。《唐·藝文志》：宋仲孚注《太玄經》十二卷。《宋志》：《玄測》一卷，漢宋衷解。

《經義攷》曰：“《新唐書·藝文志》有宋仲孚《太玄經注》十二卷，考《隋書》及《舊唐志》俱無之，疑卽宋仲子注書。子爲孚，因譌孚耳。”

按宋注《太玄》，今見于司馬温公《集注》中者尚有七十七條，輯而錄之，猶可成卷。《宋·藝文志》有宋衷解《太玄義經訣》十卷，李沂集，當是《太玄經義訣》，寫者誤倒其文。蓋亦輯宋仲子注，而附己所云云，謂之義訣。

陸績　太玄經注十卷　績始末具經部易類。

績《述玄》曰：“鎮南將軍劉景升遣梁國成奇修好鄖州，奇將《玄經》自隨。時雖幅寫一通，年尚暗稚，甫學《書》、《毛詩》，王誼人事，未能深索《玄》道真，故不爲也。後數年，專精讀之半歲，閒龘覺其意，于是草刱注解，未能也。章陵宋仲子爲作解詁，後奇復銜命尋盟，仲子以所解付奇，與安遠將軍彭城張子布，績得覽焉。績智慧豈能宏裕，顧聖人有所不知，匹夫誤有所達，故遂卒有所述，就以仲子解爲本，其合于道者，因仍其說；其失者，因釋而正之。所以不復爲一解，欲令學者瞻覽彼此，論其曲直，故合聯之耳。續不敢苟好著作以虛譽也，庶合道真，使《玄》不爲後世所尤而已。"

常璩《蜀郡揚雄贊》云："其玄淵源懿，後世大儒張衡、崔子玉、宋仲子、王子雍按王肅字子雍，魏人。皆爲注解。吳郡陸公紀尤善于《玄》，稱雄聖人。"

《隋書·經籍志》：揚子《太玄經》十卷，陸績、宋衷譔。按譔當爲注。《唐·經籍志》：揚子《太玄經》十二卷，揚雄撰，陸績注。《藝文志》：陸績注揚子《太玄經》十二卷。《宋志》：《玄測》一卷，漢宋衷解，吳陸績釋之。

　　按《玉海·藝文》擬經類云："揚氏本自《玄首》已下至《玄告》凡十一篇，並漢宋衷解詁，吳陸績釋而正之爲《述玄》，並依舊本分贊辭爲三卷，一方爲上，二方爲中，三方爲下，次列首、衝、錯、測、攡、瑩、數、文、掜、圖、告十一篇。晉范望始合爲十卷。"據此則揚氏舊第實十四卷，惟《七錄》載吳虞翻注本卷數相符。宋衷注當亦十四卷。陸注與宋注聯合爲編，而陸自《述玄》一篇，當是十五卷，惟《子略》所錄《意林》舊目卷數相符。《隋》、《唐志》所載九卷、十卷、十二卷者，皆疑非宋、陸原第。宋、陸雖不注本經，而本經三卷並不棄置也。

侯苞　法言注六卷　侯苞卽侯芭，詳見經部詩類。

　　《漢書·揚雄傳》：鉅鹿侯芭從雄居，受其《太玄》、《法言》焉。及卒，侯芭爲起墳，喪之三年。

　　《隋書·經籍志》：梁有揚子《法言》六卷，侯芭注，亡。

　　侯《志》曰："《御覽》九百二十二引《揚子法言》侯芭注。"

宋衷　法言注十三卷

　　《隋書·經籍志》：《揚子法言》十三卷，宋衷撰。按撰當爲注。《唐·

經籍志》十卷。《藝文志》：宋衷注《法言》十卷。

汪師韓《文選理學權輿》曰："《選注》所引羣書有宋衷《法言注》。"

右注述前代書。

桓譚　新論二十九篇 譚始末具經部樂類。

《新論》曰："余爲《新論》，述古今，亦欲興治。"又曰："譚見劉向《新序》、陸賈《新語》，乃爲《新論》。"《御覽》六百二引此條，嚴氏可均輯本以爲《本造篇》文。

范書本傳：初，譚著書言當世行事二十九篇，號曰《新論》。上書獻之，世祖善焉。《琴道》一篇未成，肅宗使班固續成之。

章懷太子曰："《新論》一曰《本造》，二《王霸》，三《求輔》，四《言體》，五《見微》，六《譴非》，七《啟寤》，八《祛蔽》，九《正經》，十《識通》，十一《離事》，十二《道賦》，十三《辨惑》，十四《述策》，十五《閔友》，十六《琴道》。《本造》、《閔友》、《琴道》各一篇，餘並有上下。《東觀記》曰：'光武讀之，敕言卷大，令皆別爲上下，凡二十九篇。《琴道》未畢，但有《發首》一章。'"

《論衡·超奇篇》曰："桓君山作《新論》，論世閒事，辨照善否，虛妄之言，僞飾之辭，莫不證定。彼子長、子雲說論之徒，君山爲甲。"《定賢篇》曰："世閒爲文者眾矣，是非不分，然否不定，桓君山之論，可謂得實。"《案書篇》曰："質定世事，論說世疑，桓君山莫上也。"又曰："君山之論難追。"

《隋書·經籍志》：《桓子新論》十七卷，後漢六安丞桓譚撰。《唐·經籍志》：《桓子新論》十七卷，桓譚撰。《藝文志》同。

嚴可均輯本序曰："《桓子新論》，宋時不著錄。《羣書治要》所載十五事，當是《求輔》、《言體》、《見微》、《譴非》四篇。《意林》所載三十六事，當是十三篇，惟少《本造》、《述策》、《閔友》三篇。各書所載又三百許事，合并複重，聯屬斷散，凡百七十

二事，依《治要》、《意林》次第，以類相從，定爲三卷。諸引但
《琴道》有篇名，餘無篇名，今望文分繫，仍加各篇舊名，取便
檢閱。君山博學多通，同時劉子駿《七略》徵引其《琴道》篇。
謂《文選·琴賦》注引《七略》"《雅暢》第十七曰《琴道》"云云，足證《意林》所載正是
《發首》一章，故劉歆采用之也。揚子雲難窮，立毀所作《蓋天圖》。其
後班孟堅《漢書》據用甚多。王仲任《論衡·超奇篇》、《佚文
篇》、《定賢篇》、《案書篇》、《對作篇》皆極推崇，至謂'子長、子
雲論說之徒，君山爲甲'。則其書漢時早有定論。惜久佚失，
所得見者僅此。然其尊王賤霸，非圖讖，無仙道；綜覈古今，
佝僂失得，以及儀象典章，人文樂律，精華略具，則雖謂此書
未嘗佚失可也。"

鄒邪　檢論　邪見前。

《論衡·對作篇》曰："桓君山《新論》，鄒伯奇《檢論》，可謂論
矣。"又《恢國篇》云："鄒伯奇論桀、紂之惡不若亡秦，亡秦不
若王莽。"按此所引似卽《檢論》中語。

牟子二卷　牟融撰。

范書本傳：牟融字子優，北海安丘人也。少博學，以《大夏侯
尚書》教授，門徒數百人，名稱州里。以司徒茂才爲豐令。永
平五年，入代鮑昱爲司隸校尉。八年，代包咸爲大鴻臚。十
一年，代鮭陽鴻爲大司農。融經明才高，善論議，朝廷多服其
能。明年，代伏恭爲司空。肅宗卽位，代趙憙爲太尉，與憙參
錄尚書事。建初四年薨。

又《儒林傳》曰："中興，北海牟融習《大夏侯尚書》。"

《隋書·經籍志》：《牟子》二卷，後漢太尉牟融撰。《唐日本國
書目》同。

按兩《唐志》道家有《牟子》二卷，牟融撰，其書亦名《理惑
論》，乃靈、獻時蒼梧人所作。一云牟子博所傳，與此別爲

一書。

韋卿子十二篇 韋彪撰,彪見史部故事類。

范書本傳:彪好學洽聞,雅稱儒宗。建武末,舉孝廉,除郎中,以病免。復歸教授。安貧樂道,恬于進趣,三輔諸儒莫不慕仰之。又曰:"著書十二篇,號曰《韋卿子》。"

唐子三十餘篇 唐羌撰。

范書《和帝本紀》:舊南海獻龍眼、荔支,十里一置,五里一候,奔騰阻險,死者繼路。時臨武長唐羌,縣接南海,乃上書陳狀。帝下詔敕太官勿復受獻,由是遂省焉。

謝承書曰:"唐羌字伯游,辟公府,補臨武長,縣接交州。舊獻龍眼、荔支,及生鮮獻之,驛馬晝夜傳送,至有遭虎狼毒害,頓仆死亡不絕,道經臨武,羌乃上書諫,帝從之。章報,羌即棄官還家,不應徵召。著《唐子》三十餘篇。"

惠棟《後漢書補注》:羅泌曰:"羌本名堯,後人惡其僭而改之。"

陳忠 搢紳先生論

范書《陳寵傳》:寵,沛國洨人也。子忠,字伯始,永初中辟司徒府,三遷廷尉正,擢拜尚書,使居三公曹。以久次,轉爲僕射,遷尚書令。安帝時,常侍江京、李閏等皆爲列侯,共秉權任。帝又愛信阿母王聖,封爲野王君。忠內懷懼懣,而未敢陳諫,乃作《搢紳先生論》以諷,文多,故不載。延光三年,拜司隸校尉。明年,出爲江夏太守,復留拜尚書令,會疾卒。

王子五篇 王灌撰錄王祐語。

常璩《廣漢士女贊》:王祐字平仲,郪人也。少與雒高士張浮齊名,不應州郡辟命。司隸校尉陳紀山,名知人,稱祐天下高士。年四十二卒。弟獲舊校云:"獲"一作"灌"。志其遺言,撰《王子》五篇。東觀郎李勝,文章士也,作誄,方之顏子,列畫學官。

又《三州士女目錄》曰："文學高士王祐，字平仲，鄴人也。弟灌，有文才，而不悉行事也。"

王逸　正部論八卷　逸始末具史部地理類。

《隋書·經籍志》：梁有王逸《正部論》八卷，後漢侍中王逸撰，亡。

馬國翰輯本序曰："《七錄》儒家有《正部論》八卷，《隋志》云亡，《唐志》不著錄，佚已久。馬總《意林》載《正部》十卷，或因庾仲容《子鈔》之舊目也。《意林》引十三節，《類聚》、《御覽》等書亦引之。或作《王逸子》，即《正部》也。今輯佚文爲卷，書多勖學語，亦每論當代著作，如謂'《淮南》浮僞而多恢，《太玄》幽虛而少效，《法言》雜錯而無主，《新書》繁文而鮮用'，皆確當不易云。"

侯《志》曰："《意林》引一條云'《淮南》浮僞而多恢'云云，其自負蓋出數書之上也。"

按范書《儒林傳》：[1]"其賦、誄、書、論及雜文凡二十一篇。"蓋合併著于篇，此論當在二十一篇中。《子鈔》著錄十卷，《七錄》八卷，阮、庾同時，所見不致互異，似仲容并其他文字二卷爲十卷。文貞處士分析編類，以後二卷入之別集歟？《書鈔》引王逸《折武論》，當即此書之一篇。

王符　潛夫論十卷

范書本傳：王符字節信，安定臨涇人也。少好學，有志操，與馬融、竇章、張衡、崔瑗等友善。安定俗鄙庶孽，而符無外家，爲鄉人所賤。自和、安之後，世務游宦，當塗者更相薦引，而符獨耿介不同于俗，自此遂不得升進。志意蘊憤，乃隱居著

---

① 按王逸在《文苑傳》。

書三十餘篇，以譏當時失得，不欲章顯其名，故號曰《潛夫論》。其指訐時短，討謫物情，足以觀當時風政。符竟不仕，終于家。

《隋書·經籍志》：《潛夫論》十卷，後漢處士王符撰。《唐·經籍志》：《潛夫論》十卷，王符注。按注當爲撰。《藝文志》：王符《潛夫論》十卷。《宋志》同。

晁公武《讀書志》："後漢王符節信，在安、和之世，隱居著書三十六篇，范曄取其《貴忠》、《浮僞》、《真實》、《愛日》、《述赦》等五篇，以爲足以觀見當時風政，頗潤益其文。後韓愈亦贊《述赦》旨意甚明云。"

《四庫提要》曰："今本凡三十五篇，合《敘錄》爲三十六篇，蓋猶舊本。卷首《讚學》一篇，論勵志勤修之旨。卷末《五德志》篇，述帝王之世次。《志氏姓》篇，考譜牒之源流。其中《卜列》、《相列》、《夢列》三篇，亦皆雜論方技，不盡指陳時政。范氏所云，舉其著書大旨爾。范氏以符與王充、仲長統同傳，韓愈因作《後漢三賢贊》。今以三家之書相較，符書洞悉政體似《昌言》，而明切過之；辨別是非似《論衡》，而醇正過之。前史列之儒家，斯爲不愧。"

蕭山汪繼培《箋注》序曰："此書行于今者，有明程榮本、何鏜本、元大德本，各本簡編脫亂。以意屬讀，得其端緒，因復是正文字，疏證事辭，依采經書爲之箋注。"

馮顥　刺奢說　顥始末具經部易類。

常璩《廣漢士女贊》：①顥隱居作《易章句》及《刺奢說》。修黃老，恬然終日。

　按顥爲梁冀所不善，因而去官隱居，此說大要爲冀作也。

---

①　"士女"原作"女士"，據《補編》本乙正。

應奉　後序十二卷　奉始末具史部史鈔類。

范書本傳：奉少聰明，自爲兒童及長，凡所經履，莫不暗記。
讀書五行並下。著《漢書後序》，多所述載。

華嶠書曰："奉才敏，善諷誦，故世稱應世叔。讀書五行俱下。
著《後序》十餘篇，爲世儒者。"

《隋書·經籍志》：梁有《後序》十二卷，後漢司隸校尉應奉
撰，亡。

按范史稱《漢書後序》，章氏《隋志攷證》曰："尋其名義，似
宜列諸史部。"今攷袁山松載《漢事》十七卷，華嶠載《後序》
十餘篇，范史綜覈其文，故合并言之曰《漢書後序》。"書"
或"事"之譌，卽指《漢事》歟？又按《漢事》本鈔撮《漢書》，稱爲《漢書》
亦無不可。奉之書，大抵以事蹟編爲《漢事》，而以其所餘言論
細碎，仿劉向《新序》之例，別爲《後序》，故《七錄》入之儒
家。章氏以《漢書後序》爲一書，恐非是。

魏子三卷　魏朗撰。

范書《黨錮列傳》：魏朗字少英，會稽上虞人也。少爲縣吏。
到陳國，從博士郤仲信學《春秋圖緯》，按仲信名巡，樊英弟子也。又
詣太學授五經，京師長者李膺之徒爭從之。辟司徒府，再遷
彭城令。爲九真都尉，拜議郎，遷尚書。被黨議，免歸。後竇
武等誅，朗以黨被急徵，行至牛渚，自殺。著書四篇，號《魏
子》云。

《太平御覽》四百三十八引虞預《會稽典錄》曰："靈帝卽位，竇
武、陳蕃等欲誅宦官，謀泄，反爲所害。朗以黨被徵，乃慷慨
曰：'丈夫與陳仲子、李元禮俱死，得非乘龍上天乎？'于丹陽
牛渚自殺。海内列名八俊。"

《隋書·經籍志》：《魏子》三卷，後漢會稽人魏朗撰。《唐·經
籍志》：《魏子》三卷，魏朗注。按當爲撰。《藝文志》：《魏子》三

卷,注云魏朗。

馬國翰輯本序曰:"《魏子》書向列儒家,《隋》、《唐志》並三卷。馬總《意林》云十卷,載十二節,其'薄冰當白日'與'廖蟲'二條文義不完。據《類聚》、《御覽》所引補訂,又從《御覽》、《文選注》輯得五節,合錄爲一卷。"

陳子數十篇　　陳紀撰。

范書《陳寔傳》:寔,潁川許人也。子紀,字元方,亦以至德稱。兄弟孝養,閨門雍和,後進之士皆推慕其風。及遭黨錮,發憤著書數萬言,號曰《陳子》。董卓入洛陽,乃使就家拜五官中郎將,不得已,到京師,遷侍中。出爲平原相。追拜太僕,又徵爲尚書令。建安初,袁紹爲太尉,讓于紀;紀不受,拜大鴻臚。年七十一,卒于官。

《古文苑·邯鄲淳鴻臚陳君碑》曰:"君既處隱約,潛躬味道,足不踰閾,乃覃思著書三十餘萬言。言不務華,事不虛設,其所交釋合贊規聖哲,而後建旨明歸焉。今所謂《陳子》者也。年七十一,建安四年六月卒。"

《魏志·陳羣傳》注:《魏書》曰:"紀歷位平原相、侍中、大鴻臚,著書數十篇,世謂之《陳子》。"

　　按《魏志·陳羣傳》云:太祖議復肉刑,令曰:"昔陳鴻臚以爲死刑有可加于仁恩者,正謂此也。"蓋卽指陳子書,書中有論肉刑事。

荀爽　新書百餘篇　　爽始末具經部易類。

范書本傳:又作《公羊問》及《辨讖》,并他所論敘,題爲《新書》,凡百餘篇,今多所亡闕。

　　按《七錄》有後漢司空《荀爽集》三卷,《錄》一卷,證以本傳,蓋亦從《新書》中析出重編者。

荀悅　申鑒五卷 悅始末見史部編年類。

范書本傳：獻帝頗好文學，悅與或及少府孔融侍講禁中，旦夕談論。時政移曹氏，天子恭己而已。悅志在獻替，而謀無所用，乃作《申鑒》五篇。其所辨論，通見政體，既成奏之，帝覽而善焉。

《隋書·經籍志》：《申鑒》五卷，荀悅撰。《唐·經籍志》：《申鑒》五卷，荀悅注。按注當爲撰。《藝文志》：荀悅《申鑒》五卷。

《四庫提要》曰："其書見于《隋》、《唐志》者皆五卷，卷爲一篇。一曰《政體》，二曰《時事》，皆制治大要及時所當行之務。三曰《俗嫌》，皆機祥讖緯之說。四曰《雜言上》，五曰《雜言下》，則皆泛論義理，頗似揚雄《法言》。《後漢書》取其《政體》篇《爲政之方》一章、《時事》篇《正當主之制》、《復內外注記》二章，載入傳中。"又曰："此書剖析事理，深切著明。蓋由其原本儒術，故所言皆不詭于正。"

荀悅　崇德正論及諸論數十篇

范書本傳：又著《崇德》、《正論》及諸論數十篇。

《四庫》著錄《申鑒》提要曰："《後漢書》本傳又稱悅別有《崇德》、《正論》及諸論數十篇，今並不傳。惟所作《漢記》及此書尚存于世。"

徐幹　中論二十餘篇

《魏志·王粲附傳》：始文帝爲五官將，好文學，粲與北海徐幹字偉長並見友善。幹爲司空軍謀祭酒掾屬，五官將文學。又曰："幹與陳琳、應瑒、劉楨建安二十二年卒。"幹同時人爲《中論》序曰："年四十八，建安二十三年春二月，遭厲疾，大命隕頹。"按《獻帝本紀》建安二十二年，是歲大疫，此序稱二十三年者，傳寫誤二爲三也。

裴松之曰：《魏略》曰："建安二十三年，太子又與元城令吳質書曰：'昔年疾疫，親故多離其災，徐、陳、應、劉一時俱逝。觀古今文人,類不護細行,鮮能以名節自立,而偉長獨懷文抱質,恬淡寡欲,有箕山之志,可謂彬彬君子矣。著《中論》二十餘篇,成一家之業,辭義典雅,足傳于後,此子爲不朽矣。'"

裴松之又曰:《先賢行狀》曰:"幹清玄體道,六行修備,聰識洽聞,操翰成章,輕官忽祿,不耽世榮。建安中,太祖特加旌命,以疾休息。後除上艾長,又以疾不行。"

《隋書·經籍志》:徐氏《中論》六卷,魏太子文學徐幹撰。梁目一卷。《唐·經籍志》:徐天_{此"氏"字刊誤。}《中論》六卷,徐幹撰。《藝文志》:徐氏《中論》六卷,注云徐幹。《宋志》雜家:徐幹《中論》十卷。

《四庫提要》曰:"《中論》二卷,漢徐幹撰。幹,北海劇人。事蹟附見《魏志·王粲傳》,故相沿稱爲魏人。然幹歿後三四年,魏乃受禪,不得遽以帝統予魏。陳壽作史,託始曹操,稱爲太祖,遂并其僚屬均入《魏志》,非其實也。是書《隋》、《唐志》皆六卷,《隋志》又注云梁目一卷。《崇文總目》亦作六卷。而晁公武、陳振孫並作二卷,與今本合,則宋人所併矣。書凡二十篇,大都闡發義理,原本經訓,而歸之于聖賢之道。故前史皆列之儒家。晁公武稱李獻民所見別本,實有《復三年》、《制役》二篇,是其書在宋仁宗時尚未盡殘闕。今所謂別本者,不可復見,于是二篇遂佚不存。"

王粲　去伐論集三卷　_{粲始末具史部雜史類。}

《隋書·經籍志》:梁有《去伐論集》三卷,王粲撰,亡。《唐·經籍志》:《去伐論集》三卷,王粲撰。《藝文志》:王粲《去伐論集》三卷。

馬國翰曰:"《隋》、《唐志》載王粲《去伐論集》三卷,今佚。攷《藝文類聚》引《去伐論》一篇,題晉袁宏,書名同而撰人異。按《隋》、《唐志》均無宏撰《去伐論》之目,以題稱《去伐論集》

繹之,當是王粲著論,後賢多有擬議,一併附入歟?"

　　按《魏志》本傳,著詩、賦、論、議垂六十篇,《去伐論》當在其中。此三卷不知集他家爲此論者,凡若干篇。

文檢六卷

《隋書·經籍志》:梁有《文檢》六卷,似後漢末人作,亡。

《宋書·大且渠蒙遜傳》:元嘉十四年,河西王茂虔或作"牧犍",北涼武宣王蒙遜第三子。奉表獻方物,并獻書一百五十四卷,有《文檢》六卷。

杜篤　女誡

范書《文苑傳》:杜篤字季雅,京兆杜陵人也。高祖延年,宣帝時御史大夫。篤少博學,仕郡文學掾。女弟適扶風馬氏。建初三年,車騎將軍馬防擊西羌,請篤爲從事中郎,戰歿于射姑山。所著《女誡》及雜文若干篇。《馬防傳》云:防賓客奔湊,四方畢至,京兆杜篤之徒數百人,常爲食客,居門下。

曹大家　女誡一卷　曹大家見史部雜傳記類。

范書《列女傳》:昭作《女誡》七篇,有助內訓,《卑弱》第一,《夫婦》第二,《敬慎》第三,《婦行》第四,《專心》第五,《曲從》第六,《和叔妹》第七。馬融善之,令妻女習焉。昭女妹曹豐生,亦有才惠,爲書以難之,辭有可觀。

《文心雕龍·詔策篇》曰:"戒者,慎也。馬援以下,各貽家戒。班姬《女戒》,足稱母師也。"

《隋志》儒家:"曹大家《女誡》一卷。"又集部總集篇:"《女誡》一卷,曹大家撰。"《唐·經籍志》:《女誡》一卷,曹大家撰。

《藝文志》史部雜傳記類:"曹大家《女誡》一卷。"《宋志》傳記類:"班昭《女誡》一卷。"

陳振孫《書錄解題》曰:"《女誡》一卷,漢曹世叔妻班昭撰,固之妹也。俗號《女孝經》。"

荀爽　女誡一篇 爽見前。

嚴可均《全後漢文編》：荀爽《女誡》，見《藝文類聚》二十三。

按《類聚》明刊本題作魏荀爽，魏字誤，其文蓋節錄也。爽女采，見范書《列女傳》，其死也實由于爽，是則其女不負斯誡，而爽轉自忘其所誡矣。

蔡邕　女訓一篇 邕始末具經部禮類。

范書本傳：所著《獨斷》、《勸學》、《釋誨》、《敘樂》、《女訓》，凡若干篇。

《隋志》經部小學類："梁有司馬相如《凡將篇》、班固《太甲篇》、《在昔篇》、崔瑗《飛龍篇》、蔡邕《聖皇篇》、《黃初篇》、《吳章篇》、蔡邕《女史篇》合八卷，亡。"

嚴可均《全後漢文編》曰："《書鈔》一百九、《御覽》五百七十七引蔡邕《女訓》。又《文選·女史箴》注、《書鈔》未改本一百二十九、《御覽》三百六十五、又四百五十九、又七百十四、又七百十八、又七百二十、又八百十四引蔡邕《女誡》。"

謝啟昆《小學考》文字類："蔡氏《女史篇》，《七錄》一卷。此篇當以四字或三字爲句，便于女子初學成誦者，首有'女史'句，故以名篇，後世《女千字文》所由昉也。"

右儒家，凡注解十二家十五部，譔著二十二家二十三部，綜三十三家三十八部。《宋史·藝文志》有馬融《忠經》一卷，僞書不錄。侯《志》有仲長統《昌言》十卷，今仍從《隋志》析入雜家。

馬融　老子注 融始末具經部易類。

范書本傳：注《孝經》、《論語》、《詩》、《易》、三《禮》、《尚書》、《列女傳》、《老子》。

想余　注老子二卷

《釋文·序錄》曰："《老子》想余注二卷，不詳何人。一云張魯，或云劉表。魯字公旗，沛國豐人，漢鎮南將軍，關內侯。"

劉陶　匡老子　<small>陶始末具經部書類。</small>

范書本傳：陶著書數十萬言，又作《匡老子》。惠棟《補注》曰：“陶著書匡《老子》之失。”

右注述道家書。

巫光　養性經

張澍《風俗通姓氏篇輯注》：《氏族略》曰：“漢有冀州刺史巫捷，又有巫都著《養性經》。”按光武時淄川巫光字子都，有陰道之術，卽此人。

按《抱朴子·遐覽篇》有《按摩經》、《導引經》、《玄女經》、《素女經》、《彭祖經》、《陳赦經》、《子都經》各一卷，觀其類從，似《子都經》卽此書。

王喬　養性治身經三卷　<small>喬始末見史部雜傳記類。</small>

《抱朴子·遐覽篇》：王喬《養性治身經》三卷。

侯《志》曰：“《御覽》卷九引《養性經》曰：‘治身之道，春避青風，夏避赤風，秋避白風，冬避黑風。’蓋卽出此書也。”<small>侯氏以其有治身之語，與書名相會，故以爲出此書。其實《御覽》未嘗稱王喬名也。</small>

王充　養性書十六篇

范書本傳：充字仲任，會稽上虞人也。到京師，受業太學，師事扶風班彪。好博覽而不守章句。家貧無書，常游洛陽市肆，閱所賣書，一見輒能誦憶，遂博通眾流百家之言。後歸鄉里，屏居教授。仕郡爲功曹，以數諫爭不合，去。刺史董勤辟爲從事，轉治中，自免還家。友人同郡謝夷吾上書薦充才學，肅宗特詔公車徵，病不行。年漸七十，志力衰耗，乃造《性書》十六篇，<small>按脫“養”字。</small>裁節嗜慾，頤神自守。

《論衡·自紀篇》曰：“充以元和三年徙家，辟詣揚州部丹陽、九江、廬江，後入爲治中。章和二年，罷州家居。年漸七十，時可懸輿。仕路隔絕，志窮無如。事有否然，身有利害。髮白齒落,日月踰邁。儔倫彌索,鮮所恃賴。貧無供養,志不娛快。歷數冉冉,庚辛域際,雖懼終徂,愚猶沛沛,乃作《養性》之書,凡十六篇。"

牟子理惑論三十七條

自序有曰:"靈帝崩後,天下擾亂,獨交州差安,北方異人咸來在焉。是時牟子將母避世交趾,年二十六,歸蒼梧娶妻。太守聞其守學,謁請署吏。時年方盛,志精于學,又見世亂,無仕宦意,竟遂不就。太守使致敬荊州,會被州牧優文處士辟之,復稱疾不起。會母卒亡,念世方擾擾,非顯己之秋也。乃歎曰:'老子絕聖棄智,修身保真,萬物不干其志,天下不易其樂。天子不得臣,諸侯不得友,故可貴也。'于是銳志于佛道,兼研《老子》五千文。世俗之徒多非之者,以爲背五經而向異道。欲爭則非道,欲默則不能。遂以筆墨之閒略引聖賢之言證解之,名曰《牟子理惑》云。"

又卷末云:"或問曰:'子之所解,何以止著三十七條?'牟子曰:'吾覽佛經之要,有三十七品,老氏《道經》亦三十七篇,故法之焉。'"

《唐書·經籍志》道家:"《牟子》二卷,牟融撰。"《藝文志》道家:"《牟子》二卷,注云牟融。"按此以《隋志》儒家之《牟子》謂即此《牟子理惑論》,恐非是。

臨海洪熙煊校刊序曰:"《隋志》《牟子》二卷,後漢太尉牟融撰。新、舊《唐志》同。梁僧祐《弘明集》有漢牟融《理惑論》三十七篇,前有自序云,一名《牟子理惑》。按《後漢書·牟融傳》,融代趙熹爲太尉,建初四年薨。是書自序云'靈帝崩後,天下擾亂',則相距已百餘年。《牟子》非融作明矣。《弘明集》題下注云'一云蒼梧太守牟子博傳',子博之名,不見于史。據自序云云,則牟子避亂交州,未嘗居官。《弘明集》作蒼梧太守牟子博傳，豈從其後而署之耶？抑別有其人耶？"

右道家，凡注述三家，譔注四家，綜七家七部。

滕撫　愼子注十卷

范書本傳：撫字叔輔，北海劇人也。初仕州郡，稍遷爲涿令，有文武才用。太守以其能，委任郡職，兼領六縣。風政修明，在事七年，道不拾遺。順帝末，揚、徐盜賊羣起，朝廷博求將帥，三公舉撫有文武才，拜爲九江都尉。撫進擊，大破之，拜中郎將，督揚、徐二州事。東南悉平，振旅而還。以撫爲左馮翊，除一子爲郎。撫性方直，不交權勢，宦官懷忿。及論功當封，太尉胡廣時錄尚書事，承旨奏黜撫，天下怨之。卒于家。

《唐書・經籍志》：《愼子》十卷，愼到撰，滕輔注。《藝文志》同。

馬總《意林》曰："《愼子》十二卷，名到，學本黃老，滕輔注。"

嚴可均《全後漢文編》曰："滕撫有《愼子注》十卷。"

按兩《唐志》及《意林》皆曰滕輔注，惟嚴氏以爲卽此滕撫。今攷《初學記》武部、《類聚》軍器部、《御覽》兵部並引後漢滕輔《祭牙文》，後漢滕輔蓋卽此滕撫。撫以都尉中郎將督揚、徐二州，連進擊盜賊，故有《祭牙文》之作，今所謂祭旗是也。轉寫譌爲輔耳。然本傳略，不言其注《愼子》。《羣書治要》中引《愼子》有注文，頗似漢人語，豈卽是耶？又按晉有太學博士滕輔，《七錄》載其集，見《隋・經籍志》，蓋別是一人。

王充　政務書　充始末見道家類。

《論衡・自紀篇》曰："充又閔人君之政，徒欲治人，不得其宜，不曉其務，愁精苦思，不睹所趨，故作《政務》之書。"

又《對作篇》曰："其《政務》，言治民之道。"又曰："《政務》爲郡國守相、縣邑令長通陳政事所當尚務，欲令全民立化，奉稱國恩。"

按《對作篇》又云：“建初孟年，中州頗歉，潁川、汝南民流四散。聖主憂懷，詔書數至。《論衡》之人，奏記郡守，宜禁奢侈，以備困乏。言不納用，退題記草，名曰《備乏》。酒麋五穀，生起盜賊，沈湎飲酒，盜賊不絕，奏記郡守禁民酒，退題記草，名曰《禁酒》。”由此言之，唐林之奏，谷永之章，《論衡》、《政務》，同一趨也。則其書目有《備乏》、《禁酒》二篇。

李尤　政事論七卷

范書《文苑傳》：李尤字伯仁，廣漢雒人也。少以文章顯，和帝時，侍中賈逵薦尤有相如、揚雄之風，召詣東觀，拜蘭臺令史，稍遷。安帝時，爲諫議大夫，受詔與謁者僕射劉珍等俱撰《漢記》。順帝立，遷樂安相。年八十三卒。

常璩《廣漢士女贊》：和帝召作東觀、辟雍、德陽諸觀賦銘，著《政時論》七篇，帝善之。

嚴可均《全後漢文編》曰：“尤有《政事論》七篇，見《華陽國志》，文亡。”

崔寔　政論六卷

范書《崔駰傳》：駰，涿郡平安人。仲子瑗，瑗子寔字子真，一名台，字元始。少沈靜，好典籍。桓帝初，以郡舉，徵詣公車，病不對策，除爲郎。明于政體，吏才有餘，論當世便事數十條，名曰《政論》。指切事要，言辨而确，确，堅正也。當世稱之。仲長統曰：“凡爲人主，宜寫一通，置之坐側。”其後召拜議郎，遷大將軍冀司馬，與邊韶延篤等著作東觀。出爲五原太守。以病徵爲議郎，復與諸儒博士共雜定五經。會梁冀誅，寔以故吏免官，禁錮數年。拜遼東太守。行道，母劉氏病卒，歸葬行喪。服竟，召拜尚書。寔以四方阻亂，稱疾不視事，數月免歸。建寧中，病卒。

范蔚宗曰：“寔之《政論》，言當世理亂，雖鼂錯之徒不能過也。"

《隋書·經籍志》曰:"《正論》六卷,漢大尚書崔寔撰。"《唐·經籍志》:崔氏《政論》五卷,崔寔撰。《藝文志》:崔氏《政論》六卷。注云崔寔。

嚴可均輯本序曰:"其書成于守遼東後,故有'僕前爲五原太守,及今遼東耕犂'云云。本傳繫于桓帝初除爲郎時,未得其實。其本北宋時已佚失,故《崇文總目》不著錄。《郡齋讀書志》、《直齋書錄解題》亦無之。《通志·略》載有六卷,虛列書名,不足據。今從《羣書治要》寫出七篇,從本傳及《通典》各寫出一篇,凡九篇,略依《意林》編次之,刺取各書引見,校補譌脫,定著一卷。其畸零短段,三十事不能成篇者,載于卷末。《治要》專取精實,而腴語美詞芟除淨盡,然于當時積弊已臚列無遺。"又曰:"各書引見,或作《政論》,或作《正論》,又作《本論》,止是一書,總凡四十一條。"

劉陶　反韓非　陶始末具經部書類。

范書本傳:陶著書數十萬言,又作《匡老子》、《反韓非》。惠棟《補注》曰:"《韓非》有《解老》、《喻老》之篇,故陶作書,匡《老子》之失,反《韓非》之說。"

右法家,注解一家,譔著四家,總凡五家五部。

沈友　孫子兵法注二卷

《吳志·孫權傳》建安九年裴松之注:《吳錄》曰:"是時,權大會官僚,沈友有所是非,令人扶出,謂曰:'人言卿欲反。'友知不得脫,乃曰:'主上在許,有無君之心者,可謂非反乎?'遂殺之。友字子正,吳郡人。年十一,華歆行風俗,見而異之,曰:'自桓、靈以來,雖多英彥,未有幼童若此者。'弱冠博學,多所貫綜,善屬文辭,兼好武事,注《孫子兵法》。又辨于口,每所至,眾人皆默,莫與爲對,咸言其筆之妙,舌之妙,刀之妙,三者皆過絕于人。權以禮聘，既至，論王霸之略，當時之務，權斂容敬焉。陳荆州宜并之計，納之。正色立朝，清議峻厲，爲庸臣所譖，誣以謀反。權亦以終不爲己用，故害之，時年二十九。”

《隋書·經籍志》：梁有《孫子兵法》二卷，吳處士沈友撰，亡。《唐·經籍志》：《孫子兵法》二卷，沈友注。《藝文志》：沈友注《孫子》二卷。

李恂　山川屯田圖百餘卷

范書本傳：恂字叔英，安定臨涇人也。少習《韓詩》，教授諸生常數百人。辟司徒桓虞府。後拜侍御史，持節使幽州，宣布恩澤，慰撫北狄，所過皆圖寫山川、屯田、聚落百餘卷，悉封奏上，肅宗嘉之。拜兗州刺史。遷張掖太守。徵拜謁者，使持節領西域副校尉。遷武威太守，坐事免，步歸鄉里，潛居山澤，結草爲廬，與諸生織席自給。時歲荒，徙居新安關下，拾橡實以自資。年九十六卒。

楊由　兵雲圖

范書《方術傳》：楊由字哀侯，蜀郡成都人也。少習《易》，并七政元氣、風雲占候。爲郡文學掾。終于家。

常璩《蜀郡士女贊》曰：“由學通經緯，爲太守廉范文學。大將軍竇憲從太守索《雲氣圖》，由諫莫與。尋憲受誅，其明如此。”

惠棟《後漢書補注》：《益部耆舊傳》曰：“由有《兵雲圖》。時竇憲將兵在外，太守高安遣工從由，寫圖以進。”

趙岐　禦寇論四十章　岐始末具史部雜傳記類。

范書本傳：延熹九年，應司徒胡廣之命。會南匈奴、烏桓、鮮卑反叛，公卿舉岐，擢拜并州刺史。岐欲奏守邊之策，未及上，會坐黨事免，因撰次以爲《禦寇論》。

章懷太子曰：“《三輔決錄注》曰：‘是時綱維不振，閹宦專權，岐擬前代連珠之書四十章上之，留中不出。’”

陳愍王寵　弩射祕法

范書《孝明八王列傳》：陳敬王羨，食淮陽郡，立三十七年薨，子思王均嗣。立二十一年薨。子懷王竦嗣。立二年薨，無子，國絕。永寧元年，立敬王子安壽亭侯崇爲陳王，是爲頃王。立五年薨，子孝王承嗣。承薨，子愍王寵嗣。寵弩射十發十中，中皆同處。中平中，黃巾賊起，寵有彊弩數千張，出軍都亭。及獻帝初，義兵起，寵率眾屯陽夏，自稱輔漢大將軍。後爲袁術遣客詐殺，陳由是破敗。《獻帝本紀》：“建安二年春，袁術自稱天子。”又曰：“是歲，袁術殺陳王寵。”

《華嶠書》曰：“陳愍王寵善弩射，其祕法以天覆地載，參連爲奇。又有《三微》、《三小》。《三微》爲經，《三小》爲緯，經緯相將，萬勝之方。然要在機牙，其射至十發十中，皆同孔。”

右兵家，凡注解一家，譔著四家，總凡五家五部。

春秋井田記

應劭《風俗通》佚文：謹案《春秋井田記》：“人年三十，受田百畝，以食五口。五口爲一戶，父母妻子也。公田十畝，廬舍五畝，成田一頃十五畝。八家而九頃二十畝，共爲一井。廬舍在內，貴人也。公田次之，重公也。私田在外，賤私也。井田之義，一曰無洩地氣，二曰無費一家，三曰同風俗，四曰合巧拙，五曰通貨財。因井爲市，交易而退，故稱市井也。”

按《風俗通》引《春秋井田記》，始見范書《循吏·劉寵傳》注。錢辛楣宮詹輯本云：“又見《詩·陳風》正義、《初學記》二十四、《御覽》百九十一、又八百二十七。”其書不知何人作，出前漢。① 《經義攷》春秋類引史繩祖說，列唐人之前，蓋誤以爲章懷注所引，而未詳攷章懷引《風俗通》之文也。今以應仲遠所引，列後漢人中。②

王景　蠶織法

范書《循吏傳》：王景字仲通，樂浪䛁邯人也。辟司空伏恭府，三遷爲侍御史。十五年，拜河隄謁者。建初七年，遷徐州刺史。明年，遷廬江太守。先是，百姓不知牛耕，致地方有餘而食常不足。景乃驅率吏民，修起蕪廢，教用犁耕，由是墾闢倍多，境内豐給。遂銘石刻誓，令民知常禁。又訓令蠶織，爲作法制。皆著于鄉亭，廬江傳其文辭。卒于官。

秦彭　度田條式

范書《循吏傳》：秦彭字伯平，扶風茂陵人也。自漢興之後，世位相承。六世祖襲，爲潁川太守，與羣從同時爲二千石者五人，故三輔號“萬石秦”。彭同產女弟，顯宗時入掖庭爲貴人，有寵。永平七年，以彭貴人兄，隨四姓小侯擢爲開陽城門候。十五年，拜騎都尉，副駙馬都尉耿秉北征匈奴。建初元年，遷山陽太守。興起稻田數十頃，每于農月，親度頃畝，分別肥、瘠，差爲三品，各立文簿，藏之鄉縣。于是姦吏跼蹐，無所容詐。彭乃上言，宜令天下齊同其制。詔書以其所立條式，班令三府，並下州郡。在職六年，轉潁川太守。章和二年卒。

崔寔　四民月令一卷　　寔始末具法家類。

《隋書·經籍志》：《四人月令》一卷，後漢大尚書崔寔撰。《唐·經籍志》：《四人月令》一卷，崔寔撰。《藝文志》：崔湜

---

① “出”上，《補編》本有“疑”字。

② “列”上，《補編》本有“姑”字。

《四人月令》一卷。按湜當爲寔。

《經義攷》曰："按《四民月令》其書雖佚，而賈思勰《齊民要術》引之特多，合以《太平御覽》所載，好事者尚可捃摭成卷也。"

嚴可均輯本序曰："《四民月令》，《新唐志》作崔湜，誤。宋不著錄。近人任兆麟、王謨皆有輯本，編次不倫，且多罣漏。王本又誤以《齊人月令》謂卽《四民月令》，而所采《齊民要術》有今本所無者六事，其文不類，未知何據。余既輯崔寔《政論》一卷，因兼及此書。蒐錄遺佚，得二百許事，省併重複，逐月分章，爲十二章，定著一卷，有注，疑卽崔寔撰。徵用者或以注爲正文，今加'注'字間隔之。而王本所采《齊民要術》六事，附存俟攷。又附錄《齊人月令》四事，免與崔寔書混。"

右農家類，凡五家五部。

高誘　呂氏春秋注二十六卷　誘始末具經部禮類。

誘自序曰："誘正《孟子章句》，作《淮南》、《孝經》解，畢訖。家有此書，尋繹案省，大出諸子之右。既有脫誤，小儒又以私意改定，猶慮傳義失其本真，少能詳之。故復依先師舊訓，輒乃爲之解焉，以述古儒之旨。凡十七萬三千五十四言。"

《隋書·經籍志》：《呂氏春秋》二十六卷，秦相呂不韋撰，高誘注。《唐·藝文志》：《呂氏春秋》二十六卷，呂不韋撰，高誘注。《宋志》：呂不韋《呂氏春秋》二十六卷，高誘注。

《四庫提要》曰："自漢以來，注者惟高誘一家，訓詁簡質。于引證顛舛之處，如《制樂篇》稱'成湯之時，穀生于庭'，則據《書序》以駁之。稱'南子爲釐夫人'，則據《論語》、《左傳》以駁之。稱'西門豹在魏襄王時'，則據《魏世家》、《孟子》以駁之。稱'晉襄公伐陸渾'，稱'楚成王慢晉文公'，則皆據《左傳》以駁之。稱'顏闔對魯莊公'，則據《魯世家》以駁之。稱

‘衛逐獻公立公子黚’，則據《左傳》、《衛世家》以駁之。皆不
蹈注家附會之失。然如稱‘魏文侯虜齊侯，獻之天子’，傳無
其事，不知誘何以不糾。其謂‘梅伯說鬼侯之女好，妲己以爲
不好，因而見醢’，謂‘白乙丙、孟明皆蹇叔子’，‘謂甯戚扣角
所歌乃《碩鼠》之詩’，謂‘公孫龍爲魏人’，並不著所出，亦不
知其何所據。又共伯得乎共首，及張毅、單豹事，均出《莊
子》。乃于共伯事則曰不知其出何書，于張毅、單豹事則引班
固《幽通賦》，竟未見漆園之書，亦可爲異。若其注五世之廟
曰《逸書》，則梅賾僞本尚未出。引《詩》‘庶姜孽孽’作‘讞
讞’，‘鼉鼓逢逢’作‘韸韸’，則經師之異本，均不足爲失也。”

　　按嚴氏《全後漢文編》云：“誘實涿郡人，舊本《呂氏春秋》題
河東高誘，誤。”今按誘自序言建安十年辟司空掾、東郡濮
陽令，十七年遷監河東，似舊本銜題敚去“河東”以上字。
或題“河東監高誘”，敚去“監”字。

許愼　淮南鴻烈閒詁二十一卷　<small>愼始末具經部孝經類。</small>

　　《隋書·經籍志》：《淮南子》二十一卷，漢淮南王劉安撰，許愼
注。《唐日本國人見在書目》：《淮南子》廿一卷，許愼注。
《唐·經籍志》：《淮南商詁》二十一卷，劉安撰。<small>失著注人，“商詁”
即“閒詁”之譌，此卽許愼注。</small>《藝文志》：許愼注《淮南子》二十一卷，
淮南王劉安。《宋志》：許愼注《淮南子》二十一卷。

　　宋蘇頌《校上淮南子序》曰：“是書有後漢太尉祭酒許愼、東郡
濮陽令高誘二家之注。隋唐目錄皆別傳行。今校崇文舊書
與蜀川印本眾臣家書，凡七部，並題曰《淮南子》，二注相參，
不復可辨。惟集賢本卷末前賢題載云：許標其首，皆是閒詁，
鴻烈之下，謂之記上。高題卷首，皆謂之‘鴻烈解經’，‘解經’
之下，曰‘高氏注’，每篇下皆曰‘訓’，又分數篇爲上下。以此
爲異。《崇文總目》亦云如此。又謂高氏注詳于許氏，本書文

句亦有小異。臣頌據文推次，頗見端緒。高注篇名皆有‘故曰因以題篇’之語，<small>按此謂其篇目下解題。</small>其間奇字，並載音讀。許于篇下纛論大意，卷内或有假借用字，以‘周’爲‘舟’，以‘楯’爲‘循’，以‘而’爲‘如’，以‘恬’爲‘恢’，如是非一。又其詳略不同，誠如《總目》之說。互相考證，去其重複，其得高注十三篇，許注十<small>按此“十字”衍。</small>八篇云。”<small>按每篇下著訓字，始于高氏注本，知許注本無訓字。</small>

袁本《郡齋讀書志》曰：“漢劉安作《内書》二十一篇，①後漢許慎注。慎標其首皆曰‘間詁’，<small>按詁是詁之譌。</small>次曰‘淮南鴻烈’，自名注曰‘記上’。”

嘉定錢塘《溉亭述古錄》曰：“宋時許注既佚，遂以零落僅存者纛入高注。正統《道藏》本即宋時纛入之本，校通行高注增十三、四，其間當有許注。”

侯《志》曰：“《問經堂叢書》有許叔重《淮南子注》一卷。”

陶方琦《淮南許注異同詁序》曰：“《繆稱》、《齊俗》、《道應》、《詮言》、《兵略》、《人間》、《泰族》、《要略》此八篇，全無高注，亦無‘故曰因以題篇’等字。斯盡爲許氏殘說，故注獨簡質。宋本題‘漢太尉祭酒許慎記上’，其《繆稱》篇題首有‘淮南鴻烈間詁’，《要略》篇亦題‘間詁’二字，知《繆稱》至《要略》八篇，碻爲許注舊本無疑。《開元占經》所引《淮南間詁》，皆許氏說。”

　按蘇魏公及晁氏《志》所言，則許注原本標題首云“淮南鴻烈間詁，太尉南閤祭酒許慎記上”，間詁者，間加訓詁。記上者，奏記公府而上之也。

　又按許、高二家所據之本傳授不同，故蘇魏公引《崇文總

<hr>

① “内”，原作“安”，據《補編》本改。

目》云"本書文句小異"。侯《志》引洪稚存以爲誘采用許君之說,恐非是。誘未嘗見許君注本。

馬融　淮南子注　融始末具經部易類。

范書本傳:注《孝經》、《論語》、《詩》、《易》、三《禮》、《尚書》、《列女傳》、《老子》、《淮南子》。

陶方琦《淮南許注異同詁序》曰:"攷《淮南》之注,傳者唯許、高二家。惟後漢《馬融傳》言融曾爲《淮南子注》,《隋志》不錄,書已早逸,然高誘之師爲盧植,植之師爲馬融,卽誘自序云'從故侍中同縣盧君受其句讀,誦舉大義'。是高誘當親見馬氏注本,所云'深思先師之訓',卽指馬本,故音訓之詳碻,非魏晉以後可逮。"

按高氏注本每篇繫以訓字,或從馬本之舊。其云深惟先師之訓,殆卽指此。

高誘　淮南子注二十一卷

誘自序曰:"自誘之少,從故侍中同縣盧君受其句讀,誦舉大義。會遭兵災,天下棋峙,亡失書傳,廢不尋修二十餘載。建安十年,辟司空掾,除東郡濮陽令。覩時人少爲《淮南》者,懼遂淩遲。于是朝餔事畢之間,乃深思先師之訓,參以經傳、道家之言,比方其事,爲之注解,悉載本文,并舉音讀。典農中郎將弁揖借八卷刺之,會揖身喪,遂亡不得。至十七年,遷監河東,復更補足。淺學寡見,未能悉備,其所不達,注以'未聞'。"

《隋書·經籍志》:《淮南子》二十一卷,高誘注。《唐日本國見在書目》:《淮南子》三十一卷,漢淮南王劉安撰,高誘注。《唐·經籍志》:《淮南子注解》二十一卷,高誘撰。《藝文志》:高誘注《淮南子》二十一卷。《宋志》:高誘注《淮南子》十三卷。按《日本書目》作三十一卷,誤二爲三也。

《玉海·藝文》曰:"蘇頌去其重複,共得高注十三篇。"

高誘　淮南鴻烈音二卷

誘注書《序》曰:"然其大較,歸之于道,號曰《鴻烈》。鴻,大也。烈,明也。以爲大明道之言也。光禄大夫劉向校定撰具,名之《淮南》。"又曰:"爲之注解,悉載本文,并舉音讀。"按誘言,《鴻烈》其本名;劉向校書,始稱《淮南》。

《唐書·經籍志》:《淮南鴻烈音》二卷,高誘撰。《藝文志》:高誘注《淮南子》二十一卷。又《淮南鴻烈音》二卷。

按誘言并舉音讀,或著之行閒,或傳之簡末,無以詳知。然《隋志》所無,疑唐人析出重編,而有所傳益者歟?

右注釋前代書。

郅惲書八篇

范書本傳:惲字君章,汝南西平人也。理《韓詩》、《嚴氏春秋》,明天文曆數。王莽時,仰占玄象,謂漢必再受命。西至長安,上書王莽,令就臣位,轉禍爲福。莽大怒,收繫詔獄。會赦得出,乃與同郡鄭敬南遁蒼梧。建武三年,至廬江,遇積弩將軍傅俊東徇揚州。俊上爲將兵長史,授以軍政。七年,辭歸鄉里,縣令禮請爲門下掾。太守歐陽歙請爲功曹。又去,客居江夏教授,郡舉孝廉,爲上東城門候。貶東中門候爲參封尉。後令惲授皇太子《韓詩》,侍講殿中。及郭皇后廢,太子不自安,惲乃說太子引咎退身,奉養母氏。太子從之,帝竟聽許。惲再遷長沙太守。後坐事左轉芒長,又免歸,避地教授,著書八篇,以病卒。

周黨書上下篇

范書《逸民列傳》:周黨字伯況,太原廣武人也。至長安游學,還,斂身修志,州里稱其高。王莽竊位,託疾杜門。建武中,徵爲議郎,以病去職,遂將妻子居黽池。復被徵,不得已,乃

著短布單衣，穀皮綃頭，待見尚書。及光武引見，黨伏而不
謁，自陳願守所志，帝乃許焉，賜帛四十匹。黨遂隱居黽池，
著書上下篇而終。邑人賢而祀之。

梁鴻書十餘篇　鴻始末具史部雜傳記類。

范書《逸民傳》：鴻東出關，過京師，作《五噫之歌》。肅宗聞而
非之，惠棟《補注》曰：“《御覽》及郭茂倩《樂府》引《三輔決錄》皆云‘肅宗聞而悲
之’。今作非，乃傳寫之誤。”求鴻不得。乃易姓運期，名燿，字侯光，
與妻子居齊、魯之閒。有頃，又去適吳，依大家皋伯通，居廡
下，爲人賃春。每歸，妻爲具食，不敢于鴻前仰視，舉案齊眉。
伯通察而異之，曰：“彼傭能使其妻敬之如此，非凡人也。”乃
方舍之于家。鴻潛閉著書十餘篇。

《東觀記》曰：“鴻以童幼詣太學受業，治《禮》、《詩》、《春秋》。”
又曰：“鴻常閉戶，吟詠書記，遂潛思著書十餘篇。”

杜篤　明世論十五篇　篤始末見前儒家。

范書《文苑傳》：又著《明世論》十五篇。

嚴可均《全後漢文編》曰：“《文選‧王融曲水詩序》注引杜篤
《展武論》，又《魏都賦》注及《御覽》七百八引杜篤《通邊論》各
一條。案《杜篤傳》又著《明世論》十五篇，此蓋十五篇之二。”

王充　論衡八十五篇　充始末具道家類。

范書本傳：充好論說，始若詭異，終有理實。以爲俗儒守文多
失其真，乃閉門潛思，絕慶弔之禮，戶牖牆壁各著刀筆，著《論
衡》八十五篇，二十餘萬言，釋物類同異，正時俗嫌疑。

袁山松書曰：“充所作《論衡》，中土未有傳者，蔡邕入吳始得
之，恆祕玩以爲談助。其後王朗爲會稽太守，又得其書，及還
許下，時人稱其才進。或曰，不見異人，當得異書。問之，果
以《論衡》之益。由是遂見傳焉。”又曰：“充幼聰明。詣太學，觀天子臨
辟雍，作《六儒論》。”

章懷太子曰：《抱朴子》曰："時人嫌蔡邕得異書，或搜求其帳中隱處，果得《論衡》，抱數卷去。邕丁寧之曰：'唯我與爾共之，勿廣也。'"

《隋書·經籍志》：《論衡》二十九卷，後漢徵士王充撰。《日本國見在書目》：三十卷。《唐·經籍志》：《論衡》三十卷，王充撰。《藝文志》：王充《論衡》三十卷。《宋志》同。

《四庫提要》曰："書凡八十五篇，而第四十四《招致篇》有錄無書，實八十四篇。攷其《自紀》曰：'書雖文重，所論百種。案古太公望，近董仲舒，傳作書篇百有餘，吾書亦纔出百，而云太多。'然則原書實百餘篇。此本目錄八十五篇，已非其舊矣。充書大致詳于《自紀》一篇。所作別有《譏俗書》、《政務書》，晚年又作《養性書》。今皆不傳，惟此書存，儒者頗病其蕪雜，然終不能廢也。"

《四庫簡明目錄》曰："充生當漢季，憤世嫉俗，作此書以勸善黜邪，訂譌砭惑。大旨不爲不正，然激而過當，至于問孔、刺孟，無所畏忌，轉至于不可以訓。又務求盡意，不惜繁詞，其文亦冗慢而無制。瑕瑜不掩，分別觀之可也。"

何汶　世務論三十篇

常璩《蜀都士女贊》：何英，郫人也。學通經緯，著《漢德春秋》。孫汶，字景由，亦深于學。初徵，上"日食，盜賊起"，有效，爲謁者。京師旱，請雨，卽澍，遷犍爲屬國。著《世務論》三十篇卒。

又《三州士女目錄》曰："經治，犍爲屬國何汶，字景由，英孫也。"

唐子二十八篇　唐檀撰。

范書《方術列傳》：唐檀字子產，豫章南昌人也。少游太學，習《京氏易》、《韓詩》、《顏氏春秋》，尤好災異星占。後還鄉里，教授常百餘人。永建五年，舉孝廉，除郎中。是時白虹貫日，檀因上便宜三事，陳其咎徵。書奏，棄官去。著書二十八篇，名爲《唐子》。卒于家。

應奉　洞序九卷　錄一卷　奉始末具史部史鈔類。

《隋書·經籍志》：梁有《洞序》九卷，《錄》一卷，應奉撰，亡。

應劭　風俗通義三十一卷　錄一卷　劭始末具史部正史類。

范書本傳：撰《風俗通》，以辯物類名號，釋時俗嫌疑。文雖不典，後世服其洽聞。

《隋書·經籍志》：《風俗通義》三十一卷，《錄》一卷，應劭撰。梁三十卷。《唐日本國見在書目》三十二卷。《唐·經籍志》：《風俗通義》三十卷，應劭撰。《藝文志》：應劭《風俗通義》三十卷。《宋志》十卷。

《四庫提要》曰：“《崇文總目》、《讀書志》、《書錄解題》皆作十卷，與今本同。明吳琯刻《古今逸史》，又刪其半，則更闕略矣。各卷皆有總題，題各有散目。總題後略陳大意，而散目先詳其事，以謹案云云辨證得失。《皇霸》爲目五，《正失》爲目十一，《愆禮》爲目九，《過譽》爲目八，《十反》爲目十，《音聲》爲目二十有八，《窮通》爲目十二，《祀典》爲目十七，《怪神》爲目十五，《山澤》爲目十九。其自序云：‘謂之《風俗通義》，言通于流俗之過謬，而事該之義理也。’其書因事立論，文辭清辨，可資博洽。大致如王充《論衡》，而敘述簡明，則勝充書之冗漫。舊本屢經傳刻，失于校讐，頗有譌誤。今並加釐正。又宋陳彭年等修《廣韻》，王應麟作《姓氏急就篇》，多引《風俗通·姓氏篇》，是此篇至宋末猶存。今本無之，不知何時散佚。《永樂大典》通字韻中尚載有《風俗通·姓氏》一篇，首題‘馬總《意林》’字，所載與《廣韻》注多同，而不及《廣韻》注之詳，蓋馬總節本也。然今本《意林》無此文，當又屬佚脫。今采附《風俗通》之末，存梗概焉。"謹按《姓氏》一篇，至北宋已佚。王應麟《困學紀聞》引宋景文曰："《風俗通·姓氏篇》，今從羣書摘出，以四聲編次爲二卷。"以是知宋人引據此篇，大抵皆從宋祁輯本，如邵思《姓解》、鄭樵《氏族略》、鄧名世《辨證》、王應麟《急就篇》，皆是也。

《四庫簡明目錄》曰："《後漢書》本傳作《風俗通》，省文也。原本三十卷，謹按此下似敓'今存十卷'四字。卷爲一篇，分子目一百三十四。其《姓氏》一篇，自宋已佚，然散見《永樂大典》中。今裒爲一篇，附錄于末。其書攷論典禮，類《白虎通義》；糾正流俗，類《論衡》。不名一體，故列之于雜說。"

盧文弨《羣書拾補》曰："《風俗通》佚文者，十卷外之所遺也。嘉定錢詹事曉徵采集頗富，仁和孫侍御詒穀復因其本，重加訂補。縱不能盡復舊觀，然碎金斷璧，終可寶愛，嗜古者所不忍遺也。"

嚴可均《全後漢文編》曰："案《風俗通義》三十卷，見存十卷，不錄。錄其佚文爲六卷，篇目可見者，曰《音聲》，曰《論數》，曰《氏姓》，曰《災異》，凡六百七條。"又張澍《二西堂叢書》有《風俗通姓氏篇輯注》上下卷。

司馬朗論

《魏志》本傳：朗字伯達，河內溫人也。年二十二，太祖辟爲司空掾屬。歷成皋令、堂陽長、元城令，入爲丞相主簿，遷兗州刺史。建安二十三年，[①]與夏侯惇、臧霸等征吳。到居巢，軍士大疫，遇疾卒，時年四十七。注引司馬彪《序傳》曰："朗祖父儁，潁川太守。父防，京兆尹，建安二十四年終。有子八人，朗最長，次即晉宣皇帝也。"

本傳又曰：朗入爲丞相主簿，以爲天下土崩之勢，由秦滅五等之制，而郡國無蒐狩習戰之備故也。"今雖五等未可復行，可令州郡並置兵，外備四夷，內威不軌，于策爲長。"又以爲宜復

---

① "三"，《補編》本同，殿本《三國志》作"二"。

井田，"往者以民各有累世之業，難中奪之。今承大亂之後，
民人分散，土業無主，皆爲公田，宜及此時復之"。議雖未施
行，然州郡領兵，朗本意也。鍾繇、王粲著論云："非聖人不能
致太平。"朗以爲"伊、顏之徒雖非聖人，得使數世相承，太平
可致"。注引《魏書》曰："文帝善朗論，命祕書錄其文。"

　　按朗所論著，當時必有流傳，至魏文乃命祕書錄存，其文遂
　　爲中祕書之一。鄭默《魏中經》亦必著于錄，陳壽修史，撮
　　其菁華者入本傳，壽亦必見其本。

王粲　書數十篇　粲始末具經部書類。

《金樓子·雜記篇》曰："王仲宣昔在荆州，著書數十篇。荆州
壞，盡焚其書。今存者一篇，知名之士咸重之。見虎一毛，不
知其斑。"

　　按王仲宣在荆州以勸劉琮降曹操，遂封侯擢用。及赤壁之
　　敗，粲亦隨操北歸，豈其書未以自隨，毀于兵火耶？此事餘
　　書不概見，梁元帝必有所據，今無由攷見矣。又按粲在荆州所
　　作，如《文學官志》、《登樓賦》、《爲劉荆州諫袁譚書》、《爲劉荆州與袁尚書》之類，
　　梁時所存，實不止一篇。而梁元帝以爲今存一篇者，則所作數十篇皆子書，別爲
　　一種，非詩文之類可知矣。

仲長統　昌言三十四篇　統始末具史部雜傳記類。

《魏志·劉劭附傳》：劭同時東海繆襲，襲友人山陽仲長統，漢
末爲尚書郎，早卒。著《昌言》，詞佳可觀省。

裴松之曰："襲撰統《昌言表》稱：漢帝在許，尚書令荀彧領典
樞機，好士愛奇，聞統名，啟召以爲尚書郎，後參太祖軍事，復
還爲郎。延康元年卒，時年四十餘。統每論說古今世俗行
事，發憤歎息，輒以爲論，名曰《昌言》，凡二十四篇。"按二當
爲三。

范書本傳：每論說古今及時俗行事，恆發憤歎息，因著論，名

曰《昌言》，凡三十四篇，十餘萬言。友人東海繆襲常稱統才
學足繼西京董、賈、劉、揚。今簡撮其書有益政者，略載之云。
曰《理亂篇》、《損益篇》、《法誡篇》。

《太平御覽》六百二引《抱朴子》曰："仲長統作《昌言》，未竟而
止，後董襲撰次之。"按此"董"似"繆"字之誤。

《隋書‧經籍志》：仲長子《昌言》十二卷，《錄》一卷，漢尚書郎
仲長統撰。《唐‧經籍志》：仲長子《昌言》十卷，仲長統撰。
《藝文志》儒家："仲長子《昌言》十卷。"注云仲長統。《宋志》
雜家："仲長統《昌言》二卷。"

《崇文總目》曰："今所存十五篇，分爲二卷，餘皆亡。"

嚴可均輯本序曰："仲長子《昌言》，《崇文總目》稱所存十五
篇，分爲二卷。《郡齋讀書志》、《直齋書錄解題》不著錄。明
陳第《世善堂書目》有二卷，其刻本僅見明胡維新《兩京遺
編》，有《理亂》、《損益》、《法誡》三篇。歸有光《諸子彙函》有
《理亂》、《損益》二篇，皆出本傳，無所增多。則北宋十五篇本
又復佚失。今從《羣書治要》寫出九篇，益以本傳三篇，以《意
林》次第之，刺取各書引見，補正脫譌，定著二卷。其遺文墜
句，于原次無攷，依各書先後附于末。本傳著論三十四篇，十
餘萬言，今此搜輯纔萬餘言，亡者蓋十八九。而《治要》所載，
又頗刪節，斷續佤離，殆所不免。然其闓陳善道，指抲時弊，
剴切之忱，踔厲震蕩之氣，有不容摩滅者。繆熙伯方之董、
賈、劉、揚，非過譽也。"

按范書本傳又云："統常以爲凡游帝王者，欲以立身揚名
耳，而名不常存，人生易滅，優游偃仰，可以自娛，欲卜居清
曠，以樂其志，論之曰'使居有良田廣宅，背山臨流，溝池環
帀，竹木周布'云云。又作詩二篇，以見其志。"嚴可均曰：
"據《文選‧閒居賦》注引《昌言》'溝池自周，竹木自環'二

語，知卽三十四篇之一，疑在《自敘》篇，或當以‘卜居’名篇。胡維新本題爲《樂志論》，而出之《昌言》外，非也。"按范史徵采諸家論說，往往刪潤其文，故此二語與《選注》所引亦微不同。馬氏玉函山房亦有是書輯本二卷，失采《羣書治要》九篇，漏略多矣。

右雜家，凡注釋三家五部，譔著十二家十二部，綜一十五家一十

七部。侯《志》有應劭《淮南子注》。據《文選·長楊賦》注所引也。今攷陶方琦《淮南許注異同詁》，實應劭引許氏注，非劭自爲之注。又有《聊子》，卽《漢·藝文志》從橫家《待詔金馬聊倉》三篇，武帝時人，此不當錄。故今並不取。

郭氏 漢武洞冥記一卷

《隋志》史部雜傳篇："《漢武洞冥記》一卷，郭氏撰。"《唐日本國書目》：《漢武洞冥記》四卷，郭子橫撰。《唐·經籍志》：《漢別國洞冥記》四卷，郭憲撰。《藝文志》道家神仙類："郭憲《漢武帝別國洞冥記》四卷。"《宋志》史部傳記類："郭憲《洞冥記》四卷。"

晁氏《讀書志》：《漢武洞冥記》五卷，後漢郭憲子橫撰。其序言："漢武明儁特異之主，東方朔因滑稽浮誕以匡諫，洞心于道教，使冥跡之奧昭然顯著，故曰《洞冥》。"

陳氏《書錄解題》：《洞冥記》四卷，《拾遺》一卷，東漢光祿大夫郭憲子橫撰。題《漢武別國洞冥記》，其《別錄》又于《御覽》中鈔出，然則四卷亦非全書也。按《別錄》當卽《拾遺》也。

《四庫提要》曰："《漢武洞冥記》四卷，舊本題後漢郭憲撰。憲字子橫，汝南宋人。官至光祿勳。事蹟具《後漢書·方術傳》。是書《隋志》止一卷，《唐志》始作四卷。《文獻通攷》有《拾遺》一卷。晁公武引憲自序。今憲序與《拾遺》俱已佚，惟存此四卷。核以諸書所引，皆相符合，蓋猶舊本。考范史載，憲初以不臣王莽，至焚其所賜之衣，逃匿海濱。後以直諫忤光武帝，時有'闕東觥觥郭子橫'之語。蓋亦剛正忠直之士。徒以潠酒救火一事，遂抑之方術之中。其事之有無，已不可定。至于此書所載，皆怪誕不根之談，未必真出憲手。又詞句繡豔，亦迥異東京，或六朝人依託爲之。然所言影娥池事，唐上官儀用以入詩，時稱博洽。後代文人詞賦引用尤多。蓋以字句妍華，足供采撨，至今不廢，良以是耳。"又《簡明目錄》曰："是猶唐以前之僞書。"

> 按范書《方術傳》不言郭憲有是書。《隋志》一卷，亦但稱郭氏。此郭氏或東漢人，故後人傅益其書爲四卷五卷者，以東漢初之郭憲實之。侯《志》著錄郭憲《洞冥記》四卷，今從《隋志》錄最初之郭氏一卷。

王充　譏俗書十二篇 　充始末具道家。

《論衡·自紀篇》曰："俗性貪進忽退，收成棄敗。充升擢在位之時，衆人蟻附；廢退窮居，舊故叛去。志俗人之寡恩，故閑居作《譏俗》、《節義》十二篇。冀俗人觀書而自覺，故直露其文，集以俗言。"又曰："充旣疾俗情，作《譏俗》之書。"又曰："《譏俗》之書，欲悟俗人，故形露其指，爲分別之文。"

郭林宗著書一卷 　郭泰見史部雜傳記類。

范書本傳：林宗就成皋屈伯彥學，三年業畢，博通墳籍。善談論，美音制。乃游于洛陽。始見河南尹李膺，膺大奇之，遂相友善，于是名震京師。後歸鄉里。司徒黃瓊辟，太常趙典舉有道。或勸林宗仕進者，對曰："吾夜觀乾象，晝察人事，天之所廢，不可支也。"並遂不應。性明知人，好獎訓士類。又林宗雖善人倫，而不爲危言覈論，故宦官擅政而不能傷也。其獎拔士人，皆如所鑒，以是名聞天下。後之好事，或附益增張,故多華辭不經,又類卜相之書。今錄其章章效于事者,著之篇末。

《世說·政事篇》注:《郭泰别傳》曰:"泰字林宗,有《人倫鑒識》,題品海内人士,或在幼童,或在里肆,後皆成英彦,六十餘人。自著書一卷,論取士之本末,行遭亂,亡矣。"

按本傳節錄凡十則,末云"又識張孝仲、郝禮真等六十人,並以成名",與《别傳》所言合。蓋自記其鑒識者六十餘人也。南海伍崇曜校刊侯氏《志》跋云:"《高齋漫錄》稱郭林宗撰《玉管通神》,有云:'貴賤,視其眉宇。安否,察其皮毛。苦樂,觀其手足。貧富,觀其頤頰。'此贗書,范蔚宗所謂後之好事附益增張者也。"

許劭　月旦評

范書本傳:劭字子將,汝南平輿人也。少俊名節,好人倫,多所賞識。若范子昭、和陽士者,並顯名于世。故天下言拔士者,咸稱許、郭。初爲郡功曹,曹操微時,常卑辭厚禮,求爲己目。劭鄙其人而不肯對,操乃伺隙脅劭,劭不得已,曰:"君清平之姦賊,亂世之英雄。"操大悅而去。初劭與從兄靖俱有高名,好共覈論鄉黨人物,每月輒更其品題,故汝南俗有'月旦評'焉。司空楊彪辟,舉方正、敦樸,皆不就。後避地廣陵,投揚州刺史劉繇于曲阿。及孫策平吳,劭與繇南奔豫章而卒,時年四十六。惠氏《補注》:《豫章記》曰:"時漢興平二年也。"

《抱朴子·自敘篇》曰:"漢末俗弊,朋黨分部。許子將之徒,以口舌取戒,爭訟論議,門宗成讐。故汝南人士無復定價,而有月旦之評。魏武帝亦深疾之,欲取其首。爾乃奔波亡走,殆至屠滅。"按此似興平二年後事。

陳寔　異聞記　寔始末具史部雜傳記類。

《抱朴子·對俗篇》曰："故太丘長，潁川陳仲弓，篤論士也。撰《異聞記》云：'其郡人張廣定者，遭亂常避地。有一女，年四歲，不能步涉，又不可擔負，計棄之，固當餓死，不欲令其骸骨之露。村口有古大冢，上巔先有穿穴，乃以器盛縋之，下此女于冢中，以數月許乾飯及水漿與之而舍去。候世平定，其間三年，廣定乃得還鄉里，欲收冢中所棄女骨，更殯蕤之。廣定往視，女故坐冢中，見其父母猶識之，甚喜，而父母初猶恐其鬼也。入就之，乃知其不死。問之從何得食，女言糧初盡時，甚飢，見冢角有一物伸頸吞氣，試效之，轉不復飢，日月為之，以至于今。父母去時所留衣被，自在冢中，不行往來，衣服不敗，故不寒凍。廣定乃索女所言物，乃是一大龜耳。女出，食穀，初小腹痛，嘔逆，久許乃習。'"

明周嬰《厄林》曰："予覽《北戶錄》引陳仲弓《異聞記》曰：'東城池有王餘魚，池決，魚不得去，將死。或以鏡照之，魚看影，謂其有雙，于是比目而去。'則此書唐尚存也。"

侯《志》曰："胡元瑞《二酉綴遺》曰：'陳太丘絕不聞著書，而《抱朴子》載陳仲弓《異聞記》。《太平廣記》及《御覽》俱不載，蓋其亡已久。'康按《隋》、《唐志》無此書，唐時未必存。段公路《北戶錄》或從他處轉引。"

右小說家類，凡五家五部。

趙爽　周髀注一卷

《隋書·經籍志》：《周髀》一卷，趙嬰注。《唐·經籍志》同。《藝文志》：趙嬰注《周髀》一卷。《宋志》曆算類："趙君卿《周髀算經》二卷。"

《四庫提要》曰："舊本相承，題云漢趙君卿注。其自序稱爽以暗蔽，注內屢稱爽或疑焉。爽未之前聞，蓋卽君卿之名。然

則《隋》、《唐志》之趙嬰，殆卽趙爽之譌歟？注引《靈憲》、《乾
象》，則其人在張衡、劉洪後也。"

阮元《疇人傳》："趙爽字君卿，一曰名嬰，注《周髀算經》。其
《勾股方圓圖注》五百餘言耳，而後人數千言所不能詳者，皆
包蘊無遺，精深簡括，誠算氏之最也。李籍《周髀音義》謂爽
不知何代人，今本《周髀算經》題云漢趙君卿注，故系于漢
代焉。"

鄭玄　日月交會圖注一卷　<small>玄始末具經部易類。</small>

《隋書·經籍志》：梁有《日月交會圖》鄭玄注一卷。

張彥遠《歷代名畫記》：《日月交會九道圖》。<small>不著撰人。</small>又《日月
交會圖》一卷，鄭玄注。

　　按《日月交會圖》，不知何人作，《隋志》與《口食占》、《日月
　　薄蝕圖》相類從。<small>《名畫記》有《日月交會九道圖》，鄭氏所注，疑卽其圖。</small>

　　　　右注解天文家書。

行事史官注

《續漢書·曆志》：賈逵曰："案《行事史官注》，冬、夏至日常不
及《太初曆》五度，冬至日在斗二十一度四分度之一。"又曰：
"《四分法》與行事候注天度相應。"又曰"以今《太史官候注》
考元和二年九月已來月行牽牛、東井四十九事。云云"

《玉海》天文類曰："永平中，治曆者考《行事史官注》。"

　　按《行事史官注》，太史日行注記之書也，亦稱《行事候注》、
　　《太史官候注》。蔡邕戍邊上章云"請《太史舊注》攷校連
　　年"，則又稱《太史舊注》。《隋志》天文家有《太史注記》
　　六卷，曆數家有《太史注記》、《太史記注》各六卷，①蓋卽
　　其類。

---

① "記注"原作"注記"，《補編》本同。據《隋書·經籍志》改。

太史官日月宿簿
太史官星度課

《續漢書·曆志》：賈逵曰："臣前上傅安等用黃道度日月弦望多近。史官一以赤道度之，不與日月同，于今曆弦望至差一日以上，輒奏以爲變，至以爲日卻縮退行。于黃道，自得行度，不爲變。願請《太史官日月宿簿》及《星度課》，與待詔星象考校。奏可。"《續漢·百官志》劉昭注：《漢官》曰："靈臺待詔四十二人，其十四人候星，二人候日，三候風，十二人候氣，二人候晷景，七人候鍾律，一人舍人。"

按此二書，蓋太史令所典守者。《日月宿簿》卽日月星簿，《星度課》卽課三百六十五度之星象。賈逵以史官用赤道度弦望不合，故上請考校。復奏言：赤道非日月道，而以搖準度日月，[①]失其實行，以問典星待詔姚崇、井畢等十二人，皆曰"日月實從黃道，官無其器，不知施行"。案黃道有驗，合天，日無前卻，弦望不差一日，比用赤道密近，宜施用云云。時和帝永元四年也。至十五年，乃詔太史造黃道銅儀。

太史黃道銅儀

《續漢書·曆志》：至永元十五年七月甲辰，詔書造太史黃道銅儀，以角爲十三度，亢十，氐十六，房五，心五，尾十八，箕十，斗二十四四分度之一，牽牛七，須女十一，虛十，危十六，營室十八，東壁十，奎十七，婁十二，胃十五，昂十二，畢十六，觜三，參八，東井三十，輿鬼四，柳十四，星七，張十七，翼十九，軫十八，凡三百六十五度四分度之一。冬至日在斗十九度四分度之一。史官以郭日月行，參弦望，雖密近而不爲注日。儀，黃道與度轉運，難以候，是以少循其事。

---

① "搖"，《補編》本作"遙"。

按《隋書·天文志》云："漢孝和帝時,太史揆候皆以赤道儀與天度頗有進退,以問典星待詔姚崇等,皆曰:'星圖有規法,日月實從黃道,官無其器。'至永和十五年,詔左中郎將賈逵,乃始造太史黃道銅儀。"以銅儀爲賈逵造。《玉海》天文類亦祖其說。按范書《賈逵傳》,逵卒于永和十三年,安得有十五年造銅儀之事?反覆詳勘,得其致誤之由,蓋《續漢·律曆》下一篇,司馬彪取賈逵說以爲志,故以賈逵論曆標目,而此一段前後又皆有賈逵之論,故長孫無忌等以爲賈逵造銅儀,實則司馬彪接記後事,以"案"字別之。此一段首云"案逵論,永元四年也。至十五年七月甲辰"云云,至"少循其事",皆司馬彪之詞,與賈逵無與。後一段賈逵論《九道術》畢,復云"案史官舊有《九道術》,廢而不修"云云,至"十餘度",亦司馬彪接記後事之文也。此銅儀乃太史官所造,非賈逵造。而司馬彪所言則又本諸蔡邕、劉洪《律曆志》。

張衡　渾天儀一卷　衡始末具經部禮類。

范書本傳:安帝雅聞衡善術學,公車特徵拜郎中,再遷爲太史令。遂乃研覈陰陽,妙盡琁機之正,作渾天儀,著《靈憲》、《算罔論》,甚詳明。

《晉書·天文志》曰:"張平子既作銅渾天儀于密室中,以漏水轉之,令伺之者閉月而唱之,以告靈臺之觀天者曰:'琁璣所加,某星始見,某星已中,某星今沒。'皆如合符也。"

又《儀象篇》曰:"順帝時,張衡又制渾象,具內外規、南北極、黃赤道,列二十四氣,二十八宿,中外星官及日月五緯,以漏水轉之于殿上。室內星中出沒與天相應,因其關戾。又轉瑞輪蓂莢于階下,隨月盈虛,依曆開落。"

《宋書·天文志》:衡所造渾儀,傳之魏晉,中華覆敗,沈沒戎虜。晉安帝義熙十四年,高祖平長安,得衡舊器。儀狀雖舉,不綴經星七曜。《御覽》卷二引《義熙起居注》曰:十四年相國表曰:"聞者平長安,獲張衡所作渾儀、土圭,歷代寶器,謹遣奉送,歸之天府。"

《隋書・經籍志》:《渾天圖》一卷。失注撰人。《唐・經籍志》:《渾天儀》一卷,張衡撰。《藝文志》:張衡《靈憲圖》一卷。又《渾天儀》一卷。按《開元占經》卷一引張衡《渾儀圖》注,以是證知《隋志》《渾天圖》一卷,即張衡書。

嚴可均《全後漢文編》曰:"張衡《渾天儀》凡四條,見《續漢・律曆志》注、《北堂書鈔》、《初學記》、《類聚》、《開元占經》、《御覽》、《事類賦注》、《文選・漏刻銘》注。"

　　按《隋書・天文志》謂張衡渾儀作于桓帝延熹七年,攷范書,衡作是儀在安帝時,又衡卒于順帝永和四年,遠在延熹之前,《晉志》以爲順帝時制,則尚相近,《隋志》失之遠矣。

陸績　渾天圖一卷　　績始末具經部易類。

《吳志》本傳:作《渾天圖》,注《易》,釋《玄》,皆傳于世。

《晉書・天文志》:諸論天者雖多,然精于陰陽者,張平子、陸公紀之徒,咸以爲推步七曜之道,度曆象昏明之證候,校以四八之氣,考以漏刻之分,占晷景之往來,求形驗于事情,莫密于渾象者也。張平子既作銅渾天儀,其後陸績亦造渾象。

《開元占經》卷二:後漢末,吳人陸績字公紀,于孫權時又作《渾天儀說》,造《渾天圖》。曾于土室居,令不覺晝夜,己在內推步度數,擊鼓與外相應,而不失毫釐。

張衡　靈憲一卷

《續漢書・天文志》注引《靈憲序》曰:"昔在先王,將步天路,用定靈軌,尋緒本元。先準之于渾體,是爲正儀立度,而皇極有逌建也，樞運有逌稽也。乃建乃稽，斯經天常。聖人無心，因茲以生心，故《靈憲》作興。"《張衡傳》注亦引此序，蓋節文。

《隋書·天文志》：後漢張衡爲太史令，鑄渾天儀。總序經星，謂之《靈憲》。其大略曰："星也者，體生于地，精發于天。紫宮爲帝王之居，太微爲五帝之坐，在野象物，在朝象官。居其中央，謂之北斗，動系于占，寔系主命。四布于方，爲二十八星，日月運行，歷示休咎。五緯經次，用彰禍福，則上天之心于是見矣。中外之官，常明者百有二十四，可名者三百二十，爲星二千五百。微星之數，萬一千五百二十。庶物蠢動，咸得繫命。"而衡所鑄之圖，遇亂堙滅，星官名數，今亦不存。

《隋書·經籍志》：《靈憲》一卷，張衡撰。《唐·經籍志》：《靈憲圖》一卷，張衡撰。《藝文志》：張衡《靈憲》一卷。

嚴可均《全後漢文編》：張衡《靈憲》，見《續漢·天文志》注，《開元占經》一、又五、又六十四，《左傳序》正義、又《桓公三年》正義，《史記·天官書》正義，《隋書·天文志》，《書鈔》一百四十九、又一百五十、又一百五十六，《類聚》一、又九十五，《初學記》八，《御覽》一、又二、又四、又七、又一百五十七、又八百六十九，《廣韻》二十四鹽。

　　按白雲霽《道藏目錄》記傳類有《太上洞神五星讚》一卷，張平子撰，疑出是書及本集，道流加以"太上洞神"四字。《開元占經》六十四引韓公賓注《靈憲》。

張衡　候風地動儀

范書本傳：陽嘉元年，復造候風地動儀。以精銅鑄成，圓徑八尺，合蓋隆起，形似酒尊，飾以篆文山龜鳥獸之形。中有都柱，旁行八道，施關發機。外有八龍，首銜銅丸，下有蟾蜍，張口承之。其牙機巧制，皆隱在尊中，覆蓋周密無際。如有地動，尊則振龍機發吐丸，而蟾蜍銜之。振聲激揚，伺者因此覺知。雖一龍發機，而七首不動，尋其方面，乃知震之所在。驗之以事，合契若神。自書典所記，未之有也。嘗一龍機發而地不覺動，京師學者咸怪其無徵，後數日驛至，果地振隴西，于是皆服其妙。自此以後，乃令史官記地動所從方起。

范書《順帝本紀》：陽嘉元年秋七月，史官始作候風地動銅儀。章懷太子曰：「時張衡爲太史令，作之。」

按《隋志》五行家有《地動圖》一卷，不著撰人，似卽此書。蓋儀器必有圖，故以《地動圖》名書。《玉海》儀象門載隋臨孝恭著《地動銅儀經》一卷，則師其遺法而追述之者。

段恭　天文書二卷

常璩《廣漢士女贊》：段恭字節英，雒人也。少周流七十餘郡求師受學，經三十年，凡事馮翊駱異孫、泰山彥之章、渤海紀叔陽，遂明《天文》二卷，後爲上計掾。按此云「遂明天文二卷」，似有脫文，若但謂其明天文，則不當著卷數。

劉陶　七曜論　陶始末具經部書類。

范書本傳：陶著書數十萬言，又作《七曜論》。

蔡邕　天文志　邕始末具經部禮類。

謝沈書曰：「蔡邕撰建武以後星驗著明，以續前志。」

《續漢·天文志》注：蔡邕《表志》曰：「言天體者有三家，一曰《周髀》，二曰《宣夜》，三曰《渾天》。《宣夜》之學，[①]絕無師法。《周髀》數術具存，考驗天狀，多所違失，故史官不用。唯《渾天》者近得其情，今史官所用候臺銅儀，則其法也。立八尺圓體之度，而天地之象具，以正黃道，以察發斂，以行日月，以步五緯。精微深妙，萬世不易之道也。官有其器，而無本書，前志亦闕而不論。臣求其舊文，連年不得。在東觀，以治律未

①　「宣夜」原作「夜宣」，據《補編》本、殿本《後漢書》乙正。

竟,未及成書,案略求索。竊不自量,卒欲寢伏儀下,思惟精意,案度成數,扶以文義,潤以道術,著成篇章。罪惡無狀,投畀有北,灰滅雨絕,世路無由。宜博問羣臣,下及巖穴,知《渾天》之意者,使述其義,以裨《天文志》。撰建武以來星變慧孛占驗著明者續其後。"《宋書》八志序曰:"班氏《天文》,雖爲該舉,而不言天形,致使三天之說紛然莫辯。是故蔡邕于朔方上書,謂宜載述者也。"

《晉書·天文志》序曰:"及班固敘漢史,馬續述《天文志》,而蔡邕、譙周各有撰錄,司馬彪采之,以繼前志。"

阮元《疇人傳》論曰:"邕以才高被謗,遠徙五原,猶欲寢伏儀下,撰爲篇章,以續前志。嗚呼! 其志亦足悲矣。"

　　按《太平御覽》卷二引蔡邕《天文志》。

鄭玄　天文七政論

范書本傳: 又著《天文七政論》。

《世說·文學篇》注:《玄別傳》曰:"玄少好學書數,十三誦五經,好天文占候。"

鄭珍《鄭學錄》曰:"《天文七政論》,見范書本傳,劉知幾稱《鄭志目錄》止作《七政論》。《隋》、《唐志》已不著錄,其佚久矣。"

劉表　荆州占二卷　　表始末具經部易類。
劉叡　荆州占二十卷

《晉書·天文志》: 雜星氣篇:"漢末劉表爲荆州牧,命武陵太守劉叡集天文眾占,名《荆州占》。其雜星之體,有瑞星,有妖星,有客星,有流星,有瑞氣,有妖氣,有日月旁氣。"

《唐書·經籍志》:《荆州占》二卷,劉表撰。又二十卷,劉叡撰。《藝文志》: 劉表《荆州星占》二卷,劉叡《荆州星占》二十卷。《宋志》: 劉表《星經》一卷,《荆州占》三卷。又五行類: 劉表《荆州占》二卷。

《通志·藝文略》:《荆州劉石甘巫占》一卷,漢荆州牧劉表命武陵太守劉意集甘、石、巫咸等之占，今存一卷。按此避宋諱，故曰意。

《玉海》天文類：《崇文目》“《荆州劉石甘巫占》一卷”，《後漢志》注按即《續漢志》。引《荆州星經》，《周禮疏》引《武陵太守星傳》，《晉志》、《史記索隱》、《乾象新書》並引《荆州占》，《太平御覽》引《荆州星經》。

　　按《續漢志》注及《周禮疏》所稱引，則表所作者謂之經，叡所集者謂之傳。《隋志》有《荆州占》二十卷，宋通直郎劉嚴撰。梁二十二卷。無劉表、劉叡書。新舊《唐志》有二劉，①無劉嚴，意者嚴纂合二劉經、傳二十二卷以爲一編，《隋志》誤題嚴姓名。《舊唐志》始分析著錄，卷數相符。蓋即《七錄》之二十二卷也。表在荆州二十年，至于郊祀天地，擬議社稷，欲藉以觀時變，故有此作。嚴以通直郎而別爲《荆州占》二十二卷，揆以事理，豈其然乎？其書集天文眾占，不僅星占一端。《隋志》所題與《晉書》所稱合，蓋其本名。諸書引見甚多，《開元占經》引之尤夥。

右天文類，注釋二家，譔著十一家，凡一十三家一十六部。《宋史·藝文志》有張衡《大象賦》一卷，嚴可均《全後漢文編》云是隋李播所作，今不錄。又侯《志》有張衡《玄圖》一卷，今析入儒家類中。

編訢李梵等　四分曆三卷

《續漢書·律曆志》：“自太初元年始用《三統曆》，施行百有餘年，曆稱後天。建武八年中，太僕朱浮、大中大夫許淑等數上書，言曆不正，宜當改更。時分度覺差尚微，上以天下初定，未遑考正。至永平五年，待詔楊岑上言月食官曆不中。詔令岑署弦望月食官，復令待詔張盛、景防、鮑鄴等以《四分法》與

---

①　“唐”“舊”二字原誤倒，據上下文意乙正。

岑課。歲餘，十二年，詔書令盛、防代岑署弦望月食加時。《四分》之術，始頗施行。至元和二年，太初失天益遠，日月宿度相覺浸多，而候者皆知冬至之日日在斗二十一度，未至牽牛五度，而以爲牽牛中星，從天四分日之三，①晦朔弦望差天一日，宿差五度。章帝知其謬錯，以問史官，雖知不合，而不能易，故召治曆編訢、李梵等綜校其狀。二月甲寅，遂下詔改行《四分》，於是《四分》施行。"劉昭曰："蔡邕議曰：'梵，清河人。'"

《隋書·經籍志》：梁《四分曆》三卷，漢修曆人李梵撰。

《元史》：郭守敬《授時術》議《四分術》：東漢元和二年乙酉編訢造，行一百二十一年，至建安丙戌，後天七刻。

烏程汪曰楨《古今推步諸術攷》曰："後漢編訢《四分術》，自章帝元和二年乙酉始用此術，迄獻帝延康元年庚子，凡一百三十六年。魏初亦用此術，自文帝黃初元年庚子，迄明帝青龍四年丙辰，凡一十七年。蜀漢亦用此術，自昭烈帝章武元年辛丑，迄安樂思公炎興元年癸未，凡四十三年。吳大帝黃武元年壬寅，亦用此術一年。統計乙酉至癸未，大凡行用一百七十九年。"又曰："元郭守敬言此術用行年數譌。"

阮元《疇人傳》論曰："《漢書·志》載《四分》，上元至伐桀，十三萬二千一百一十三歲。蓋《四分》之率本在《三統》以前，東京諸儒增修其法而用之耳。"又曰："《四分術》，歲名不用超辰，五星始于合伏，爲術與《三統》異，而後世皆遵用之。至于昏旦中星、晝夜漏刻、二至晷景長短之數、黃赤宿度進退之率，則皆《三統》所未詳，始見于《四分》者也。其《論術》一篇，錢少詹大昕謂爲精微簡要，非劉洪不能作，後之步天者所宜

---

① "從"，《補編》本同，殿本《後漢書》作"後"。

寶也。"

按《四分曆法》,《續漢書·曆志》下篇備載之。《隋·經籍志》又有《四分曆》三卷,不著撰人,列在李梵之前,似未修舊本,當出前漢。又有趙隱居《四分曆》一卷,趙隱居疑卽後漢人,新、舊《唐志》:《四分曆》一卷,不著撰人,或卽此趙氏書。未得確證,今附識于此。

亶誦　廢曆

馮光　廢曆

陳晃　廢曆

《續漢·曆志》曰:中興以來,圖讖漏泄,而《攷靈曜》、《命曆序》皆有甲寅元。其所起在四分庚申元後百一十四歲,朔差卻二日。學士修之于草澤,信向以爲得正。此二家按二家謂《攷靈曜》、《命曆序》。常挾其術,庶幾施行,每有訟者。至安帝延光二年,中謁者亶誦言當用甲寅元。靈帝熹平四年,五官郎中馮光、惠棟《補注》:馮緄弟元,字公信,能理《尚書》,善推步之術,見《華陽國志》。元、光字相似,或傳寫誤。沛相上計掾陳晃按本志光和二年敕劉洪曰:司徒掾陳晃訟曆,蓋以沛相上計留爲司徒掾者。言:"曆元不正,故妖民叛寇益州,盜賊相續爲。[①] 曆用甲寅爲元,句。而用庚申,句。圖緯無句。以庚申爲元。近秦所用代周之元。太史治曆郎中郭香、劉固意造妄說,乞與本庚中元經緯有明,惠氏《補注》曰:有明,《宋志》作明文。受虛欺重誅。"乙卯,詔書下三府,與儒林明道者詳議,務得道真。以羣臣會司徒府議。議郎蔡邕議,以爲:延光元年,中謁者亶誦亦非《四分》庚申,上言當用《命曆序》甲寅元。公卿百僚參議正處,竟不施行。而光、晃曆以《攷靈曜》,二十八宿度數,及冬至日所在,與今史官甘、石舊文錯異,不

----

① 據殿本《後漢書》,"爲"下當補"害"字。

可攷校；以今渾天圖儀檢天文，亦不合于《攷靈曜》。光、晃誠能自依其術，更造望儀，以追天度，遠有驗于圖書，近有效于三光，可以易奪甘、石，窮服諸術者，實宜用之。難問光、晃，但言圖讖，所言不服。元和二年二月甲寅制書曰：“今改行《四分》，以遵于堯，以順孔聖奉天之文。”是始用《四分曆》庚申元之詔也。深引《河》、《洛》圖讖以爲符驗，非史官私意獨所興構。而光、晃以爲固意造妄說，違反經文，謬之甚者。昔堯命羲和曆象日月星辰，舜叶時月正日，湯武革命，治曆明時，可謂正矣，且猶遇水遭旱，戒以“蠻夷猾夏，寇賊姦宄”。而光、晃以爲陰陽不知，姦臣盜賊，皆元之咎，誠非其理。元和二年，乃用庚申，至今九十二歲，而光、晃言秦所用代周之元，不知從秦來，漢三易元，不常庚申。光、晃區區信用所學，亦妄虛無造欺語之愆。至于改朔易元，往者張壽王之術已課不效，宣誦之議不用，元和詔書文備義著，非羣臣議者所能變易。太尉耽、司徒隗、司空訓按本紀，陳耽、袁隗、許訓也。以邕議劾光、晃不敬，正鬼薪法。詔書勿治罪。劉昭曰：“不有君子，其能國乎？觀蔡邕之議，可以言天機矣。賢明在朝，宏益遠哉！公卿結正，足懲淺妄之徒。詔書勿治，亦深盎各之致。”

阮元《疇人傳》曰：“步算之道，惟其有效而已。光、晃執圖讖之一言以疑《四分》，邕以新元有效于今析之，真通儒之論也。今術之不能上通于古，猶古術之不能下通于今。偉哉斯言！雖聖人無以易也。使不效于今，卽合于古，無益也，苟有效于今，卽不合于古，無傷也。”

按《志》言“學士修之于草澤”，又云“常挾其術，庶幾施行”，則此三家，當時必有其書審矣。

劉洪　乾象曆五卷

袁山松書曰：劉洪字元卓，泰山蒙陰人，魯王之宗室也。延熹中以校尉應太史徵，拜郎中，遷常山長史，以父憂去官。後爲上計掾，拜郎中，檢東觀著作《律曆記》，遷謁者、穀城門候、會稽東部都尉。徵還未至，領山陽太守，卒官。洪善算，造乾象術，十餘年考驗日月，與象相應，傳于世。

徐幹《中論·曆數篇》：孝章更用四分曆舊法，元起庚辰。按此言舊法庚辰，則漢法庚申也。詳見汪氏《推步諸術考》。至靈帝時，四分曆猶復後天半日。于是會稽都尉劉洪更造乾象曆，以追日月星辰之行，考之天文，于今爲密。會宮車宴駕，京師大亂，事不施行，惜哉！

《晉書·律曆志》：漢靈帝時，會稽東部都尉劉洪考史官自古迄今曆注，原其進退之行，察其出入之驗，規其往來，度其終始，始悟《四分》于天疏闊，皆斗分太多故也。更以五百八十九爲紀法，百四十五爲斗分，作《乾象法》，冬至日日在斗二十二度。以術追日月五星之行，推而上則合于古，引而下則應于今。其爲之也，依《易》立數，遁行相號，潛處相求，名爲《乾象曆》。

《隋書·經籍志》：梁有《乾象曆》五卷，漢會稽都尉劉洪等注。按此不知合何人注本，而渾稱劉洪等注。《唐·經籍志》：《乾象曆術》三卷，劉洪撰。《藝文志》：劉洪《乾象曆術》三卷，闞澤注。

《元史》：郭守敬《授時術》議《乾象術》：建安十一年丙戌，劉洪造，行三十一年，至魏景初丁巳，後天七刻。

汪曰楨《古今推步諸術考》曰：“按此術孫吳始用之，漢魏未經行用。《元史》志云行三十一年，譌。”

　　按《乾象曆法》，《晉書·律曆志》中篇備載之。

鄭玄　乾象曆注　玄始末具經部易類。

范書本傳：凡玄所注《周易》、《尚書》、《毛詩》、《儀禮》、《禮記》、《論語》、《孝經》、《尚書大傳》、《中候》、《乾象曆》。

《世說·文學篇》注:《鄭玄別傳》曰:"年二十一,博極羣書,精曆數圖緯之言,兼精算術。"

《晉書·律曆志》:漢靈帝時,會稽都尉劉洪始悟《四分》于天疏闊,爲《乾象曆》,于前法轉爲精密。獻帝建安元年,鄭玄受其法,以爲窮幽極微,又加注釋焉。按《晉志》此一篇,似卽錄鄭氏注書序,而篇末變其文爲記述語,"獻帝建安元年"云云是也。知鄭注是書,卽在是年。《鄭學錄》、《年譜》及《著書目》皆未采引,深爲惜之。

鄭珍《鄭學錄》曰:"《乾象曆注》,見《鄭志目錄》及范書。《隋》、《唐志》不著錄,時久佚。朱子曰:'康成攷禮名數,大有功,事事都理會得,如漢律曆皆有注,儘有許多精力。'"

右正曆,凡當時行用者一家,不行者三家,後世行用者一家,注釋一家。

李梵　蘇統　九道術

《續漢書·律曆志》:賈逵論曰:"又今史官推合朔、弦、望、月食加時,率多不中,在于不知月行遲疾意。治曆李梵、鉅鹿公乘蘇統以史官候注考校,月行當有遲疾,不必在牽牛、東井、婁、角之間,又非所謂朓、側匿,乃由月所行道有遠近出入所生,率一月移故所疾處三度,九歲九道一復,凡九章,百七十一歲,復十一月合朔旦冬至,合《春秋》、《三統》九道終數,可以知合朔、弦、望、月食加時。據官注天度爲分率,以其術法上攷建武以來月食凡三十八事,差密近,有益,宜課試上。"此言賈逵所上也。于是修《九道術》。按《玉海》引文與今本頗不同,兹據以參校。

又《志》序曰:"永元中,復令史官以《九道法》候弦望,驗,無有差跌。"

惠棟《補注》:九歲一復者,《尚書緯攷靈曜》曰:"萬世不失九道謀。"鄭玄曰:"《河圖·帝覽嬉》云:黃道一,青道二出黃道

東,赤道二出黃道南,白道二出黃道西,黑道二出黃道北。"按
《宋書·曆志》引劉向論九道,其文並同。而鄭氏《書緯注》以爲《河圖帝覽嬉》文,不
知劉向引緯書,抑緯書引劉向也。

宗整　九道術

馮恂　九道術

《續漢書·曆志》:案史官舊有《九道術》,按此即指賈逵所上之術。
廢而不修。熹平中,故治曆郎梁國宗整按本志,蒙公乘宗紺之孫,梁
國蒙人也。上《九道術》,詔書下太史,以參舊術,相應。部太子
舍人馮恂課校,恂亦復作《九道術》,增損其分,與整術並校,
差爲近。太史令颺上以恂術參弦望,然而加時猶復先後天,
遠則十餘度。

宗紺　月食術

《續漢書·曆志》:永元十二年正月二十日,蒙公乘宗紺上書
言:"今月十六日月當食,而曆以二月。"至期,如紺言。太史
令巡上紺有益官用,除待詔。甲辰,詔書以紺法署。施行五
十六歲,至本初元年,天以十二月食,曆以後年正月,于是始
差。到熹平三年,二十九年之中,先曆食者十六事。

劉固　月食術

馮恂　月食術

宗誡　月食術

《續漢書·曆志》:熹平三年,太史部郎中劉固、舍人馮恂作
《月食術》。固術以歲在己未當食四月,恂術以三月,官曆以
五月。太史上課,到時施行中者。丁巳,詔書報可。其四年,
紺孫誡上書言:"受紺法術,當復改,今年十二月當食,而官曆
以後年正月。"到期如言,拜誡爲舍人。丙申,詔書聽行誡法,
光和二年歲在己未,三月、五月皆陰,太史令修、部舍人張恂
等推計行度,以爲三月近、四月遠。誡以四月。奏廢誡術,施

用恂術。其三年,誠兄整前後上書言:"去年三月不食,當以四月。史官廢誠正術,用恂不正術。"詔書下太常:"其詳案注記,平議術之要,效驗虛實。"太常就耽上選侍中韓說、博士蔡較、穀城門候劉洪、右郎中陳調于太常府,覆校注記,平議難問。恂、誠各對,說等議,誠術未有差錯之謬,恂術未有獨中之異,以無驗改未失,是以檢將來爲是者也。誠術以百三十五月二十三食爲法,其文在書籍,學者所修,施行日久,官守其業,經緯日月,厚而未愆,信于天文,述而不作。恂久在候部,詳心善意,能揆儀度,定立術數,推前校往,亦與見食相應。然協曆正紀,欽若昊天,宜率舊章,如甲辰、丙申詔書,以見食爲比。今宜施用誠術,棄放恂術,史官課之,後有效驗,乃行其法,以審術數,以順改易。耽奏聞,詔書可。恂、整、誠各復上書,恂言不當施誠術,整言不當復棄恂術。爲洪議所侵,事下永安臺覆實,皆不如恂、誠等言。劾奏謾欺。詔書報,恂、誠各以二月奉贖罪,整適作左校二月。遂用洪等,施行誠術。

王漢　月食注

《續漢書·曆志》:光和二年,萬年公乘王漢上《月食注》,自章和元年到今年凡九十三歲,合百九十六食,與官曆河平元年月錯,以己巳爲元。事下太史令修,上言"漢所作注不與見食相應者二事,以同爲異者二十九事"。尚書召穀城門候劉洪,敕曰:"今洪其詣修,與漢相參,推元謂分,①考校月食。審己巳元密近,有師法。洪便從漢受;不能對。"洪上言"漢不解說,但言先人有書而已。案漢習書,見己巳元,謂朝不聞,不知聖人獨有興廢之義,史官有附天密術。甲寅、己巳,前以施

---

① "謂",《補編》本同。殿本《後漢書》作"課"。

行,效後格而已不用。河平疏闊,史官已廢之,而漢以去事分爭,殆非其意。雖有師法,與無同。課又不近密。其說蔀數,術家所共知,無所采取"。遣漢歸鄉里。

劉洪　七曜術
劉洪　八元術

袁山松書曰:"洪善算,當世無偶,作《七曜術》傳于世。"

《續漢書·曆志》:熹平三年,常山長史劉洪上作《七曜術》。甲辰,詔屬太史部郎中劉固、舍人馮恂等課效。復作《八元術》,固等作《月食術》,並已相參。固術與《七曜》日術同。

劉洪　遲疾曆
劉洪　陰陽曆

《續漢·曆志》注:宋世治曆何承天曰:元和中,按當云光和。穀城門候劉洪始悟《四分》于天疏闊,而造《乾象法》,又制《遲疾曆》,以步月行。

《晉書·律曆志》:洪又剏制日行遲速,[①]兼攷月行,陰陽交錯,于黃道表裏,日行于赤道宿度復進有退。方于前世,轉精密矣。

阮元《疇人傳》論曰:"洪剏始《遲疾》、《陰陽》二術,後來術家莫不遵用。其爲功步算大矣。蔡伯喈稱洪'密于用算',鄭康成論《乾象》,以爲'窮幽極微',非虛譽也。"

右雜曆。

常符漏品

《續漢書·曆志》:永元十四年,太史令舒承梵等對:"案官所施漏法《令甲》第六《常符漏品》,孝宣皇帝三年十二月乙酉下,建武十年二月壬午詔書施行。率九日移一刻。"

---

① "日",原誤作"月",《補編》本同,據殿本《晉書》及上下文意改。

《隋書·經籍志》天文漏刻篇："用孝武考定星曆,下漏以追天度,亦未能盡其理。劉向《鴻範傳》記武帝時所用法云:'冬、夏二至之間,一百八十餘日,晝夜差二十刻。'大率二至之後,九日而增損一刻焉。光武之初,亦以百刻九日加減法編于《甲令》,爲《常符漏品》。"

《玉海》律曆漏刻篇:梁《漏刻經》云:"九日加減一刻,或秦之遺法,漢代施用。"

霍融　漏刻經一卷

《續漢書·曆志》:永元十四年,待詔太史霍融上言:"官漏刻率九日增減一刻,不與天相應,或時差至二刻半,不如夏曆密。"詔書下太常,令史官與融以儀校天,課度遠近。太史令舒承梵等對。其年十一月甲寅,詔曰:"告司徒、司空: 漏所以節時分、定昏明。昏明長短,起于日去極遠近,日道周圜,不可以計率分,當據儀度,下參晷景。今官漏以計率分昏明,九日增減一刻,違失其實,至爲疏數以耦法。太史待詔霍融上言,不與天相應。太常史官運儀下水,官漏失天者至三刻。以晷景爲刻,少所違失,密近有驗。今下晷景漏刻四十八箭,立成斧官府當用者,計吏到,班予四十八箭。"文多,故魁取二十四氣日所在,并黃道去極,晷景、漏刻、昏明、中星刻于下。

《隋書·天文志》漏刻篇:至和帝永元十四年,霍融上言:"官曆率九日增減一刻,不與天相應。或時差至二刻半,不如夏曆漏刻,隨日南北爲長短。"乃詔用夏曆漏刻。依日行黃道去極,每差二度四分,爲增減一刻。凡用四十八箭,終于魏晉,相傳不改。

《隋書·經籍志》:《漏刻經》一卷。又曰:"梁有後漢待詔太史霍融、何承天、楊偉等撰三卷,亡。"按此合何、楊兩家爲三卷。何,宋人。楊,晉人。

殷羕　漏刻法

《初學記》器物部：殷羕《漏刻法》曰"爲器三重，圓皆徑尺，差立于方輿跐蹦之上，爲金龍口吐水，轉注入跐蹦經緯之中，流于衡渠之下。蓋上鑄金爲司辰，具衣冠，以兩手執箭"云云。

按《魏志·武紀》建安五年云："初桓帝時，有黃星見于楚、宋之分，遼東殷馗善天文，言後五十歲有真人起于梁、沛之間，其鋒不可當。"蓋即此殷羕，桓帝時遼東人。《初學記》又于事對中兩引殷羕《漏刻法》。

右漏刻。

建初鍾律書

薛瑩書曰：上以太常樂丞鮑鄴等上樂事，下車騎將軍馬防。防奏言："建初二年七月，鄴上言：'官樂但有太簇，皆不應月律。可作十二月均，各應其月氣，乃能感天地和氣。明帝始令靈臺六律候，而未設其門。《樂經》曰：十二月行之，所以宣氣豐物也。月開斗建之門，而奏歌其律。誠宜施行。願與待詔嚴崇及能作樂器者共作治，考工給所當。'詔下太常。太常上言：'作樂器，直錢百四十六萬，請太僕作成上。'奏寢。今明詔下臣防，臣輒問鄴及待詔知音律者，皆言聖人作樂，所以宣氣致和，順陰陽也。臣愚以爲可順上天之明待，[①]因歲首令正，發太簇之律，奏雅頌之音，以立太平，以迎和氣。其條貫甚備。"詔書以防言下三公。

范書《馬援傳》：援四子，廖、防、光、客卿。防字江平，建初五年以潁陽侯特進，拜光祿勳，數言政事，多見采用。是冬，始施行十二月迎氣樂，防所上也。

又《章帝本紀》：建初五年冬，始行月令，迎氣樂。章懷太子

---

① "待"，《補編》本同，殿本《後漢書》之《續漢書·律曆志》注作"時"。

曰：“《東觀記》云：時以作樂器費多，遂獨行十月迎氣樂也。”

按《續漢·曆律志》云，元帝時，郎中京房言受學故小黃令焦延壽六十律相生之法，其術施行于史官，候部用之。元和元年，待詔候鍾律殷肜上言“官無曉六十律以準調音者。故待詔嚴崇具以準法教子男宣”云云。按漢官待詔候鍾律七人，嚴崇蓋亦待詔候鍾律者。_{史蒙上省文，故止稱待詔。}是書本京房六十律相生之法，崇與鮑鄴、馬防等共成之，而殷肜當亦與其事。

陽嘉鍾律書

范書《順帝本紀》：陽嘉二年冬十月庚午，行禮辟雍，奏應鍾，始復黃鍾，作樂器隨月律。章懷太子曰：“子爲黃鍾，律長九寸，聲有輕重長短，度量皆出黃鍾。隨月律謂《月令》_{故《章帝本紀》云始行《月令》，迎氣樂。}‘正月律中大簇，二月律中夾鍾，三月律中姑洗，四月律中仲呂，五月律中蕤賓，六月律中林鍾，七月律中夷則，八月律中南宮，九月律中無射，十月律中應鍾，十一月律中黃鍾，十二月律中大呂’。《東觀記》曰：‘元和以來，音戾不調，復修如舊。’”

按《本紀》，陽嘉元年秋七月，史官始作候風地動銅儀。章懷注曰：“時張衡爲太史令，作之。”知是書修復如舊者，亦張衡爲之。按六十律以準調音之法，唯待詔候鍾律嚴崇能知之。自建初五年，崇與馬防等成書後，後四載元和元年時崇已卒，卽無人曉準法，故殷肜上言云“官無曉六十律以準調音者”。《東觀記》亦云“元和以來，音戾不調”，蓋至是始修復之。此是張衡重修本歟？

蔡邕　劉洪　律曆志

邕《戍邊上章》有曰：“天誘其衷，得備著作郎，建言十志，皆當撰錄。先治律曆，以籌算爲本，天文爲驗，請太史舊注考校連年，往往頗有差舛，當有增損，乃可施行，爲無窮法。道至深微，不可獨議。郎中劉洪密于用算，故臣表上洪與共參思圖牒，尋繹度數適有頭角，會臣被罪，遂放邊野。”

《續漢·律曆志》論曰：“光和元年中，議郎蔡邕、郎中劉洪補續《律曆志》。邕能著文，清濁鍾律；洪能爲算，述敘三光。今攷論其業，義指博通，術數略舉，是以集錄爲上下篇。”

《晉書·律志》序曰：“蔡邕又記建武以後言律呂者，至司馬紹統采而續之。”

《晉書·曆志》序曰：“光和中，乃命劉洪、蔡邕共修律曆，其後司馬彪因之以繼班史。”

嚴可均《全後漢文編》曰：“劉昭注補志序云：律曆之篇，仍乎洪、邕所搆。則《續漢·律曆志》卽邕與劉洪書也。《文選·新刻漏銘》注引蔡邕《律曆志》。”

曆議六篇

《續漢書·曆志》編目：其一曰賈逵論曆，其二曰永元論曆，其三曰延光論曆，其四曰漢安論曆，其五曰熹平論曆，其六曰論月食。按洪、邕分此六篇，或卽依當時所存曆議之次序，故據以著錄。

按東漢曆議，光武時有太僕朱浮議、太中大夫許淑等議。明帝時有待詔楊岑、張盛、景防、鮑鄴等議，太史待詔董萌議，詔下三公太常雜議。章帝時有治曆編訢、李梵、衛承、李崇、太尉屬梁鮪、司徒屬嚴勖、太子舍人徐震、鉅鹿公乘蘇統等議。和帝時有太史令玄等議，傅安等議，典星待詔姚崇、井畢等十二人議，太史待詔張隆議，按此似卽張盛。左中郎將賈逵議。又接記靈帝時治曆郎宗整、部太子舍人馮恂、太史令單颺議。此皆議《四分曆》及《九道術》者也。逵論集狀，故謂之賈逵論曆。和帝時則有待詔太史霍融、太史令舒承梵等議，此皆議漏刻者也，謂之永元論曆。安帝時則有中謁者單誦、河南梁豐、尚書郎張衡、周興、侍中施延等議，博士黃廣、大行令任僉議，河南尹祉、太子舍人李泓等四十人議，太尉劉愷等八十四人議，尚書令陳忠義，此皆議甲寅元廢術及《太初曆》者也，謂之延光論曆。順帝時則有尚書侍郎邊韶議，詔書下三公百官雜議，太史令虞恭、治曆宗訢等議，此議《四分曆》之得失者也，謂之漢安論曆。靈帝時則五官郎中馮光、沛相上計掾陳晃議，詔書下三府與儒林明道者會司徒府議郎蔡邕、太尉陳耽、司徒袁隗、司空許訓議，此皆議光、晃甲寅元廢術者也，謂之熹平論曆。其論月食，則和帝時蒙公乘宗紺議，太史令巡議。靈帝時常山長史劉洪、太史部郎中劉固、舍人馮恂、太史令修、部舍人張恂、舍人宗誠、誠兄整議，太常就耽上選侍中韓說、博士蔡較、右郎中陳調、萬年公乘王漢等議，此皆議紺、固、恂、誠、漢五家月食術及劉洪《七曜》八元諸雜術者也，綜謂之論月食。

右律曆并曆議。

張衡　算罔論　衡始末具經部禮類。

范書本傳：衡再遷爲太史令，作渾天儀，著《靈憲》、《算罔論》，言甚詳明。

章懷太子曰："《衡集》無《算罔論》，蓋網絡天地而算之，因名焉。"

阮元《疇人傳》論曰："章懷太子稱《衡集》無《算罔論》，蓋其論已亡失矣。《九章算術》注云張衡算，又謂立方爲質，立圓爲渾，其《算罔論》之遺文與？"按《九章算術》注有東萊徐岳，漢魏時人，又有劉徽，魏晉時人，此二家爲最先。

劉洪　九京算經

唐釋慧琳《大藏音義》卷六云："十二京者，數法名也。謹按劉洪《九京算經》，從一至載數法之名，有十五等京，當第八千萬億兆京。"按當云一十八千萬億兆京，此有脫文。

按蔡中郎稱洪密于用算，此《九京算經》當是《九章算經》之誤。東萊徐岳受《乾象術》于劉洪，而岳有《九章算經》之注，意岳亦并受《九章》于洪，而更爲之注歟？則洪有《九章算經注》，在岳之先也。

王粲　算術　粲始末具經部書類。

《魏志》本傳：性善算，作《算術》，略盡其理。

右算數。

右曆算類，凡五門，綜二十八部。

何休　風角注　休始末具經部春秋類。

何休　六日七分注

范書《儒林傳》：又注訓《孝經》、《論語》、風角、七分，皆經緯典謨，不與守文同說。

范書《郎顗傳》注：風角謂候四方四隅之風，以占吉凶也。《易稽覽圖》曰："甲子卦氣起中孚，六日八十分日之七。"鄭玄注云："六以候也。八十分爲一日之七者，一卦六日七分也。"

按前代翼奉有《風角要候》、《風角鳥情》、《風角雜占》、《五音圖》，京房有《風角要占》、《風角五音占》、《周易飛候》、《六日七分》等書，並見《隋・經籍志》。言《風角》、《六日七分》者，以此兩家爲最著。何邵公所注，亦大抵此兩家之書。

鄭玄　九宮經注三卷

鄭玄　九宮行綦經注三卷

郑玄　九旗飛變一卷

范書《張衡傳》：衡以圖緯虛妄，上疏曰："臣聞聖人明審律曆以定吉凶，重之以卜筮，雜之以九宮。"又曰："律曆、卦候、九宮、風角，數有徵效，世莫肯學。"注引《易乾鑿度》曰："太一取其數以行九宮。"鄭玄注云："太一者，北辰神名也。下行八卦之宮，每四乃還于中央。中央者，北神之所居，①故謂之九宮。天數大分，以陽出，以陰入。陽起于子，陰起于午，是以太一下九宮，從坎宮始，自此而從于坤宮，自此而從于震宮，自此而從于巽宮，所以行半矣，還息于中央之宮。既又自此而從于乾宮，又自此而從于兌宮，又自此而從于艮宮，又自此而從于離宮，行則周矣，上游息于太一之星而反紫宮。行起于坎宮始，終于離宮也。"

《隋書·經籍志》：《九宮經》三卷，鄭玄注。《九宮行棊經》三卷，鄭玄注。《唐·經籍志》：《九宮行棊經》三卷，鄭玄撰。《九旗飛變》一卷，鄭玄撰，李淳風注。《藝文志》：鄭玄注《九宮行棊經》三卷。李淳風注鄭玄《九旗飛變》一卷。

鄭珍《鄭學錄》曰："按九宮、九旗，皆風角、占候家言。康成少好隱術，宜其緒餘有此。"

按《隋志》鄭注《九宮經》三卷之前，有《黃帝九宮經》一卷。鄭注《九宮行棊經》三卷之前，有《黃帝四部九宮》五卷。鄭氏所注，或卽其本。《漢志》蓍龜家有任良《易旗》七十一卷，此《九旗飛變》似卽其類。又按此三書，本傳不載，疑後人從《易緯》注中析出者。

陸績　注京房易傳三卷　積算雜占條例一卷　續始末具經部易類。

《通志·藝文略》易家：《易傳》三卷，漢京房傳，吳陸績注。

---

① "神"，殿本《後漢書》作"辰"。

陳振孫《書錄解題》易家:《京房易傳》三卷,《積算雜占條例》一卷,吳鬱林太守陸績公紀注。京氏學廢絕久矣,所謂章句者,旣不復傳,而占候之存于世者,僅若此。校之前志,什百之一二耳。今世術氏所用世應、飛伏、游魂、歸魂、納甲之說,皆出京氏。

《四庫》子部術數類提要曰:"京氏《易傳》三卷,漢京房撰,吳陸績注。其書雖以《易傳》爲名,而絕不詮釋經文,亦絕不附合《易》義。"又《簡明目錄》曰:"京氏書凡十四種,今佚十三,惟此書以近正,得傳今世。錢卜之法,實出于此。"

　　按此似卽《隋志》易家十五卷中之佚存者。

　　右注述前代書,凡三家七部。

崔篆　周易林六十四篇

范書《崔駰傳》:駰,涿郡安平人也,高祖父朝,昭帝時侍御史。生子舒,歷四郡太守。舒小子篆,王莽時爲郡文學,以明經徵詣公車。太保甄豐舉爲步兵校尉,篆辭,遂投劾歸。莽嫌諸不附己者,多以法中傷之。時篆兄發以佞巧幸于莽,母師氏能通經學、百家之言,莽寵以殊禮,賜號"義成夫人",金印紫綬,文軒丹轂,顯于新世。後以篆爲建新大尹,不得已,到官。三年,稱疾去。建武初,朝廷多建言之者,幽州刺史又舉篆賢良。篆自以宗門受莽僞寵,慚媿漢朝,遂辭歸不仕。客居滎陽,閉門潛思,著《周易林》六十四篇,用決吉凶,多占驗。范書《儒林·孔僖傳》:僖拜臨晉令,崔駰以《家林》筮之,謂爲不吉。僖果在縣三年卒。駰,篆之孫也。

《唐書·經籍志》:崔氏《周易林》十六卷。《藝文志》:崔氏《周易林》十六卷。注云崔篆。

李石《續博物志》曰:"後漢崔篆著《易林》六十四篇,或曰'卦林',或曰'象林'。"

張滿　周易林七卷

《唐書·經籍志》：《周易林》七卷，張滿撰。《藝文志》：張滿《周易林》七卷。

《經義攷》曰：張滿未詳何代人，《唐志》列于許峻之前。按《華陽國志》公孫述、劉二牧志曰："述移檄中國，稱引圖緯以惑眾。世祖報曰：'近張滿作惡，兵圍得之。歎曰爲天文所誤，恐君復誤也。'"似卽此張滿，東漢初人。

伏萬壽　周易集林十二卷

《隋書·經籍志》：《周易集林》十二卷，京房撰。《七錄》云伏萬壽撰。《唐·藝文志》：伏氏《周易集林》一卷。

《經義攷》曰：《太平御覽》引《集林》文云："占天雨否，外卦得陰爲雨，得陽不雨。其爻發變。得坎爲雨，得離不雨。坎化爲巽，先雨後風。"

按《經義攷》載此書于崔篆之前，以爲兩漢閒人。范書《儒林·伏恭傳》恭子壽，官至東郡太守，疑卽伏萬壽。其書大抵集費直、焦贛、京房諸家林占之說以爲書，或專集京氏一家之語。故《隋志》以爲京房撰，《七錄》以爲伏萬壽撰也。

許峻　易新林十卷

范書《方術傳》：許曼者，汝南平輿人也。祖父峻，字季山，善占卜之術，多有顯驗，時人方之前世京房。自云少嘗篤病，三年不愈，乃謁太山請命，行遇道士張巨君，授以方術。所著《易林》，至今行于世。

《隋書·經籍志》：《易新林》一卷，後漢方士許峻等撰。梁十卷。《唐·經籍志》：《周易新林》一卷，不著撰人。《藝文志》同。

許峻　易災條二卷

《隋書·經籍志》：《易災條》二卷，許峻撰。

《經義攷》曰：《北堂書鈔》引許氏《易災條》云："母病腹脹，蛇在井旁，當破餅甕，井沸蛇浮，五色玄黃。"又《初學記》引《易災條》云："井中有魚，似蟲出流，若當井沸，五色玄珠。"蓋亦焦氏《易林》類也。

許峻　易要決三卷

《隋書·經籍志》：《易決》一卷，許峻撰。又梁有《易要決》三卷，亡。

許峻　易雜占七卷

《隋書·經籍志》：梁有《易雜占》七卷，許峻撰。《唐·經籍志》：許氏《周易雜占》七卷，許峻撰。《藝文志》同。

周易版詞一卷

陳振孫《書錄解題》曰："《周易版詞》一卷，不知名氏，當是漢魏以前人所爲，其閒官名，皆東京制也。"

右林占之屬，凡五家八部。

景鸞　興道一篇　鸞始末具經部易類。

范書《儒林傳》：又鈔風角雜書，列其占驗，作《興道》一篇。又曰："數上書陳救災變之術。"

按《梓潼人士贊》云："撰《禮略》、《河洛交集》、《風角雜書》、《月令章句》。"以爲撰《風角雜書》，似不及范書爲得其實，今不從之。

王景　大衍玄基　景始末具農家類。

范書《循吏傳》：初，景以爲六經所載，皆有卜筮，作事舉止，質于蓍龜，而衆書錯糅，吉凶相反，乃參紀衆家數術文書、冢宅禁忌、堪輿日相之屬，適于事用者，集于《大衍玄基》云。

楊由　其平書十餘篇　由始末具兵家類。

范書《方術傳》：由少習《易》，并七政元氣、風雲占候。著書十餘篇，名曰《其平》。

張衡　黃帝飛鳥曆一卷　　衡始末具經部禮類。

《隋書·經籍志》：《黃帝飛鳥曆》一卷，張衡撰。《唐·經籍志》同。《藝文志》：張衡《黃帝飛鳥曆》一卷。

按此或張平子敘述黃帝之說，故稱《黃帝飛鳥曆》，《風角鳥情》之類歟？

鳥鳴書

《魏志·管輅傳》注：輅弟辰爲《輅別傳》敘曰：“夫晉、魏之士，見輅道術神妙，占候無錯，以爲有隱書及象甲之數。辰每觀輅書傳，惟有《易林》、《風角》及《鳥鳴》、《仰觀星書》三十餘卷，世所共有。輅獨在少府官舍，無家人子弟隨之，其亡没之際，好奇不哀喪者，盜輅書，惟餘《易林》、《風角》及《鳥鳴書》還耳。”

按管辰在魏時言《鳥鳴書》世所共有，則漢時已有之。《隋志》注云：“梁有和菟《鳥鳴書》一卷，亡。”和菟不知何時人，豈卽管公明所見者歟？

王喬　解鳥語經一卷　　喬始末見史部雜傳記類。

《隋书·經籍志》：梁有王喬《解鳥語經》一卷。

王喬　鳥情占一卷

《隋書·經籍志》：《鳥情占》一卷，王喬撰。《唐·經籍志》：《鳥情占》一卷，不著撰人。《藝文志》同。

按范書《方術傳》載葉令王喬事，而《史通·雜記篇》云：“應劭《風俗通》載楚有葉君祠，卽葉公諸梁廟也。而俗云孝明帝時，有河東王喬爲葉令，嘗飛鳧入朝。及干寶《搜神記》乃隱應所通，而收流俗怪說。旣而宋求漢事，帝取令升之書。原注謂范曄《後漢書》。編簡一定，膠漆不宜，故令俗之學者，說鳧履登朝，則云《漢書》舊記。遮彼虛詞，成茲實錄。”據此，則葉令王喬者，在漢時應仲遠已駁之，范復取《搜神記》

之說以入史，其人有無不可知，其書真偽更無從而知之。然俗說起于應仲遠之前，則此等書當亦起于其時。今姑過而錄之。

太史百忌曆

范書《蔡邕傳》：熹平六年七月，邕上封事，條宜所施行七事，其一曰"明堂月令，天子以四立及季夏之節，迎五帝于郊，所以導致神氣，祈福豐年。清廟祭祀，追往孝敬，養老辟雍，示人禮化，皆帝者之大業，祖宗所祗奉也。而有司數以蕃國疏喪，宮內產生，及吏卒小污，屢生忌故。竊見南郊齊戒，未嘗有廢，至于它祀，輒興異議。豈南郊卑而它祀尊哉？孝元皇帝策書曰：'禮之至敬，莫重于祭，所以竭心親奉，以致肅祗者也。'又元和故事，復申先典，前後制書，推心懇惻。而近者以來，更任太史。忘禮敬之大，任禁忌之書，拘信小故，以虧大典"云云。司馬彪《續漢·百官志》注：太史令一人，凡國祭祀、喪娶之事，掌奏良日及時節禁忌。

按蔡中郎所言，則漢時太史有禁忌之書審矣。《隋志》有《太史百忌曆圖》一卷。又曰："梁有《太史百忌》一卷，亡。"並不著撰人，大抵此類之書。

右雜五行書，凡七家八部。《歷代名畫記》有王粲《遁甲開山圖》，疑別一王粲。

瑞應圖二卷

晉崔豹《古今注·雜注篇》：孫亮作琉璃屏風，鏤作《瑞應圖》，凡一百二十種。《初學記》器物部亦引之。

《隋書·經籍志》：《瑞應圖》二卷，不著撰人。《歷代名畫記》有《古瑞應圖》二卷。

按吳主孫亮詎漢末未遠，其取《瑞應圖》鏤作屏風，則《瑞應圖》漢時所有。又漢畫石刻有《武氏石室祥瑞圖》，《祥瑞圖》即《瑞應圖》，武氏取以刻石，在孫亮之前。又范書《賈逵傳》注引《東觀記》云：章帝時，鳳凰、麒麟、白虎、黃龍、神雀、白燕等見于郡國者，史官不可勝紀。又司馬彪《續漢書》云：孝和時，郡國言符瑞八十餘品，咸懼虛妄，抑而不宣。《瑞應圖》當作于是時。《隋志》又有《瑞圖贊》二卷，亦不著撰人，似亦出後漢，與圖合爲一編。又班書《何武傳》云：“宣帝時，天下和平，神爵、五鳳之閒婁蒙瑞應。”則《瑞應圖》前漢時亦當有之。

太史官瑞應記
太史官災異記

《續漢·百官志》曰：“太史令一人，六百石。”本注曰：“掌天時、星歷。凡歲將終，奏新年曆。凡國祭祀、喪娶之事，掌奏良日及時節禁忌。凡國有瑞應、災異，掌記之。”

郗萌　秦災異一卷　萌始末具經部讖緯類。

《隋書·經籍志》：梁有《秦災異》一卷，後漢郎中郗萌撰，亡。

按《隋志》不引《七錄》，是書之後又有《後漢災異》十五卷，不著撰人，疑亦後漢人書。此或從《春秋災異》析出者，或“秦”爲“奏”字之誤。

應劭　建武以來災異　劭始末具史部正史類。

《續漢·五行志》序：“故泰山太守應劭、給事中董巴、散騎常侍譙周並撰建武以來災異。今合而論之，以續《前志》。”

按《五行志》劉昭注數引應劭曰、《風俗通》曰，蓋編入《風俗通義》中。故錢氏大昕、嚴氏可均輯《風俗通》佚文，并輯此篇附于後，兩家所輯並同，凡二十一條。

右祥異，凡五家五部。

右五行家，凡四類，綜二十家二十八部。

涪翁　鍼經

涪翁　診脈法

范書《方術·郭玉傳》：初，有老父不知何出，常漁釣于涪水，因號涪翁。乞食人閒，見有疾者，時下鍼石，輒應時而效，乃著《鍼經》、《診脈法》傳于世。弟子程高，尋求積年，翁乃授之。高亦隱跡不仕。

郭玉　經方頌說

范書《方術傳》：郭玉者，廣漢雒人也。少師事涪翁弟子程高，學方診六微之技，陰陽隱測之術。和帝時，爲太醫丞，多有效應，帝奇之。玉仁愛不矜，雖貧賤廝養，必盡其心力。年老卒官。

常璩《廣漢人士贊》：郭玉字通直，新都人也。明方術，伎妙用鍼，作《經方頌說》，官至太醫丞校尉。

李助　經方頌說

常璩《梓潼人士贊》：李助字翁君，涪人也。通方名校醫術，作《經方頌說》，名齊郭玉。

蔡邕　本草七卷　<small>邕始末具經部禮類。</small>

《隋書·經籍志》：梁有蔡邕《本草》七卷，亡。

張仲景　傷寒卒病論十六卷

宋林億《校上傷寒論序》曰："《名醫別錄》云：'仲景南陽人，名機，仲景其字也。舉孝廉，官至長沙太守。以宗族二百餘口，建安紀年以來未及十年稔死者三之二，而傷寒居其七，乃著論二十二篇，證外合三百九十七法，除重複，定有一百一十二方。'"《四庫提要》曰："當作一十三方，原本誤作一十二。"

《湖廣舊志·方伎傳》：張機字仲景，棘陽人。學醫于同郡張伯祖，盡得其傳。靈帝時，舉孝廉，官至長沙太守。少時與同郡何顒客游洛陽，顒謂人曰："仲景之術，精于伯祖。"著《傷寒論》十卷行世。華陀讀而喜曰："此真活人書也。"又著《金匱玉函經》，推爲醫中亞聖。又曰："晉王叔和纂次仲景《傷寒論》爲三十六卷，行于世。"

《隋書·經籍志》：梁有張仲景《辨傷寒》十卷，亡。《唐·藝文志》：張仲景《傷寒卒病論》十卷。

陳振孫《書錄解題》曰："《傷寒論》十卷，漢長沙太守南陽張機仲景撰。建安中人，其文辭簡古奧雅，又名《傷寒卒病論》，凡一百一十二方。古今治傷寒者，未有能出其外者也。"

南昌喻昌《尚論篇》曰"張仲景著《卒病傷寒論》十六卷。其《卒病論》六卷已不可復睹，卽《傷寒論》十卷亦劫火之餘，僅得之口授。其篇目先後差錯，賴有三百九十七法，一百一十三方之名目可爲校正"云云。

《四庫提要》曰："喻昌作《尚論篇》，于叔和編次之舛、序例之謬，及成無己所注，林億等所校之失，攻擊尤詳；皆重爲考定，自謂復長沙之舊本。其書盛行于世。然叔和爲一代名醫，又去古未遠，其學當有所受。無己于斯一帙，研究終身，亦必深有所得，未可概從屏斥，盡以爲非。"

　按喻氏言，則《隋》、《唐志》及陳《錄》所載但有《傷寒論》十　卷，其《卒病論》六卷梁時已無存矣。卒，讀如"卒然"之卒。

張仲景　金匱玉函經八卷

龜氏《讀書志》曰："《金匱玉函經》八卷，漢張仲景撰，晉王叔和集。設答問雜病形證脈理，參以療治之方。仁宗朝，王洙得于館中，用之甚效。合二百六十二方。"

　按此乃王洙于館閣蠹簡中得之之原本，洙錄爲三卷。上卷論傷寒，中論雜病，下載其方，併療婦人，名曰《金匱玉函要略》，見陳氏《書錄解題》。而陳《錄》又言"今書仍其舊名"云云，則又非王洙所錄之舊。此八卷本，康熙時有重刊本，日本國人《經籍訪古志》載之。

張仲景方十五卷

《隋書・經籍志》：《張仲景方》十五卷，注云仲景，後漢人。《唐日本國人見在書目》：《張仲景方》九卷。《唐・經籍志》：《張仲景藥方》十五卷，王叔和撰。《藝文志》：王叔和《張仲景藥方》十五卷。

按王應麐《漢藝文志攷證》引皇甫謐曰："仲景論伊尹湯液爲十數卷。"按《漢志》經方家有《湯液經法》三十二卷，仲景所論定者蓋卽是書。舊或有伊尹姓名，《七略》以其不類削之歟？

張仲景　療婦人方二卷

張仲景　評病要方一卷

《隋書・經籍志》：張仲景《療婦人方》二卷。又曰：梁有張仲景《評病要方》一卷。

張仲景　五藏論一卷

張仲景　口齒論一卷

張仲景　療黃經一卷

張仲景　脈經一卷

《崇文總目》：《五藏論》一卷，張仲景撰。又曰：張仲景《口齒論》一卷。《宋史・藝文志》：張仲景《療黃經》一卷。《通志・藝文略》：張仲景《脈經》一卷。

按《湖廣志》言王叔和纂次張仲景書爲三十六卷，今據《隋》、《唐》、《宋志》、鼂氏《志》、《通志・略》所載，凡九種四十六卷，其中重複互見，不可知已。

衛汎　四逆三部厥經一部

衛汎　婦人胎藏經一卷

衛汎　小兒顱顖經方一卷

《太平御覽》七百二十二引《張仲景方》序曰："衛汎好醫術，少師仲景，有才識，撰《四逆三部厥經》及《婦人胎藏經》、《小兒顱顖方》三卷，皆行于世。”

華陀方十卷
華陀　觀形察色并三部脈經一卷
華陀　枕中灸刺經一卷
華陀　内事五卷

范書《方術傳》：華陀字元化，沛國譙人也，一名旉。游學徐土，兼通數經。曉養性之法，年且百歲而猶有壯容，時人以爲仙。沛相陳珪舉孝廉，太尉黃琬辟，皆不就。精于方藥，處齊不過數種，心識分銖，不假稱量，鍼灸不過數處。若疾發結于内，鍼、藥所不能及者，乃令先以酒服麻沸散，旣醉無所覺，因刳破腹背，抽割積聚。若在腸胃，則斷截湔洗，除去疾穢。旣而縫合，傅以神膏，四五日刱愈，一月之閒皆平復。曹操聞而召佗，常在左右。操積苦頭風眩，佗鍼，隨手而差。爲人性惡，難得意，且恥以醫見業，又去家思歸，乃就操求還取方，因託妻疾，數期不反。操累書呼之，又敕郡縣發遣，佗恃能厭事，猶不肯至。操大怒，使人廉之，知妻詐疾，乃收付獄訊，考驗首服。荀彧請曰：“佗方術實工，人命所懸，宜加全宥。”操不從，竟殺之。佗臨死，出一卷書與獄吏曰：“此可以活人。”吏畏法不敢受，佗不強與，索火燒之。廣陵吳普、彭城樊阿皆從佗學。

《魏志》本傳：佗死後，太祖頭風未除，太祖曰：“佗能愈。此小人養吾病欲以自重。然吾不殺此子，亦終當不爲我斷此根原耳。”及後，愛子倉舒病困，太祖歎曰：“吾悔殺華佗，令此兒彊死也。”按《魏志·武文世王公傳》：鄧哀王沖字倉舒，年十三，建安十三年病亡。則佗之被殺，在是年之先。

《隋書·經籍志》：《華佗方》十卷，吳普撰。佗後漢人。又曰：

"華佗《觀形察色并三部脈經》一卷。"又曰："華佗《枕中灸刺
經》一卷。"又曰："梁有華佗《內事》五卷，亡。"《唐·經籍志》：
《華氏藥方》十卷，注云《華佗方》，吳普撰。《藝文志》：吳普集
《華氏藥方》十卷，注云華佗。

華佗　五禽訣一卷

范書《方術傳》：廣陵吳普從佗學，佗語普曰："人體欲得勞動，
但不當使極耳。動搖則穀氣得銷，血脈流通，病不能生，譬猶
戶樞，終不朽也。是以古之仙者爲導引之事，熊經鴟顧，引挽
腰體，動諸關節，以求難老。吾有一術，名五禽之戲：一曰虎，
二曰鹿，三曰熊，四曰猨，五曰鳥。亦以除疾，兼利蹏足，以當
導引。體有不快，起作一禽之戲，怡而汗出，因以著粉，身體
輕便而欲食。"普施行之，年九十餘，耳目聰明，齒牙完堅。

章懷太子曰："《佗別傳》曰：'吳普從佗學，微得其方。魏明帝
呼之，使爲禽戲，普以年老，手足不能相及，颺以其法語諸醫。
普今年將九十，耳不聾，目不冥，齒牙完堅，飲食無損。'"

《宋史·藝文志》道家："華佗《老子五禽六氣訣》一卷。"

華氏中藏經一卷

陳振孫《書錄解題》曰："《中藏經》一卷，漢譙郡華佗元化撰。
其序稱應靈洞主少室山鄧處中，自言爲華先生外孫，莫可
攷也。"

孫星衍刻書序曰："《華氏中藏經》，見鄭譙《通志·藝文略》，
爲一卷。《書錄解題》同，云譙郡華佗元化撰。今世傳本有八
卷，吳勉學刊在《古今醫統》中。余在都見趙文敏手寫本卷
上、卷下，失其中卷。後在吳門見周氏所藏元人寫本，亦稱趙
書，具有上、中、下三卷。合前後二本校勘，明本每篇脫落舛
誤有數百字，其方藥名件、次序、分量，俱經後人改易，或有刪
去其方者。今以趙寫兩本爲定。此書文義古奧，似是六朝人

所撰，非後世所能假託。鄧處中之名，不見書傳，其序疑僞作。"

　　按華元化一卷書已自焚于獄中，《隋志》所載四種及《五禽訣》，大抵皆其弟子吳普、樊阿、李譖之等所譔録。《中藏經》則又以後人綜録其書爲一裹者。《御覽》八百六十七引《華佗施論》曰"苦茶久食，益意思"，不知在何書中。

鄭玄　漢宮香方注　_{玄始末具經部易類。}

宋張邦基《墨莊漫録》：《漢宮香方》，鄭康成注。沈水香，二十四銖，著石蜜復湯齎，_{銅鐵輩皆病香。}以指嘗試，飲甲則已。_{南海賈胡貴一種香木，末如蜜房，色澤正黃，可減甲。}以寒水炭四焙之。青木香，十二之一，可酌省之；雞舌香，以其子，勿以其母，_{青木香用二錢。}合擣如泥，_{沈水得蠻蜜，煙黃而氣鬱。}投初齎蜜中，媒使相悅，閼以黃堊，蜜隙陷不律地，薶之一月中許出之，投龍腦六銖，麝損半，一鑪注如芡子，薰鬱鬱，略聞百步中人也。_{今太官加蜜齎，紅螺加麝，外家效之以珠臘。}此方，魏道甫_{按魏泰，字道輔也。}強記面疏以示洪炎玉父，意其失古語。其後相國寺庭中買得古葉子書雜鈔，有此注，改正十餘字。

《四庫》雜家雜說類提要曰："《墨莊漫録》十卷，宋張邦基撰，南北宋閒人也。其書多記雜事，亦頗及攷證，如鄭玄注《漢宮香方》之類，亦頗資博識。宋人說部之可觀者也。"

鄭珍《鄭學録》曰："按方與注，文詞簡奧，墨莊得之洪氏，復買古鈔中有之，則非道輔僞造可知。觀此不獨見康成有許多精力，益足信其無一物不知也。"

右醫家類，凡八家二十四部。

殿閣畫贊五十卷

《隋志》集部總集篇：《畫讚》五卷，漢明帝殿閣畫，魏陳思王讚。梁五十卷。《唐·經籍志》史部雜傳類：《畫讚》五十卷，漢明帝撰。《藝文志》雜傳記類：漢明帝《畫讚》五十卷。

張彥遠《名畫記·敍畫之興廢》曰：“漢明雅好丹青，別開畫室。”又《敍畫之源流》曰：“是以漢明宮殿，贊茲粉繪之功。”又曰：“馬后女子，尚願戴君于唐堯。”事見《藝文類聚》七十四引陳思王《畫讚序》。

又《述古之祕畫珍圖》曰：“漢明帝畫宮圖五十卷。第一起庖犧，五十雜畫讚。漢明帝雅好畫圖，別立畫官，詔博洽之士班固、賈逵輩，取諸經史事，命尚方畫工圖畫，謂之《畫讚》。至陳思王曹植爲《贊傳》。”

按《初學記》職官部引蔡質《漢官典職》曰：“尚書奏事于明光殿，省中畫古烈士，重行畫贊。”蓋每圖有贊，故曰《畫贊》，班、賈諸儒所作也。至陳思王，又繫以小傳，故張彥遠云‘曹植爲《贊傳》’，贊後而繫以傳也。《隋志》稱陳思王贊，非是。

南宮雲臺功臣列將圖

范書列傳第十二論曰：“中興二十八將，前世以爲上應列宿，未之詳也。永平中，顯宗追感前世功臣，乃圖畫二十八將于南宮雲臺。其外有王常、李通、竇融、卓茂合三十二人。故依其本第係之篇末，以志功臣之次云爾。”

范書《馬援傳》：永平初，援女立爲皇后。顯宗圖畫建武中名臣、列將于雲臺，以椒房故，獨不及援。東平王蒼觀圖，言于帝曰：“何故不畫伏波將軍像？”帝笑而不言。

天竺釋迦立像

《隋書·經籍志》：後漢明帝夜夢金人飛行殿庭，以問于朝，而傅毅以佛對。帝遣郎中蔡愔及秦景使天竺，得佛經及釋迦立像，并与沙門攝摩騰、竺法蘭東還。愔之来也，以白馬負經，因立白馬寺于洛陽雍同西以處之。其經緘于蘭臺、石室，而又畫像于清源臺及顯節陵上。

梁釋慧皎《高僧傳》：蔡愔又于西域得畫釋迦像，是優填王栴檀像師第四作也。既至洛陽，明帝即令畫工圖寫，置清涼臺中及顯節陵上。舊像今不復存焉。

鴻都門學圖

范書《靈帝本紀》："光和元年二月，始置鴻都門學生。"章懷太子曰："其中諸生，皆敕州郡三公舉召，能爲尺牘辭賦及工書鳥篆者，相課試至千人焉。"又《蔡邕傳》云："光和元年，遂置鴻都門學，畫孔子及七十二弟子像。"

張彥遠《名畫記·敘畫之興廢》曰："靈帝刱立鴻都學，以集奇藝，天下之藝雲集。"又《述古之祕畫珍圖》曰："《鴻都門圖》，圖孔聖七十子。"又曰："劉旦、楊魯並光和中畫手，待詔尚方畫于洪都學，二人並見謝承《後漢書》。"

鴻都文學圖贊

范書《酷吏·陽球傳》：球拜尚書令，奏罷鴻都文學，曰："伏承有敕中尚方爲鴻都文學樂松、江覽等三十二人圖象立贊，以勸學者。案松、覽等皆出于微蔑斗筲小人。臣聞圖象之設，以昭勸戒，欲令人君動鑒得失。未聞豎子小人，詐作文頌，而可妄竊天官，垂象圖素者也。今太學、東觀足以宣明聖化。願罷鴻都之選，以消天下之謗。"書奏不省。

益州禮殿圖

宋沈作喆《寓簡》曰："王逸少帖云：'成都學有文翁、高联石室，及漢太守張收畫三皇五帝三代君臣與仲尼七十弟子畫，皆精妙可觀。'"任預《益州記》：文翁學堂經火災，联修復繕，立圖畫聖賢古人象及禮器瑞物。

《玉海》五十七引《益州記》云："成都學有周公禮殿，舊記云漢獻帝時立。"又曰："益州太守高联修周公禮殿記。初平五年九月。”

洪适《隸釋》曰：“益州太守高眹修周公禮殿記，[①]今在成都。眹再作石室，在文翁石室之東。又東卽周公禮殿，規模古質，井斗異制，柱皆削方，上狹下廣，刻記于東南之一柱，亦木爾。歐陽氏以爲《文翁石柱記》者，誤也。自興平甲戌至于乾道丁亥，千有三年，殿宇巋然如故。由唐顯慶以來，以孔子爲先聖，今禮殿無周公像矣。政和中，郡守席貢有請詔，封文翁爲廬江伯，高眹爲陳留伯，在從祀之列云。”

宋祁《文翁祠碑》云：“公爲禮殿，以舍孔子及七十二子之像，殿右廡作石室，舍公像其中。後人又作高眹像偶公室。”

　按《隋志》史部雜傳篇有《蜀文翁學堂像題記》二卷，舊、新《唐志》有《益州文翁學堂圖》一卷，並不著撰人，皆此類之書。張彥遠《名畫記·敘畫之源流》曰“蜀郡學堂義存勸戒之道”，亦卽謂此圖也。

劉褒　雲漢圖

劉褒　北風圖

　張彥遠《名畫記》：劉褒，漢桓帝時人，曾畫《雲漢圖》，人見之覺熱，又畫《北風圖》，人見之覺凉。官至蜀郡太守，見孫暢之《述畫記》及張華《博物志》。

　按《雲漢》、《北風》皆取詩人之意而爲圖，猶世之有《豳風圖》也，故《經義攷》列之詩類中。張氏澍《蜀典·故事篇》謂楊由兵《雲氣圖》卽劉褒《雲漢圖》，非也。

蔡邕　赤泉侯畫贊　邕始末見經部禮類。

蔡邕　講學圖

---

①　“禮殿”，原作“殿禮”，據洪氏晦木齋刻本《隸釋》及上下文意乙正。

蔡邕　小列女圖

張彥遠《歷代名畫記》曰：“邕工書畫，靈帝詔邕畫赤泉侯五代將相于省，注云喜、震、叔節、賜、彪。按叔節，楊秉字。謂楊喜、楊震、楊秉、楊賜、楊彪五人也。兼命爲贊及書。邕書畫及贊，皆擅名于代，時稱三美。見《東觀漢記》及孫暢之《述畫記》。”又曰：有《講學圖》、《小列女圖》傳于代。

宋郭若虛《圖畫見聞志》曰：“古之祕畫珍圖，雖不能盡見其蹟，前人載之甚詳，典範如《毛詩圖》、《爾雅圖》，其次則後漢蔡邕有《講學圖》。”

按劉向《別錄》云：“臣向與黃門侍郎歆所校《列女傳》，畫之于屏風四堵。”此《列女傳圖》之大者也。米芾《畫史》云：“今士人家收得唐摹顧筆謂晉顧凱之也。《列女圖》，至刻板作扇，皆是三寸餘云云。”此所謂《小列女圖》也，蓋本之蔡中郎。今儀徵阮氏重刊宋本圖繪《列女傳》，是其遺架之彷彿者。

趙岐　壽藏畫贊　岐始末具史部雜傳記類。

張彥遠《歷代名畫記》曰：“岐，京兆長陵人。多才藝，善畫，自爲《壽藏》于郢城，畫季札、子產、晏嬰、叔向四人居賓位，自居主位，各爲贊頌。獻帝建安六年，官至太常卿，見范曄《東漢書》。”

楊修　西京圖

楊修　嚴君平像

楊修　吳季札像

范書《楊震傳》：震，弘農華陰人也。中子秉，秉子賜，賜子彪。彪子修，字德祖，好學，有俊才，爲丞相曹操主簿。操忌修，且以袁術之甥慮爲後患，遂因事殺之。注引《續漢書》曰：“時年四十五。”《魏志·陳思王傳》注：魚豢《典略》曰：“楊修字德祖，太尉彪子也。建安中，舉孝廉，除郎中，丞相請署倉曹屬、主簿。是時，軍國多事，修總知外內，事皆稱意。自魏太子以下，並爭與交好。臨菑侯植後以驕縱見疏，而植故連綴修不止，修亦不敢自絕。至二十四年秋，公以修前後漏泄言教，交關諸侯，乃收殺之。修臨死，謂故人曰：'我固自以死之晚也。'其意以爲坐曹植也。修死後百餘日而太祖薨。"

張彥遠《歷代名畫記》曰："楊修有《西京圖》、《嚴君平像》、《吳季札像》並晉明帝題字傳于代。

麒麟鳳凰圖像

洪适《隸釋》曰："麒麟鳳凰碑，凡二石，其像高二尺餘，圖寫甚有深意，所題四字頗大。漢代鳳凰集郡國頻有之，惟麒麟不多見耳。此刻亦猶李翕黃龍白鹿碑之類也。又有山陽麟鳳碑，二物共一石，其像小于此碑，像下有贊云：'天有奇鳥，名曰鳳凰。時下有德，民富國昌。黃龍嘉禾，皆不隱藏。漢德巍巍，分布宣揚。'又云：'天有奇獸，名曰麒麟。時下有德，安國富民。忠臣竭節，義以修身。闕愆采善，明明我君。'碑陰有記云：'永建元年，山陽太守河内孫君新刻瑞像。'最後有銘辭，皆篆文也。"

洪适《隸續》曰："麒麟鳳凰碑，各以二字題其上，漢人所圖二瑞，獨此最爲奇偉。"

孝堂山石室畫像

青浦王昶《金石萃編》曰："石室三閒，在肥城縣，畫象共十幅，石高廣尺寸不一。"

阮元《山左金石志》：陽曲申太令兆定云："孝堂山畫像，舊說是郭巨石室。案諸家金石書載李剛、魯峻、武氏皆有石室畫象，大都雕刻聖賢故事，及其人所歷官職。此畫象中驪騎、步卒、大車、屬車、鼓車、儀衛甚都，雖無題識，要非郭巨墓中所應有。而斬馘獻俘、覆車墮河二段，亦非無謂而作。覆車著戒，固是古人用心，然一車兩馬，驪從如雲，非泛常可比。意者即爲墓中人實錄,未可知也。"元案此論甚確,前幅永建題字有"來過此堂叩頭謝賢明"之語,賢明乃感頌之辭,似非爲郭巨而作。後人失傳,以堂近郭墓,遂皆沿爲郭巨之墓耳。

故從事掾武梁祠堂畫像

趙明誠《金石錄》:《武氏石室畫象》五卷。武氏有數墓,在今濟州任城。墓前有石室,四壁刻古聖賢畫象,小字八分,書題記、姓名,往往爲贊于其上,文詞古雅,字畫遒勁可喜,故盡錄之,以資博覽。

洪适《隸釋》:《武梁祠堂畫象》所畫者,古帝王、忠臣、義士、孝子、賢婦,各以小字識其旁。有爲之贊者,其事則《史記》、兩《漢史》、《列女傳》諸書,合百六十有二人。有標題者八十七人,其十一人磨滅不可辨。又有鳥獸、草木、車蓋、器皿、屋宇之屬甚眾。趙德夫則云"武氏石室畫像",而不能辨此畫爲武氏誰人冢前者。予案任城有從事掾武梁碑,以威宗元嘉元年立,其辭云:"孝子仲章、季章、季立,孝孫子僑,躬修子道,竭家所有,選擇名石,南山之陽,擢取妙好,色無斑黃。前設壇墠,後建祠堂。良匠衛改,雕文刻畫,羅列成行,攄騁技巧,委蛇有章。"似是謂此畫也。故予以"武梁祠堂畫象"名之。

王昶《金石萃編》:《武梁祠堂畫象》共三石,今在嘉祥縣武宅山。所畫人物衣冠、車馬室屋、臺殿樓閣、鳥獸花木之類,細筆鉤勒,極工緻而又極古樸,且能狀其情事,神吻畢肖。《金石錄》云五卷者,以搨本分裝爲五卷也。孫星衍《寰宇訪碑錄》云:"孔子見老子畫象,原在嘉祥武宅山,黃小松移濟寧州學。"

武氏祠左石室畫象

王昶《金石萃編》:畫象共十石,惟第一石有題字。今在嘉祥武宅山。

阮元《山左金石志》:武氏左石室畫象,乾隆己酉秋李鐵橋等平治祠基時所得。

武氏祠前石室畫象
武氏祠後石室畫象
武氏祠南道旁畫象
武氏祠東北墓閒畫象

王昶《金石萃編》：武氏前石室畫象共十五石，三石無字。今在嘉祥縣武宅山，尚有後石室畫象九石，祠南道旁、祠東北墓閒畫象各一石，皆無題字。

阮元《山左金石志》：武氏前石室畫象刻古帝王、忠孝烈士奇跡，皆同武梁畫象，亦用分書題識其名，惟不作韻語耳。

武氏祠石室祥瑞圖

王昶《金石萃編》：武氏石室祥瑞圖畫象共二石，今在嘉祥武宅山。第一石畫三層，題字共十六榜。第二石畫三層，題字者二層，共二十三榜。

錢塘黃易跋曰：“武梁石室殘石三，刻人物、鳥獸，有小人分書標題，其語句孫氏《瑞應圖》及《宋書·符瑞志》所載約略相同。東漢崇尚圖讖，故圖刻乃爾。石背若瓦脊，是爲石室之頂，其内題刻，可以仰觀也。是刻前人著錄所未及。《嘉祥縣志》云：‘石室内刻伏羲以來祥瑞。’所指卽此，因名之曰《武氏祠祥瑞圖》。”

王昶又曰：“案武氏之有碑者，梁也，斑也，榮也。其見于石闕銘者，則有始公、綏宗、景興、開明。其見于梁碑者，有仲章、季章、季立、子僑。東漢武氏閥閱之盛，略可概見。而范書中無一語齒及，良可怪也。”按梁字綏宗，故從事。開明，吳郡丞。斑字宣張，敦煌長史。榮字含和，執金吾丞，兗州刺史部濟陰郡人也。

故武都太守李翕黽池五瑞圖

曾鞏《南豐集》：漢五都太守漢陽阿陽李翕伯都西狹頌，建寧四年立也。稱翕嘗令澠池,治崤嶔之道,有黃龍白鹿之瑞。其後治武都,又有嘉禾甘露、木連理之祥。皆圖畫其像,刻石在側。錢大昕《金石文跋尾》曰:"李翕在武都,吏民立碑頌德,不一而足。而《後漢書·皇甫規傳》稱屬國都尉李翕多殺降羌,倚恃權貴,不尊法度,規到官條奏其罪,蓋後來治行或減于前,而石刻亦容有溢美也。"

大興翁方綱《兩漢金石記》曰:"《隸釋》、《續隸》皆題曰李翕五瑞碑,實則西狹頌磨崖畫像耳。其字亦一手所書也。蓋以別記其澠池之事,故別爲標題也。"

王昶《金石萃編》曰:"李翕澠池五瑞圖磨崖,高六尺八寸五分,廣四尺二寸。圖上方左一龍,右一鹿,下方左二樹,交枝槃結,中一禾九莖,右一樹,樹下一人,手執物上承之象。題字六處:曰黃龍,曰白鹿,曰嘉禾,曰木連理,曰甘露降,曰承露人。圖後題字二行,圖下題名三人。今在成縣。"按題名上祿上官正、楊嗣,下辨李京,蓋即此三人所刻也。李京與西狹頌題名之李虔、李旻、李遂、李瑾同爲下辨巨族,而李虔疑即續服氏《通俗文》者。

故荊州刺史李剛石室畫象

酈道元《水經注》:鉅野黃水南有荊州刺史李剛墓,剛字叔毅,山陽高平人。熹平元年卒。有祠堂石室三間,四壁隱起,雕刻君臣官屬、龜龍麟鳳之文,飛禽走獸之象,作制工麗,不甚傷毀。

洪适《隸續》曰:"酈氏所載古碑百餘,惟李剛、魯峻二墓有圖畫。"

故司隸校尉魯峻石室畫像

趙明誠《金石錄》曰:"碑云君諱峻,字仲巖,山陽昌邑人。酈道元注《水經》引戴延之《西征記》曰:'焦氏山北金鄉山,有漢司隸校尉魯恭冢,冢前有石祠,堂中四壁皆青石隱起,自書契以來忠臣、孝子、節婦、孔子及七十二弟子形像,像邊皆刻石記之。今墓與石室尚存，惟此碑爲人輦至任城縣學矣。'余嘗得石室所刻畫像，與延之所記合。又其他地理書如《方輿志》、《寰宇記》之類，皆作'峻'，惟《水經》誤轉寫爲'恭'爾。"

劉村洪福院畫像

王昶《金石萃編》：周公輔成王畫象共三石，畫三層，下層題字共三榜。今在嘉祥縣劉村。

偃師武億《授堂金石跋》：《漢隸字源》載成王周公畫象，多齊、魯閒漢公卿墓中物。近黃小松得之汶上兩城山，足徵婁氏說非誣。

焦城村畫象

王昶《金石萃編》：周王、齊王畫象共二石，今在嘉祥縣焦城村，第一石畫三層，惟上層有題字一榜，第二石畫三層，惟中層有題字一榜。

射陽石門畫象

王昶《金石萃編》：孔子見老子畫像共二石，畫三層，上層題字共三榜，今在寶應縣射陽聚。又曰："門人汪中來書云：'寶應東七十里射陽聚，爲漢射陽古城，多古墓，曰雙敎者，有石門畫像。'"

按漢畫石刻，蜀中及山左出土爲多，見于酈道元以下諸家著錄者，尚有三數十。然多無題識，亦或殘碎不成章段。今但錄最著，以見大凡。

右畫之屬，凡三十目。

北海敬王睦　草書尺牘十首　睦始末具經部春秋類。

范書《宗室四王列傳》：睦又善史書，當世以爲楷則。及寢疾，帝驛馬令作草書尺牘十首。章懷太子曰："《說文》云：牘，書版也，蓋長一尺，因取名焉。"

《東觀記》曰："睦善草書，臨病，明帝驛馬令作草書尺牘十首焉。"

杜度　章草書

《晉書·衛恆傳》：恆作《四體書勢》，曰：“漢興而有草書，不知作者姓名。至章帝時，齊相杜度，號善作篇。”《書畫譜》引文云“號稱善作”，蓋有所改易也。

唐張懷瓘《書斷》曰：“後漢杜度或作杜操。字伯度，京兆杜陵人，御史大夫延年曾孫，章帝時爲齊相，善章草。雖史游始草書，傳不紀其能，又絕其迹。觚其神妙，其唯杜公。蔡邕《勸學篇》云：‘齊相杜度，美守名篇。’”

唐竇泉《述書賦》：“草分章體，肇起伯度。時君重而立名，自我存而作故。”竇蒙注云：“杜操字伯度，京兆人，終後漢齊相。章帝貴其蹟，詔上章表，故號章草。今見草書五行。”《書繼》云：“建初中，杜度善草，見稱于章帝。上貴其跡，詔使草書上事。”

　　按《法書要錄》載趙壹《非草書》云：上計掾趙壹，詳見別集類。“余郡士有梁孔達、姜孟穎者，皆當世之彥哲也。然摹張生之草書，過于希顏焉。孔達寫書以示孟穎，皆口誦其文，楷其篇，按楷上當有‘手’字。無怠倦焉。于是後生之徒競慕二賢，守令作篇，人撰一卷，以爲祕玩。”其曰張生者，謂弘農張芝，師杜度者也。“守令作篇”者，言守定杜度作篇，傳寫臨摹也。張芝臨杜度，梁、姜二人又臨張芝。蔡中郎云“美守名篇”，衛黃門云“號善作篇”，或度所作草書勢有《美守》、《善作》等篇目歟？梁周興嗣《千字文》“杜藁鍾隸”，杜藁即指此。

崔瑗　篆書勢　　瑗始末具經部小學類。

崔瑗　草書勢

范書《崔駰附傳》：瑗所著有《草書勢》。

《唐·經籍志》經部小學類：《飛龍篇篆草勢合》三卷，崔瑗撰。

《藝文志》小學類：崔瑗《飛龍篇篆草勢合》三卷。

張懷瓘《書斷》曰：“崔瑗字子玉，官至濟北相，文章蓋世。善章草，師于杜度，點畫之間，莫不調暢，張伯英祖述之。韋誕云：杜氏傑有骨力，而字畫微瘦。崔氏法之，書體甚濃，結字工巧，時有不及。”又曰：“子玉書遺跡絕少，又妙小篆，今有張平子碑。”又曰：“子玉章草入神，小篆入妙。”

嚴可均《全後漢文編》曰：“勢，一作體。《晉書·衛恆傳》、《初學記》二十一引《草書勢》兩條。”

蔡邕　篆勢
蔡邕　隸勢

范書本傳：蔡邕所著有《篆勢》。

嚴可均《全後漢文編》曰：“蔡邕《篆勢》，《晉書·衛恆傳》、《藝文類聚》七十四、《初學記》二十一、《御覽》七百四十九並引之，今見本集。”又曰：“《隸勢》或是衛恆作，本集有之，姑不刪。”

　　按《蔡中郎集》有《隸書勢》，張懷瓘《書斷》上卷亦明引蔡邕《隸書勢》。其文與《晉書·衛恆傳》同，特有所刪節耳。或以本傳不載《隸勢》，遂以《隸勢》爲衛恆作，疑本集誤收。今攷衛恆撰《四體書勢》，惟首一段汲冢古文，以前賢無作古文書勢者，故恆自作之，謂之字勢。其他篆隸二體，皆取蔡邕《篆勢》、《隸勢》。章草一體，則取崔瑗《草書勢》。故其言曰：“媿不廁前賢之作，冀以存古人之象。古無別名，謂之字勢。”其下邕作《篆勢》曰云云，又其下作《隸勢》曰云云。“作”字上或攷去“邕”字，或蒙上文省去“邕”字，要皆邕所作，非恆作也。又按衛黃門《四體書勢》，張懷瓘《書斷》咸附著于篇，曰衛恆《古文贊》，曰蔡邕《大小篆贊》，曰蔡邕《隸書勢》，曰崔瑗《草書勢》，其文並與《晉書》同。此尤足證明者也。

曹喜　筆論一卷

北魏江式《論書表》曰：“後漢郎中扶風曹喜，號曰工篆。小異斯法，而甚精巧，自是後學皆其法也。”

張懷瓘《書斷》曰：“曹喜字仲則，扶風平陵人。建初中爲祕書郎，篆隸之工，收名天下。蔡邕云‘扶風曹喜，建初稱善’。衛恆云‘喜善小篆，異于李斯’。邯鄲淳師焉。”

《書畫譜》引唐玄度《十體書》曰：“喜善懸鍼法，後世行之，以題五經篇目。”又曰：“喜作垂露篆，以書章表奏事，謂其點綴如輕露。”又王羲之《筆勢傳》曰：“喜見李斯《筆勢》，悲歡不已，作《筆論》一卷。”

張芝　筆心論五卷

范書《張奐傳》：奐長子芝，字伯英，最知名。芝及弟昶字文舒，並善草書，至今稱傳之。

張懷瓘《書斷》曰：“張芝字伯英，燉煌人。父煥，爲太常，徙居弘農華陰。伯英名臣之子，幼而高操，勤學好古，經明行修。朝廷以有道徵，不就，故時稱張有道。實避世潔白之士。好書，凡家之衣帛皆書而後練。尤喜章草，出諸杜度、崔瑗，龍驤豹變，青出于藍。又劫爲今草，天縱尤異，韋仲將謂之草聖。其章草《金人銘》，可謂精熟至極。其草書《急就章》，字皆一筆而成，合于自然，可謂變化之極。其行書則二王之亞也。又善隸書，以獻帝初平中卒。伯英章草，草行入神，隸書入妙。”

《書畫譜》引《書勢傳》曰：“芝見蔡邕作《筆勢》，遂作《筆心論》五篇。”

右書之屬，凡六家八部。

蔡倫　造紙法

范書《宦者傳》：蔡倫字敬仲，桂陽人也。以永平末始結事宮掖，建初中，爲小黃門。和帝卽位，轉中常侍，豫參帷幄。倫有才學，盡心敦愼，數犯嚴顏，匡弼得失。後加位尚方令。永元九年，監作祕劍及諸器械，莫不精工堅密，爲後世法。自古書契多編以竹簡，其用縑帛者謂之爲紙。縑貴而簡重，並不便于人。倫乃造意，用樹膚、麻頭及敝布、魚網以爲紙。元興元年奏上之，帝善其能，自是莫不從用焉，故天下咸稱“蔡侯紙”。元初元年，鄧太后以倫久在宿衛，封爲龍亭侯。後爲長樂太僕。以初受竇后諷旨，誣陷安帝祖母宋貴人，帝敕使自致廷尉，飲藥死，國除。注引《湘州記》曰：“耒陽縣北有漢黃門蔡倫宅，宅西有一石臼，云是舂紙臼也。”則倫是桂陽耒陽人也。

《初學記》文部：古者以縑帛依書長短，隨事截之，名曰幡紙。故其字從絲，貧者無之，或用蒲寫書。至後漢和帝元興，中常侍蔡倫剉故布擣鈔作紙，又其字從巾。魏人河閒張揖上《古今字詁》，其巾部云“紙今帋”，則其字從巾之謂也。一云倫擣故魚網作紙，名網紙。後人以生布作紙，絲綖如麻，名麻紙。以樹皮作紙，名穀紙。注云：見《董巴記》及《博物志》。按范書《賈逵傳》“與簡紙經傳各一通”。簡，竹簡；紙，卽此所謂幡紙，仍是縑帛。時蔡侯紙尚未出也。

按史言元興元年奏上云云者，上其所造之帋，并奏其意造之法，欲使天下齊同其製，從而用之。其事固可想見也。當時或纂入尚方故事中。又按“自古書契”以下云云，似卽據其本奏中語。

班固　弈旨一篇　固始末見經部小學類。

《藝文類聚》巧藝部：晉曹攄《圍棋賦序》曰：“昔班固造弈旨之論，馬融有圍棋之賦，擬軍政以爲本，引兵家以爲喻。”

嚴可均《全後漢文編》曰:"班固《弈旨》,《藝文類聚》七十四、《太平御覽》七百五十三、《古文苑》並引之。"

按《類聚》引文稍多,《御覽》所引更略,然末後三語爲《類聚》所無。知與《古文苑》所載,皆非其全文也。

應瑒　弈勢一篇

《魏志·王粲附傳》:始文帝爲五官將,及平原侯植皆好文學。粲與汝南應瑒字德連並見友善。太祖辟爲丞相掾屬,轉平原侯庶子,後爲五官將文學。建安二十二年卒。裴松子注引華嶠、司馬彪書曰:瑒祖奉,延熹中至司隸校尉,子劭,官至泰山太守,劭弟珣,字季瑜,司空掾,即瑒之父。

嚴可均《全後漢文編》曰:"應瑒《弈勢》,《藝文類聚》七十四、《太平御覽》七百五十三並引之。"

按《類聚》、《御覽》所引亦非其全文,前史有著錄《嘯旨》、《書勢》者,故今亦以《弈旨》、《弈勢》別著于篇。

梁冀[①]　彈棊經一卷　冀事蹟具史部雜傳記類。

范書《梁統附傳》:冀爲人裁能書計,少爲貴戚,逸游自恣。性嗜酒,能挽滿、彈棊、格五、六博、蹴鞠、意錢之戲,又好臂鷹走狗、騁馬鬥雞。

章懷太子曰:"《藝經》曰:'彈棊,兩人對局,白黑棊各六枚,先列棊相當,更先彈也。其局以石爲之。'"

《宋史·藝文志》:梁冀《彈棊經》一卷。

按本傳言冀善彈棊,容有是作,前史或并入他人書,故不顯。至宋始明著于錄。夫冀之爲冀,後世亦未必有人肯嫁史于彼者矣。

右雜藝之屬,凡四家四部。

---

① "冀",原誤作"基",據《補編》本、上下文意改。

馬援　銅馬相法　<small>援始末具史部故事類。</small>

范書本傳：援好騎，善別名馬，于交阯得駱越銅鼓，乃鑄爲馬式，還上之。因表曰：“夫行天莫如龍，行地莫如馬。馬者甲兵之本，國之大用。安寧則以別尊卑之序，有變則以濟遠近之難。昔有騏驥，一日千里，伯樂見之，昭然不惑。近世有西河子輿，亦明相法。子輿傳西河儀長孺，長孺傳茂陵丁君都，君都傳成紀楊子阿，臣援嘗師事子阿，受相馬骨法。攷之于行事，輒有驗效。臣愚以爲傳聞不如親見，視景不如察形，今欲形之于生馬，則骨法難備具，又不可傳之于後。孝武皇帝時，善相馬者東門京鑄作銅馬法獻之，有詔立馬于魯班門外，則更名魯班門曰金馬門。臣謹依儀氏䩭，中帛氏口齒，謝氏脣鬐，丁氏身中，備此數家骨相以爲法。”馬高三尺五寸，圍四尺四寸。有詔置于宣德殿下，以爲名馬式焉。

按傳注引援《銅馬相法》，又《御覽》八百九十六引馬援《銅馬相法》尤詳。又《董卓傳》“卓壞五銖錢，更鑄小錢，悉取洛陽長安銅人、鍾虡、飛廉、銅馬之屬以充鑄”，則此馬毀于董卓。《隋志》五行家“梁有《關中銅馬法》二卷，亡。”疑合東門氏、馬氏爲一書。

相鷹經

相印經

相笏經

《魏志·夏侯玄傳》注：《魏氏春秋》引《相印書》曰：“相印法，本出陳長文。長文以語韋仲將，仲將問長文從誰得法，長文曰：‘本出漢世，有《相印》、《相笏經》，又有《鷹經》、《牛經》、《馬經》。’”<small>陳羣字長文。韋延字仲將。</small>

按《相牛經》、《相馬經》並出前漢，已錄入《漢志拾補》。此三書或當出後漢，故錄于此。

左慈　助相規誡一卷　助字當是"形"字之刊誤。

范書《方術傳》：左慈字元放，廬江人也。少有神道，嘗在司空曹操坐，操懷不喜，因坐上欲收殺之。慈乃卻入壁中，霍然不知所在，或見于市者，又捕之，而市人皆變形與慈同，莫知誰是。後人逢慈于陽城山頭，因復逐之，遂走入羊羣，莫知所取焉。

章懷太子曰："魏文帝《典論》論卻儉等事曰'潁川卻儉能辟穀，餌伏苓，甘陵甘始名善行氣，老而少容。廬江左慈知補導之術，並爲軍吏'云云。"

隋蕭吉《五行大義·論人配五行篇》：左慈《相訣》云："人頭員以法天，足方以象地。左目爲日，右目爲月。左眉爲青龍，右眉爲白虎，鼻爲句陳，伏犀爲朱雀，玉枕爲玄武。"又云："前爲朱雀，後爲玄武，左爲青龍，右爲白虎，是曰四體。頭爲句陳，是身之主。"又曰："左耳後爲太山，右耳後爲華山，額爲衡山，頂後爲恆山，鼻爲嵩高山。"

《崇文總目》道書類：左慈《真人助相規戒》一卷。

《宋史·藝文志》五行家：左慈《助相規戒》一卷。

按蕭氏引左慈《相訣》，知左慈實有其書矣，至宋猶傳此一卷。《隋志》不著錄者，大抵皆彙入眾家相書四十六卷中。

趙炳　越方

范書《方術傳》：徐登者，閩中人也。本女子，化爲丈夫。善爲巫術。又趙炳字公阿，東陽人，能爲越方。時遭兵亂，疾疫大起，二人遇于烏傷谿水之上，遂結言約，共以其術療病。各相謂曰："今既同志，且可各試所能。"登乃禁谿水，水爲不流。炳復次禁枯樹，樹即生荑。二人相視而笑，共行其道焉。登年長，炳師事之。後登物故，炳東入章安，百姓從者如歸。章安令惡其惑眾，收殺之。人爲立祠室于永康，至今蚊蚋不能入也。

章懷太子曰:"《抱朴子》曰:'道士趙炳,以氣禁人,人不能起。禁虎,虎伏地,低頭閉目,便可執縛。以大釘釘柱,入尺許,以氣吹之,釘卽躍出射去,如弩箭之發。'《異苑》云:'趙侯以盆盛水,吹氣作禁,魚龍立見。'越方,善禁呪也。至今江南猶傳趙侯禁法以療疾云。"

惠棟《後漢書補注》曰:"《徐登傳》出《搜神記》。趙炳,《搜神記》及《水經注》皆作'趙昞'。《抱朴子》曰:'吳越有禁呪之法,甚有明效,多炁耳。'孫汝澄曰:'越方,卽《封禪書》所謂越巫、越祝者也。"

　按《隋志》五行家"梁有《太玄禁經》一卷",似卽此類之書。

　今俗所謂《辰州符祝由科》者,亦卽其類。

　　右雜術之屬,凡六家六部。

右雜藝術類,凡四種,綜四十八目。

後漢藝文志卷四

集文類四：曰楚辭，曰文史，曰別集，曰總集。附錄二種，曰佛經，曰道書。

班固　離騷經章句一卷　　固始末具經部小學類。

《楚辭章句》班孟堅序云：“昔在孝武，博覽古文。淮南王安敘《離騷傳》，以爲‘《國風》好色而不淫，《小雅》怨悱而不亂，若《離騷》者，可謂兼之。蟬蛻濁穢之中，浮游塵埃之外，皭然泥而不滓，推此志，雖與日月爭光可也’。斯論似過其真。又說‘五子以失家巷’，謂五子胥也。及至羿、澆、少康、貳姚、有娀佚女，皆各以所識有所增損，然猶未得其正也。故博采經書傳記本文，以爲之解。”

賈逵　離騷經章句一卷　　逵始末具經部書類。

王逸《離騷經敘》曰：“孝武皇帝恢廓道訓，使淮南王安作《離騷經章句》。逮至劉向典校經書，分爲十六卷。孝章即位，深弘道藝，而班固、賈逵復以所見改易前疑，各作《離騷經章句》，其餘十五卷，缺而不說。”

　　按王叔師所言，班、賈兩家皆以正淮南之失而更爲之注。

馬融　離騷傳一卷　　融始末具經部易類。

范書本傳：注《孝經》、《論語》、《詩》、《易》、三《禮》、《尚書》、《列女傳》、《老子》、《淮南子》、《離騷》。

王逸　楚辭章句十六卷　　逸始末具史部地理類。

范書《文苑傳》：著《楚辭章句》，行於世。

逸自序曰：“逮至劉向典校經書，分爲十六卷，而班固、賈逵各作《離騷經章句》。其餘十五卷，缺而不說。又以壯爲狀，一作

"扶"。義多乖異,事不要括。今臣復以所識所知,稽之舊章,合之經傳,作十六卷章句。雖未能究其微妙,然大指之趣,略可見矣。"

《唐書·經籍志》:《楚辭》十六卷,王逸撰。《藝文志》:王逸注《楚辭》十六卷。

　　按逸自序稱臣,則當時嘗進於朝。其本迄劉向《九歎》止於十六卷,其自撰《九思》一篇不連在内。兩《唐志》所載,似即其相傳經進本。

王逸　楚辭章句别本十七卷

《隋書·經籍志》:《楚辭》十二卷,并《目錄》,後漢校書郎王逸注。又曰:"校書郎王逸集屈原已下,迄於劉向。逸又自爲一篇,并敘而注之。今行於世。"《宋史·藝文志》:《楚辭》十七卷,後漢王逸章句。

《四庫提要》曰:"《楚辭章句》十七卷,漢王逸撰。初,劉向裒集屈原《離騷》以迄向所作《九歎》,共爲《楚辭》十六卷,是爲總集之祖。逸又益以己作《九思》一篇,與班固二敘爲十七卷,而各爲之注。其《九思》之注,宋洪興祖疑其子延壽所爲。逸注雖不甚詳核,而去古未遠,多傳先儒之訓詁。故李善注《文選》,全用其文。《抽思》以下諸篇注中,往往隔句用韻。如'哀憤結縎,慮煩冤也','哀悲太息,損肺肝也','中心結屈,如連環也'之類,不一而足。蓋仿《周易》象傳之體,亦足以攷證漢人之韻。而吳棫以來談古韻者,皆未徵引,是尤宜表而出之矣。"

　　右注解,四家五部。

梁竦　悼騷一篇

范書《梁統傳》:統,安定烏氏人。子松,松弟竦字叔敬,少習《孟氏易》,弱冠能教授。後坐兄松事,與弟恭俱徙九真。既

徂南土,歷江、湖,濟沅、湘,感悼子胥、屈原以非辜沈身,廼作
《悼騷賦》,繫玄石而沈之。顯宗後詔聽還本郡,辟命交至,並
無所就。有三男三女,肅宗納其二女,皆爲貴人。小貴人生
和帝,竇皇后養以爲子。建初八年,諸竇譖殺二貴人,而陷竦
等以惡逆。竦死漢陽獄中。和帝永元九年,追封諡竦爲褒親
愍侯。

宋洪興祖《楚辭・九思篇》補注曰:"揚雄有《廣騷》,梁竦有
《悼騷》,不知王逸奚罪其文,不以二家之述爲《離騷》之兩
派也。"

嚴可均《全後漢文編》曰:"梁竦《悼騷賦》,傳注引《東觀記》載
其文。"

梁竦　七序

范書《梁統附傳》:竦坐兄松事,徙九真,顯宗後詔聽還本郡。
竦閉門自養,以經籍爲娛,著書數篇,名曰《七序》。班固見而
稱之曰:"孔子著《春秋》而亂臣賊子懼,梁竦作《七序》而竊位
素餐者戚。"

　　按《七序》之文,今不可攷見。《御覽》載晉傅玄作《七謨
序》,歷數漢魏人所作篇目,亦無《七序》之名,劉勰《文心雕
龍》亦未述焉。袁宏《紀》云:"作經書數篇,名曰《七序》。"
豈說經之文歟?而范史不云經書。觀夫班氏之稱述,則有
似乎諷諭在位者。今姑從《楚辭》、東方朔《七諫》之例列
之此。

應奉　感騷三十篇　奉始末具史部史鈔類。

范書本傳:及黨事起,奉乃慨然以疾自退,追愍屈原,因以自
傷,著《感騷》三十篇,數十萬言。

　　右撰著,二家三部。

右楚辭類，凡二門，綜六家八部。

光武受命中興頌

范書《東平憲王傳》：永平十五年春，行幸東平。帝以所作《光武本紀》示蒼，蒼因上《光武受命中興頌》。帝甚善之，以其文典雅，特令校書郎賈逵爲之訓詁。

《東觀記》曰：“蒼上《世祖受命中興頌》，上甚善之，以問校書郎此與誰等，皆言類揚雄、相如，前世史岑之比。”

班固　典引篇一卷

固序曰“永平十七年，臣與賈逵、傅毅、杜矩、展隆、郗萌等召詣雲龍門小黃門，趙宣持《秦始皇本紀》問臣等曰：‘太史遷下贊語中寧有非耶？’臣對：‘此贊賈誼《過秦篇》云：向使子嬰有庸主之才，僅得中佐，秦之社稷，未宜絕也。此言非是。’卽召臣入問：‘本聞此論非耶，將見問意開寤耶？’臣具對‘素聞知狀詔，因曰司馬遷以身陷刑之故，微文刺譏，貶損當世，非誼士也。司馬相如至於疾病而頌述功德，言封禪事，忠臣效也，賢遷遠矣。臣固嘗伏誦聖論，昭明好惡，不遺微細，緣事斷誼，動有規矩。臣固不勝區區，竊作《典引》一篇’”云云。

范書本傳：固又作《典引篇》，述敘漢德。以爲相如《封禪》，靡而不典，揚雄《美新》，典而不實，蓋自謂得其致焉。

《文心雕龍·封禪篇》：“班固《典引》，體因紀禪。”又曰：“《典引》所敘，雅有懿采，歷鑒前作，能執厥中。其致義會文，斐然餘巧。故稱《封禪》麗而不典，《劇秦》典而不實’。豈非追觀易爲明，循勢易爲力歟！”

臨邑侯復　漢德頌

范書《宗室四王傳》：建武三十年，封北海王興子復爲臨邑侯。又曰：“臨邑侯復好學，能文章。永平中，每有講學事，輒令復

典掌焉。與班固、賈逵共述漢史，傅毅等皆宗事之。”章懷太
子曰：“復，光武兄伯升之孫也。”

范書《劉平傳》：顯宗初，尚書僕射鍾離意上書薦平及東萊王
符等，有詔，皆拜議郎。永平中，臨邑侯劉復著《漢德頌》，盛
稱符爲名臣云。

琅邪王京　頌德詩賦

范書《光武十王列傳》：琅邪孝王京，建武十五年封琅邪公，十
七年進爵爲王。京性恭孝，好經學，顯宗尤愛幸，賞賜恩寵殊
異，莫與爲比。永平五年，乃就國。京都莒，好修宮室，窮極
伎巧，殿館壁帶皆飾以金銀，數上詩賦頌德，帝嘉美，下之史
官。立三十一年薨。

傅毅　顯宗頌十篇

范書《文苑傳》：傅毅字武仲，扶風茂陵人也。少博學。永平
中，于平陵習章句。建初中，肅宗博召文學之士，以毅爲蘭臺
令史，拜郎中，與班固、賈逵共典校書。毅追美孝明皇帝功德
最盛，而廟頌未立，乃依《清廟》作《顯宗頌》十篇奏之，由是文
雅顯於朝廷。爲車騎將軍馬防軍司馬，及馬氏敗，免官歸。
永元元年，車騎將軍竇憲復請毅爲主記室，及憲遷大將軍，復
以毅爲司馬，卒。《困學紀聞》曰：“《論衡》云：‘班孟堅頌孝明。’孟堅頌今亡，
蓋當時頌明帝者不止傅氏一家，傅特其最著者。”

《太平御覽》五百八十八引《文章流別傳》曰：“傅毅《顯宗頌》，
文與《周頌》相似，而雜以《風》、《雅》之意。”

嚴可均《全後漢文編》曰：“《文選》曹植《責躬詩》注引傅毅《上
明帝頌表》，張華《勵志詩》注引傅毅《顯宗頌》。”

王景　金人論　景始末具子部農家類。

范書《循吏傳》：建初七年，遷徐州刺史。先是，杜陵杜篤奏上
論遷都，欲令車駕遷還長安。耆老聞者，皆動懷土之心，莫不

眷然佇立西望。景以宮廟已立,恐人情疑惑,會時有神雀諸瑞,乃作《金人論》,頌洛邑之美,天人之符,文有可采。

楊終　封禪書　終始末具史部正史類。

《華陽國志·蜀郡人士贊》:終坐事徙邊,作《孤憤詩》,後又作《生民詩》,制《封禪書》,皆傳於世者。按常道將所言,楊子山當有詩文集行世,而《七錄》、《隋志》皆無其目。

楊終　嘉瑞頌十五章

范書本傳:終坐事徙北地,帝東巡狩,鳳皇、黃龍並集,終贊頌嘉瑞,上述祖宗鴻業,凡十五章奏上,詔貰還故郡。按事在章帝元和二年。又《賈逵傳》:逵上奏曰:"是以麟鳳百數,嘉瑞雜遝。"章懷太子曰:"章帝時,鳳皇見百三十九,麒麟五十二,白虎二十九,黃龍三十四,神雀、白燕等史官不可勝紀。見《東觀記》。"

崔駰　四巡頌　駰始末具史部儀制類。

范書本傳:元和中,肅宗始修古禮,巡狩方嶽。駰上《四巡頌》以稱漢德,辭甚典美。《玉海》卷六十引此,下有"文多故不載"五字。帝雅好文章,自見駰頌後,常嗟歎之,謂侍中竇憲曰:"卿寧知崔駰乎?"對曰:"班固數為臣說之,然未見也。"帝曰:"公愛班固而忽崔駰,此葉公之好龍也。試請見之。"駰由此候憲,入為上客。

嚴可均《全後漢文編》曰:"崔駰《四巡頌》,《初學記》十三、《藝文類聚》三十七、《御覽》三百四十、又五百三十七引數條,并上表。"

史岑　和熹鄧后頌

《文選·史孝山出師頌》注云:"漢有二史岑,字子孝者仕王莽之末,字孝山者當和熹之際,書典散亡,未詳孝山爵里。《文章志》及《集林》、今書《七志》並載岑《出師頌》,而《流別集》及《集林》又載岑《和熹鄧后頌》并序。"

《太平御覽》五百八十八引《文章流別集》曰："史岑爲《出師頌》、《和熹鄧后頌》，與《魯頌》體意相類，而文辭之異，古今之變也。"

《文心雕龍·頌讚篇》曰："武仲之美顯宗，史岑之述熹后，或擬《清廟》，或範《駉》、《那》，雖淺深不同，詳略各異，其襃德顯容，典章一也。"

按范書《和熹鄧后紀》，元初五年，平望侯劉毅以太后多德政，上書安帝，請令史官著《長樂宮聖德頌》，帝從之。此或卽是《聖德頌》之一，審如是，則史岑者，安帝時史官也。

劉毅　漢德論幷憲論十二篇

范書《文苑傳》：劉毅，北海敬王子也。初封平望侯，永元中，坐事奪爵。毅少有文辯稱。元初元年，上《漢德論》幷《憲論》十二篇。時劉珍、鄧耽、尹兌、馬融共上書稱其美，安帝嘉之，賜錢三萬，拜議郎。<small>毅上此論，下東觀，諸儒詳定，於是劉珍等四人上言稱其美，其事固可相見也。</small>[1]

又《宗室四王傳》：北海敬王睦，立十年薨，子哀王基嗣。永平十八年，封基二弟爲縣侯，二弟爲鄉侯。建初二年，又封基弟毅爲平望侯。[2] 毅有才學，永寧中，鄧太后召毅及劉騊騄入東觀，與謁者僕射劉珍著中興以下名臣列士傳。

王逸　漢詩百二十篇　<small>逸始末見史部地理類。</small>

范書《文苑傳》：又作《漢詩》百二十三篇。

曹朔　漢頌四篇

范書《文苑·蘇順傳》：[3]又有曹朔，不知何許人，作《漢頌》四

---

① "相"，《補編》本作"想"。
② "弟"，原作"地"，據殿本《後漢書》及上下文意改。
③ "范"原作"漢"，據《補編》本改。

篇。按扶風曹氏，世大族，疑卽曹壽、曹成、曹眾之同族。

右文史類，凡一十二家一十三部。

按《隋·經籍志》以詩文中之解釋評論者并附見於總集篇，《崇文總目》始於別集後立爲文史類，《唐·藝文志》又兼用《隋志》之例，次總集末。今變其例，以詩賦論頌之關乎史事者類爲此篇，其文皆發揚盛美，潤色鴻業，朝夕論思，日月獻納，非私家編錄可比，故冠於別集類之首焉。

王莽中謁者史岑集二卷

范書《文苑·王隆傳》：初，王莽末，沛國史岑子孝亦以文章顯，莽以爲謁者，著頌、誄、《復神》、《說疾》凡四篇。章懷太子注云：“岑一字孝山，著《出師頌》。”《文選·出師頌》注云：“漢有二史岑，字孝山者當和熹之際，字子孝者仕莽末。”章懷此注誤爲一人。按史岑當亦卒於建武時，故范以王隆合傳。

《博物志》：元始元年中，謁者沛郡史岑上書訟王宏奪董賢璽綬之功。按王宏卽王閎，詳見史部雜傳記類。

《史通·正史篇》：《史記》所書年止漢武，其後劉向、向子歆及諸好事者若揚雄、史岑等相次撰續，迄於哀、平閒。

《隋書·經籍志》：梁有《王莽中謁者史岑集》二卷。《唐·經籍志》：《史岑集》二卷。《藝文志》同。

王莽建新大尹崔篆集一卷　篆始末具子部五行類。范書本傳注曰：“莽改千乘郡曰建新，守曰大尹。”

范書《崔駰傳》：篆自以宗門受莽僞寵，慚媿漢朝，臨終作賦以自傷悼，名《慰志》。

《隋書·經籍志》：梁有《王莽建新大尹崔篆集》一卷，亡。

《唐·經籍志》：《崔篆集》一卷。《藝文志》同。

嚴可均《全漢文編》：崔篆有集一卷，今惟見《崔駰傳》所載《慰志賦》一篇。

六安郡丞桓譚集二十六篇　譚始末具經部樂類。

范書本傳：所著賦、誄、書、奏凡二十六篇。

《文心雕龍・才略篇》："桓譚著論，富號猗頓。宋弘稱薦，爰比相如，而《集靈》諸賦，偏淺無才，故知長於諷論，不及麗文也。"

《隋書・經籍志》：梁有《桓譚集》五卷，亡。《唐・經籍志》：《後漢桓譚集》二卷。《藝文志》同。

嚴氏《全後漢文編》：桓譚有集五卷，本傳有《陳時政疏》、《抑讖重賞疏》，《北堂書鈔》、《藝文類聚》有《仙賦》并序，《文選注》有《上便宜》、《陳便宜》、《啟事》、《答揚雄書》，凡七篇。

侍中蘇竟集

范書本傳：竟字伯況，扶風平陵人也。平帝世，以明《易》爲博士講《書》祭酒。善圖緯，能通百家之言。王莽時，與劉歆等共典校書，拜代郡中尉。光武即位，就拜代郡太守。建武五年冬，詣京師，拜侍中。數月，以病免。初，延岑護軍鄧仲況擁兵據南陽陰縣爲寇，而劉歆兄子龔爲其謀主。竟時在南陽，與龔書曉之曰云云。又典仲況書諫之，文多不載，於是仲況與龔遂降。竟終不伐其功，潛樂道術，作《記誨篇》及文章傳世。年七十，卒於家。

《隋書・天文志》曰："漢之傳天數者，光武時則有蘇伯況、郎雅光，並能參伍天文，發揚善道，補益當時，監垂來世。"按郎顗字雅光，范書有傳，實安帝時人。

按是集《隋志》不著錄，非無集也，蓋久佚之耳。今唯據史傳及他書所載者，錄而存之，下並同此例。竟在先漢爲《易》博士，與劉歆典校中祕書，固兩漢間碩儒。其《記誨篇》似別爲一袠，不知當何屬。今附《於此》。不別出。《隋志》所云"發揚善道，補益當時"者，今亦唯本傳所載《與劉孟公書》略見之。

新汲令王隆集二十六篇　隆始末見史部職官類。

范書《文苑傳》：隆能文章，所著詩、賦、銘、書凡二十六篇。

《隋書·經籍志》：梁有《王隆集》二卷，亡。《唐·經籍志》：《王文山集》二卷。《藝文志》同。

泰山都尉夏恭集二十卷

范書《文苑傳》：夏恭字敬公，梁國蒙人也。習《韓詩》、《孟氏易》，講授門徒常千餘人。王莽末，盜賊縱橫，攻沒郡縣，恭以恩信爲眾所附，擁兵固守，獨安全。光武即位，嘉其忠果，召拜郎中，再遷太山都尉。恭善爲文，著賦、頌、詩、《勵學》凡二十篇。四十九卒官。四上脫"年"字。諸儒共謚曰宣明君。

司徒掾陳元集一卷　元始末具經部春秋類。

范書本傳：上疏請建立《左氏春秋》，上疏言不宜令司隸督察三公，後辟司徒歐陽歙府，數陳當世便事、郊廟之禮。子堅卿，有文章。又《儒林·歐陽歙傳》：歙死獄中，歙掾陳元上書追訟之，言甚切至。按歙死時在建武十五年。又按《寶章傳》云："章好學，有文章。"《七錄》有《寶章集》二卷，此云堅卿有文章，則堅卿亦當有集，今不可攷。或并附其父集後。故范氏合而言之，未可知也。

《隋書·經籍志》：梁又有《司徒掾陳元集》一卷，亡。

嚴氏《文編》：陳元有集一卷，今本傳有《上疏難范升》、《奏左氏不宜立博士》、《上疏駁江馮督察三公議》各一篇。

議郎衛宏集七首　宏始末具經部書類。

范書《儒林傳》：宏作《漢舊儀》四篇，又著賦、頌、誄七首，皆傳於世。

嚴氏《文編》：《史記·鼂錯傳》、《儒林傳》正義、《後漢書·陳蕃傳》注引衛宏《詔定古文官書序》。按宏之遺文僅此。并不在賦、誄、頌七首之內。

徐令班彪集九篇　彪始末具史部正史類。

范書本傳：所著賦、論、書、記、奏事合九篇。

《文心雕龍·才略篇》曰："二班兩劉，奕葉繼采。舊說以爲固文優彪，歆學精向。然《王命》清辨，《新序》該練。璠璧產於崑岡，亦難得而踰本矣。"又《哀弔篇》云："自賈誼浮湘，發憤弔屈，首出之作也。班彪、蔡邕，並敏於致語，然影附賈氏，難爲並驅耳。"

《隋書·經籍志》：《後漢徐令班彪集》二卷，梁五卷。《唐·經籍志》：《班彪集》二卷。《藝文志》：《班彪集》三卷。

嚴氏《文編》：班彪有集五卷，今諸書所引有《覽海賦》、《北征賦》、《冀州賦》、《悼離騷》、《復護羌校尉疏》、《上言宜復置烏桓校尉》、《上言宜選東宮及諸王國官屬》、奏事、上事、奏議、《答北匈奴與京兆丞郭季通書》、《與金昭卿書》、《王命論》、《史記論》，凡一十四篇。

按本傳，彪爲望都長，卒官。《隋志》題徐令，其初入朝時所除官也，或舊集原題如此。又史言光武問竇融"所上奏章誰與參定"，融對"皆從事班彪所爲"，則《融傳》及袁宏《紀》所載《上書歸誠》、《上書請征隗囂》、《與隗囂書》，並在河西時事，或叔皮之辭。

雲陽令朱勃集二卷

《東觀記》：朱勃字叔陽，扶風平陵人。年十二，能誦《詩》、《書》。未二十，右扶風請試守渭城宰。及馬援爲將軍，封侯，而勃位不過縣令。援嘗待以舊恩而卑侮之，勃愈身自親。及援遇讒，惟勃能終焉。章帝下詔曰："告平陵令、丞：縣人故雲陽令朱勃，建武中以伏波將軍爵土不傳，上書陳狀，不顧罪戾，懷旌善之志，有烈士之風。其以縣見穀二千石賜勃子若孫，勿令遠詣闕謝。"范書附見《馬援傳》中。

《隋書·經籍志》：梁有《雲陽令朱勃集》二卷，亡。《唐·經籍志》：《朱勃集》二卷。《藝文志》同。

嚴氏《文編》：朱勃有集二卷，今見袁宏《紀》載勃《詣闕上書理馬援》一篇，亦見《援傳》。

司隸從事馮衍集五十篇

范書本傳：衍字敬通，京兆杜陵人也。幼有奇才，年二十而博通羣書。王莽時，天下兵起，莽遣更始將軍廉丹討伐山東，辟衍爲掾。丹與赤眉戰死，衍乃亡命河東。更始，遣尚書僕射鮑永行大將軍事，安集北方，以衍爲立漢將軍，領狼孟長，屯太原。後審知更始歿，乃與永罷兵，幅巾降於河內。帝怨衍等不時至，永以立功得贖罪，遂任用之，而衍獨見黜。頃之，以爲曲陽令，後爲司隸從事。又得罪西歸故郡，閉門自保，不敢復與親故通。建武末，上疏自陳，猶以前過不用。衍不得志，退而作賦自厲，命其篇曰《顯志》。顯志者，言光明風化之情，昭章玄妙之思也。顯宗卽位，又多短衍以文過其實，遂廢於家。衍娶北地女任氏，悍忌，不得畜媵妾，兒女常自操井臼，老竟逐之，遂坎壈於時。居貧年老，卒於家。所著賦、誄、銘、說、《問交》、《德誥》、《愼情》、書記說、自序、官錄說、策五十篇。肅宗甚重其文。

《文心雕龍·才略篇》：“敬通雅好辭說，而坎壈盛世，《顯志》、《自序》，亦蚌病成珠矣。”又《銘箴篇》云：“至如敬通雜器，準矱戒銘，而事非其物，敏略違中。”《論說篇》云：“敬通之說鮑、鄧，事緩而文繁，所以歷騁而罕遇也。”

章懷太子曰：“衍集有《與陰就書》、《與婦弟任武達書》、《與宣孟書》，有《問交》一篇、《愼情》一篇。”又曰：“《衍集》見有二十八篇。”

《隋書·經籍志》：《後漢司隸從事馮衍集》五卷。《唐·經籍志》：《馮衍集》五卷。《藝文志》同。

明張溥《漢魏六朝百三家集·馮敬通曲陽集》輯本一卷，凡賦、疏、奏記、牋、書、論、銘一十七篇。

嚴氏《文編》：馮衍有集五卷，今見於本傳、傳注及袁《紀》、《選注》、《初學記》、《類聚》、《御覽》，有賦、上疏、上書、說、書、德誥、銘，凡二十七篇，錄爲一卷。"惠棟《後漢書補注》云："《北堂書鈔》九十八卷引馮敬通《自序》。"

東平憲王集五卷　東平王見經部小學類。

范書《光武十王列傳》：建初八年正月薨，詔告中傅，封上蒼自建武以來章奏及所作書、記、賦、頌、七言、別字、歌詩，並集覽焉。

《隋書·經籍志》：梁有《後漢東平王蒼集》五卷，亡。《唐·經籍志》：《漢東平王集》二卷。《藝文志》：《東平王蒼集》二卷。

嚴氏《文編》：東平王有集五卷，今見於本傳、《吳良傳》、《東觀記》、《續漢志》、袁《紀》、《通典》諸書，有疏、議、上書、上言凡九篇。明馮惟訥《詩紀》輯存《武德舞歌詩》一篇。

北海敬王集數十篇　北海王見經部春秋類。

范書《宗室四王列傳》：北海敬王睦，能屬文，作《春秋旨義終始論》及賦頌數十篇。

車騎從事杜篤集十八篇　篤始末具子部儒家類。

范書《文苑傳》：大司馬吳漢薨，光武詔諸儒誄之，篤爲誄辭最高，帝美之，賜帛。篤以關中表裏山河，先帝舊京，不宜改營洛邑，迺上奏《論都賦》。又曰："所著賦、誄、弔、書、贊、七言、女誡及雜文，凡十八篇。"

《文心雕龍·才略篇》曰："杜篤、賈逵，亦有聲於文，跡其爲才，崔傳之末流也。"又《誄碑篇》云："杜篤之誄，有譽前代。吳誄雖工，而他篇頗疏。豈以見稱光武，而改盼千金哉？"

《隋書·經籍志》:《後漢車騎從事杜篤集》一卷。《唐·經籍志》:《杜篤集》五卷。《藝文志》同。

嚴氏《文編》:杜篤有集一卷,今本傳及諸書所引有《被禊賦》、《首陽山賦》、《論都賦》、《書摭賦》、《眾瑞賦》、《眾瑞頌》、《通邊論》、《展武論》、《連珠》、《迎鍾文》、《祿祝》、《吳漢誄》、《弔比干文》,凡一十四篇。

車騎司馬傅毅集二十八篇　毅始末見前文史類。

范書《文苑傳》:永平中,于平陵習章句,因作《迪志詩》。以顯宗求賢不篤,士多隱處,故作《七激》以爲諷。又曰:"著詩、賦、誄、頌、祝文、七激、連珠凡二十八篇。

《文心雕龍·明詩篇》曰:"又古詩佳麗,或稱枚叔,其《孤竹》一篇,則傅毅之詞。"黃叔琳曰:"謂古詩十九首《冉冉孤生竹》篇也。"又《頌贊篇》云:"至於班、傅之《北征》、《西巡》,變爲序引,豈不褒過而謬體哉!"又《誄碑篇》云:"傅毅所製,文體倫序。至於序述哀情,則觸類而長。毅之誄北海,云'白日幽光,霧霧杳冥';始序致感,遂爲後式,景而效者,彌取於工矣。"《雜文篇》云:"傅毅《七激》,會清要之工。"

《隋書·經籍志》:《後漢車騎司馬傅毅集》二卷,梁五卷。又總集篇:《神雀賦》一卷,後漢傅毅撰。《唐·經籍志》:《傅毅集》五卷。《藝文志》同。

嚴氏《文編》:傅毅有集五卷,今從諸書所引有《洛都賦》、《反都賦》、《舞賦》、《雅琴賦》、《扇賦》、《與荊文姜書》、《七激》、《顯宗頌》、《竇將軍北征頌》、《西征頌》、《扇銘》、《明帝誄》、《北海王誄》,凡一十三篇。馮氏《詩紀》錄存《迪志詩》一篇。

舉孝廉夏牙集四十篇

范書《文苑·夏恭傳》:恭,梁國蒙人也。子牙,少習家業,著賦、頌、讚、誄凡四十篇。舉孝廉,早卒,鄉人號曰"文德先生"。

臨淮袁文術箴銘

《論衡·案書篇》曰:"臨淮袁太伯、袁文術,囊橐文雅之英雄也。觀太伯之《易章句》、文術之《箴銘》,劉子政、揚子雲不能過也。"

按臨淮二袁,大抵與王仲任同時。太伯、文術皆其字,莫能詳其始末。晉張湛有《古今箴銘集》十四卷,文術《箴銘》當必甄錄及之。然張本久亡,今亦無由攷見矣。

處士梁鴻集二卷　　鴻始末見史部雜傳記類。

范書《逸民傳》:鴻仰慕前世高士,而爲四皓以來二十四人作頌。東出關,過京師,作《五噫之歌》。適吳,將行,作詩。至吳,依大家皋伯通,潛閉著書十餘篇。思友人高恢,作詩。《隋書·經籍志》:梁有《後漢處士梁鴻集》二卷,亡。《唐·經籍志》:《梁鴻集》二卷。《藝文志》同。

嚴氏《文編》輯存《安丘嚴平頌》一篇,馮氏《詩紀》輯存《五噫歌》、《適吳詩》、《思友詩》三篇。

大將軍護軍司馬班固集四十一篇　　固始末見經部小學類。

范書本傳:年九歲能屬文,及長,博觀載籍,九流百家之言,無不窮究。永平初,固始弱冠,奏記東平王蒼,薦宿儒故司空掾桓梁、京兆祭酒晉馮、扶風掾李育、京兆督郵郭基、涼州從事王雍、弘農功曹史殷肅,蒼納之,自爲郎。後遂見親近。時京師修起宮室,濬繕城隍,而關中耆老獨望朝廷西顧,因感前世相如、壽王、東方之徒造搆文辭,終以諷諫,乃上《兩都賦》,盛稱洛邑制度之美,以折西賓淫侈之論。及肅宗雅好文章,固愈得幸。數入讀書禁中,或連日繼夜。每行巡狩,輒獻上賦頌。朝廷有大議,使難問公卿,辯論於前。所著《典引》、《賓戲》、《應譏》、詩、賦、銘、誄、頌、書、文、記、論、議、六言,在者凡四十一篇。

《御覽》五百八十八引《文章流別傳》曰：“昔班固爲《安豐戴侯頌》，與《魯頌》體意相類。”

《文心雕龍·詮賦篇》云：“孟堅《兩都》，明絢以雅贍。”又《祝盟篇》云：“班固之《祀濛山》，祈禱之誠敬也。”《銘箴篇》云：“若班固燕然之勒，序亦盛矣。”《雜文篇》云：“班固《賓戲》，含懿采之華。”

鍾嶸《詩品》曰：“自王、揚、枚、馬之徒，詞賦競爽，而吟詠靡聞，詩人之風頓已缺喪。東京二百載中，惟有班固《詠史》質本無文。”又曰：“孟堅才流，而老於掌故，觀其《詠史》，有感歎之詞。”

《隋書·經籍志》：《後漢大將軍護軍司馬班固集》十七卷。《唐日本國人見在書目》：《班固集》十二卷。《唐·經籍志》：《班固集》十卷。《藝文志》同。

張氏《百三家·班蘭臺集》輯本一卷，凡賦、表、奏記、牋、書、議、符命、設難、頌、銘、論、哀辭、連珠、文、詩二十九篇。

嚴氏《文編》輯本三卷，凡賦、頌、詩、歌、疏、議、箋、奏記、書、論、序、連珠、銘、典引、弈旨、哀辭、祝文，凡三十二篇。附班超遺文五篇、班勇遺文四篇。馮氏《詩紀》輯存詩歌七篇。

長岑長崔駰集二十一篇　駰始末具史部儀制類。

范書本傳：駰博學有偉才，盡通古今訓詁百家之言，善屬文。常以典籍爲業，未遑仕進之事。時人或譏其太玄靜，將以後名失實。駰擬揚雄《解嘲》，作《達旨》以答。竇太后臨朝，憲以重戚出納詔命。駰獻書誡之，憲擅權驕恣，駰數諫之。及出擊匈奴，道路愈多不法，駰前後奏記數十，指切長短，所著詩、賦、銘、頌、書、記、表、《七依》、《婚禮結言》、《達旨》、《酒警》，合二十一篇。

《文心雕龍·才略篇》曰："傅毅、崔駰，光采比肩。"又《銘箴篇》云："崔駰品物，讚多戒少。"《雜文篇》云："崔駰《達旨》，吐典言之裁。"又云："崔駰《七依》，入博雅之巧。"

《隋書·經籍志》：《後漢長岑長崔駰集》十卷。《唐·經籍志》：《崔駰集》十卷。《藝文志》同。

張氏《百三家·亭伯集》輯本一卷，凡賦、著述、書、箋、箴、銘、頌、議、論、七、雜文、詩三十五篇。

嚴氏《文編》輯本一卷，凡賦、謚、議、奏、記、箋、書、《達旨》、《博徒論》、《明帝頌》、《四巡頌》、《七依》、箴、銘、《婚禮結言》，凡四十篇。馮氏《詩紀》輯存《安封侯詩》。

侍中賈逵集九篇　<small>逵始末見經部書類。</small>

范書本傳：顯宗敕蘭臺給筆札，使作《神雀頌》。又作詩、頌、誄、書、連珠、酒令凡九篇。

《隋書·經籍志》：《後漢侍中賈逵集》一卷，梁二卷。《唐·經籍志》：《賈逵集》二卷。《藝文志》同。

嚴氏《文編》：賈逵有集二卷，今見本傳者，有《條奏左氏長義》，<small>按當作"大義"。</small>《劉愷傳》有賈逵上書，《書鈔》有《永平頌》，《文選注》有《連珠》，凡四篇。<small>按《續漢書·曆志》有《曆論》四篇，嚴氏未采，失之眉睫。</small>

魏郡太守黃香集五篇

范書《文苑傳》：黃香字文彊，江夏安陸人也。博學經典，究精道術，能文章，京師號曰"天下無雙，江夏黃童"。初除郎中，元和元年，肅宗詔香詣東觀，讀所未嘗見書。拜尚書郎，數陳得失。永元四年，拜左丞。六年，累遷尚書令。延光元年，遷魏郡太守。後坐事免，數月，卒於家。所著賦、箋、奏、書、令凡五篇。

《文心雕龍·書記篇》曰：“黃香奏箋於江夏，亦肅恭之遺式矣。”

《隋書·經籍志》：梁有《魏郡太守黃香集》二卷，亡。《唐·經籍志》：《黃香集》二卷。《藝文志》同。

嚴氏《文編》：黃香有集二卷，今見本傳、諸書者，有《九宮賦》、《讓東郡太守疏》、《留爲尚書令上疏》、《樂成王萇罪議》、《天子冠頌》、《屏風銘》，凡六篇。

校書郎劉騊駼集四篇

范書《宗室四王三侯列傳》：初，臨邑侯復好學，能文章。復子騊駼及從兄平望侯毅，並有才學。永寧中，鄧太后召毅及騊駼入東觀，與謁者僕射劉珍著中興以下名臣列士傳。騊駼又自造賦、頌、書、論，凡四篇。亦見《文苑·劉珍傳》。《藝文類聚》卷十九引謝承書云“劉騊駼除摢陽長，吏民思而歌之”云云，乃劉陶事，非騊駼事也。

《隋書·經籍志》：《後漢校書郎劉騊駼集》一卷。梁二卷，《錄》一卷。《唐·經籍志》：《劉騊駼集》二卷。《藝文志》同。

嚴氏《文編》：劉騊駼有集二卷，今見《文選注》、《書鈔》、《類聚》、《御覽》、《後漢書》注，有《玄根賦》、《上事諫鑄錢事》、《與竇季瑋書》、《與李子堅書》、《郡太守箴》，凡五篇。

衛尉劉珍集七篇　珍始末具經部小學類。

范書《文苑傳》：著誄、頌、連珠凡七篇。

《文心雕龍·雜文篇》曰：“自揚雄《連珠》以下，擬者間出，杜篤、賈逵之曹，劉珍、潘勖之輩，欲穿明珠，多貫魚目。

《隋書·經籍志》：《後漢劉珍集》二卷，《錄》一卷。《唐·經籍志》：《劉珍集》二卷。《藝文志》同。

嚴氏《文編》：劉珍有集二卷，今見袁宏《紀》者，有《上言鄧太后宜獻廟》一篇；見《御覽》者，有《東觀漢記·光武敘》、《章帝敘》、《和帝敘》、《殤帝敘》四篇。

樂安相李尤集二十八篇　尤始末具子部法家類。

范書《文苑傳》：尤少以文章顯，所著詩、賦、銘、誄、頌、《七歎》、《哀典》凡二十八篇。

《華陽國志》曰："明帝召尤據范書當是和帝。作東觀、辟雍、德陽諸觀賦銘、《懷戎頌》、百二十銘。"

《御覽》五百九十引《文章流別傳》曰："李尤爲銘，自山河都邑至於刀筆笮契，無不有銘，而文多穢病，討論潤色，言可采錄。"惠棟《後漢書補注》：《李尤集序》云："尤好爲銘贊，門階戶席，莫不著述。"

《文心雕龍·才略篇》曰："李尤賦銘，志慕鴻裁，而才力沈膇，垂翼不飛。"又《銘箴篇》云："李尤積篇，義儉辭碎。蓍龜神物，而居博弈之中；衡斛斗量，而在杅臼之末。曾名品之未暇，何事理之能閑哉！"

《隋書·經籍志》：梁又有《樂安相李尤集》五卷，亡。《宋史·藝文志》：《李尤集》二卷。

張氏《百三家·蘭臺令李伯仁集》輯本一卷，凡賦、七、銘、序、詩九十三篇。

嚴氏《文編》：李尤有集五卷，今搜輯羣書有《函谷關賦》、《辟雍賦》、《德陽殿賦》、《平樂觀賦》、《東觀賦》、《七款》，凡六篇。又《華陽國志》稱尤作百二十銘，今得八十六銘，其餘三十四銘亡，編爲一卷。馮氏《詩紀》輯存《九曲歌》。

東觀郎李勝集數十篇

范書《文苑·李尤傳》：尤同郡李勝亦有文才，爲東觀郎，著詩、誄、頌、論數十篇。

常璩《廣漢人士贊》：李勝字茂通，雒人也。爲東觀郎，著賦、諫、論、頌數十篇。

郎中蘇順集十六篇

范書《文苑傳》：蘇順字孝山，京兆霸陵人也。和安閒以才學見稱。好養生術,隱處求道。晚迺仕,拜郎中,卒於官。所著賦、論、誄、哀辭、雜文凡十六篇。

《御覽》五百九十六引《文章流別傳》曰:"哀辭者,誄之流也。崔瑗、馬雄、蘇順等爲之,率以施於童殤夭折、不以壽終者。"

《文心雕龍·誄碑篇》曰:[1]"孝山、崔瑗,辨絜相參。觀其序事如傳,辭靡律調,固誄之才也。"

《隋書·經籍志》:梁又有《郎中籍順集》二卷,《錄》二卷,亡。

按"籍"當是"蘇"之刊誤。《唐·經籍志》:《蘇順集》二卷。《藝文志》同。

嚴氏《文編》:《藝文類聚》有蘇順《歎懷賦》、《和帝誄》,《文選注》有《陳公誄》,《初學記》有《賈逵誄》,凡四篇。

處士曹衆集四卷

范書《文苑·蘇順傳》:時三輔多士,扶風曹衆伯師亦有才學,著誄、書、論四篇。

章懷太子曰:《三輔決錄注》曰:"衆與鄉里蘇孺文、竇伯向、馬季長並游宦,唯衆不遇,以壽終於家。"

惠棟《後漢書補注》:魏文帝《典論》曰:"三輔學有俊才,茂陵馬季長、同郡曹伯師、梁葛元甫、南陽張平子、南郡胡伯始、安定胡節等,文冠當世也。"

河閒相張衡集三十二篇　衡始末具經部禮類。

范書本傳:衡少善屬文。永元中,舉孝廉不行,連辟公府不就。時天下承平日久,自王侯以下,莫不踰侈,衡乃擬班固《兩都》,作《二京賦》,因以諷諫。精思傅會,十年乃成。順帝初,再轉,復爲太史令。衡不慕當世,所居之官,輒積年不徙。

---

①　"曰"、"誄碑篇",原誤倒,《補編》本同,據文意乙正。

自去史職，五載復還，乃設客問，作《應閒》，以見其志。初，光武善讖，顯宗、肅宗因祖述焉。自中興之後，儒者爭學圖緯，兼復附以妖言。衡以圖緯虛妄，非聖人之法，乃上疏請禁絕之。及遷侍中，常思圖身之事，以爲吉凶倚伏，幽微難明，乃作《思玄賦》，以宣寄情志。又欲繼孔子《易》說《彖》、《象》殘缺者，竟不能就。所著詩、賦、銘、七言、《靈憲》、《應閒》、《七辯》、《巡誥》、《懸圖》凡三十二篇。

《文心雕龍·明詩篇》曰：“張衡《怨篇》，情典可味。仙詩緩歌，雅有新聲。”又曰：“四言、五言，平子得其雅。”《詮賦篇》云：“張衡《二京》，迅發以宏富。”《雜文篇》云：“張衡《應閒》，密而兼雅。”又曰：“張衡《七辯》，結采縣靡。”《論說篇》云：“張衡譏世，韻似俳說。”

《隋書·經籍志》：《後漢河閒相張衡集》十一卷。梁十二卷。又一本十四卷。《唐·經籍志》：《張衡集》十卷，又總集類《二京賦》二卷。《藝文志》同。《宋史·志》：《張衡集》六卷。

張氏《百三家·張河閒集》輯本二卷，凡賦、誥、疏、策、表、書、七、設難議、說、銘、贊、誄、樂府、詩，綜三十八篇。

嚴氏《文編》輯本四卷，凡賦、東巡誥、對策、表、奏、封事、疏、議、書、《應閒》、《七辯》、序、贊、銘、誄及《靈憲》、《渾天儀》、《玄圖》，凡三十八篇。馮氏《詩紀》輯存《怨篇》、《同聲歌》、《定情歌》、《四愁詩》、《思玄詩》凡五篇。

濟北相崔瑗集五十七篇 瑗始末具經部小學類。

范書《崔駰附傳》：瑗高於文辭，尤善爲書、記、箴、銘，所著賦、碑、銘、箴、頌、《七蘇》、《南陽文學官志》、《歎辭》、《移社文》、《悔祈》、《草書勢》、七言，凡五十七篇。

《御覽》五百九十引《文章流別傳》曰：“後世以來，器銘之佳者，有王莽《鼎銘》、崔瑗《機銘》。”

《文心雕龍‧哀弔篇》曰：“漢武封禪，而霍子侯暴亡，帝傷而作詩，亦哀辭之類也。及後漢汝陽王亡，崔瑗哀辭，始變前式，卒章五言，頗似歌謠，亦彷彿乎漢武也。”又《書記篇》曰：“後漢書記，則崔瑗尤善。”《雜文篇》云：“崔瑗《七蘇》，植義純正。”

《隋書‧經籍志》：《後漢濟北相崔瑗集》六卷，梁五卷。《唐‧經籍志》：《崔瑗集》五卷。《藝文志》同。《唐日本國人見在書目》小說家：《座右銘》一卷，崔子玉撰。

嚴氏《文編》：輯存上言、書、雜文、《七蘇》、《南陽文學頌》、箴、銘、誄、碑、《草書勢》，凡二十九篇。

黃門郎葛龔集二十篇

范書《文苑傳》：葛龔字元甫，梁國寧陵人也。和帝時，以善文記知名。安帝永初中，舉孝廉，爲大官丞，上便宜四事，拜蕩陰令。辟太尉府，病不就。州舉茂才，爲臨汾令。居二縣，皆有稱績。著文、賦、碑、誄、書、記凡二十篇。

《隋書‧經籍志》：《後漢黃門郎葛龔集》六卷。梁五卷。一本七卷。《唐‧經籍志》：《葛龔集》五卷。《藝文志》同。

嚴氏《文編》輯存賦、箋、書、記凡九篇。

　按范書本傳不言官黃門郎，與《隋志》所題異。

侍中王逸集二十一篇　逸始末見史部地理類。

范書《文苑傳》：著《楚辭章句》行於世。其賦、誄、書、論及雜文凡二十一篇。

《文心雕龍‧才略篇》曰：“王逸博識有功，而絢采無力。”

《隋書‧經籍志》：梁有《王逸集》二卷，《錄》一卷，亡。《唐‧經籍志》：《王逸集》一卷。《藝文志》同。

張氏《百三家·王叔師集》輯本一卷,凡賦、序、論、騷、詩二十二篇。

嚴氏《文編》輯本一卷,凡《機婦賦》、《荔支賦》、《九思》、《折武論》并《楚辭章句》篇序,合二十一篇。馮氏《詩紀》輯存《琴思楚歌》一篇。

處士王延壽集三卷

范書《文苑·王逸傳》:逸子延壽,字文考,有儁才。少游魯國,作《靈光殿賦》。後蔡邕亦造此賦,未成,及見延壽所爲,甚奇之,遂輟翰而已。曾有異夢,意惡之,乃作《夢賦》以自厲。後溺水死,時年二十餘。

章懷太子曰:"張華《博物志》云:'王子山與父叔師到泰山從鮑子真學算,到魯賦靈光殿,歸渡湘水溺死。'文考一字子山也。"惠氏《補注》:《水經注》曰:"子山年二十而得惡夢,二十一溺死於湘浦。一作二十四。"《博物志》曰:"魯作靈光殿初成,逸語其子:'汝寫狀。歸,吾欲爲賦。'文考遂以韻寫簡。其父曰:'此卽爲賦,吾固不及矣。'"

《文心雕龍·詮賦篇》曰:"延壽《靈光》,含飛動之勢。"《才略篇》云:"延壽繼志,瓌穎獨標,其善圖物寫兒,豈枚乘之遺術歟。"

《隋書·經籍志》:梁有《王延壽集》三卷,亡。

嚴氏《文編》輯存《靈光殿賦》、《王孫賦》、《桐柏淮源廟碑》、《夢賦》凡四篇。

廣陵太守張綱集

范書《張皓傳》:皓字叔明,《蜀志·張翼傳》作浩。犍爲武陽人也。六世祖良,高帝時爲太子少傅,封留侯。皓子綱,字文紀,少明經學。舉孝廉不就,司徒辟高第爲御史。時順帝委縱宦官,綱上書奏不省。漢安元年,選遣八使徇行風俗,皆著儒知名,惟綱年少,官次最微。餘人受命之部,而綱獨薶其車輪於洛陽都亭，曰："豺狼當路，安問狐狸！"遂奏大將軍冀、河南尹不疑，條其無君之心十五事，京師震悚。時廣陵賊張嬰等數萬人，殺刺史、二千石，寇亂揚、徐閒，積十餘年，朝廷不能討。冀乃諷尚書，以綱爲廣陵太守，因欲以事中之。綱單車之職，徑造嬰壘，以慰安之。嬰感悟，乃將所部萬餘人與妻子面縛歸降，南州晏然。論功當封，梁冀遏絶，乃止。天子嘉美，徵欲擢用綱，而嬰等上書乞留，乃許之。綱在郡一年，三十六卒。《蜀志·張翼傳》注：《續漢書》曰："在郡二歲，建康元年病，卒官，時年三十六。"惠棟《補注》：袁宏《紀》曰："年四十六。又皓本良九世孫，傳誤爲六世。"

《華陽國志》：漢安元年，以光祿大夫持節與侍中杜喬循行州郡，考察風俗，出宮薤車，先奏太尉桓焉、司徒劉壽尸祿素餐，不堪其職。出城，又奏司隸校尉趙峻、河南尹梁不疑、汝南太守梁乾等賕污濁亂，檻車送廷尉治罪。天子以乾梁冀叔父，貶秩，免峻等。又奏魯相寇儀，儀自殺。威風大行，郡縣莫不肅懼。還，梁冀恨之，出爲廣陵太守。按《順帝本紀》："漢安元年八月丁卯，遣侍中杜喬、光祿大夫周舉、守光祿大夫郭遵、馮羨、欒巴、張綱、周栩、劉班等八人分行州郡，班宣風化，舉實臧否。冬十月辛未，太尉桓焉、司徒劉壽免。"又曰："是歲，廣陵賊張嬰等詣太守張綱降。"按常璩不言其奏梁冀，何也？

汪師韓《文選理學權輿》曰："《選注》所引羣書，有《張綱集》。"嚴氏《文編》輯存《上書諫縱宦官》、《上書劾梁冀》各一篇。

　　按《華陽國志》言綱奉使時所奏劾者，不止如范書梁冀、梁不疑二事。《續漢書》本傳言，綱在廣陵，有與張嬰親信長老書。綜其生平所作章疏、書、記、條教，及張嬰上書請留，詔書襃美諸文，足以編成一集。《選注》引之。汪氏編目列在馮衍、桓譚、班固、盧植之閒。《隋》、《唐志》所載，皆官庫所有書，民閒流傳如是集之類者，自羅致不能盡也。

大鴻臚竇章集二卷

范書《竇融傳》：融，扶風平陵人也。玄孫章，字伯向，少好學，有文章，與馬融、崔瑗同好，更相推薦。是時學者稱東觀爲老氏臧室，道家蓬萊山，太僕鄧康遂薦章入東觀爲校書郎。順帝初，章女選入掖庭，與梁皇后並爲貴人。擢章羽林郎將，遷屯騎校尉。貴人卒，詔史官樹碑頌德，章自爲之辭。永和五年，遷少府。漢安二年，轉大鴻臚。建康元年，梁后稱制，章自免，卒於家。

《隋書·經籍志》：梁又有《大鴻臚竇章集》二卷，亡。《唐·經籍志》：《竇章集》二卷。《藝文志》同。

嚴氏《文編》輯存《移書勸葛龔》一篇。

司空李固集十一篇　固始末具史部雜傳記類。

范書本傳：所著章、表、奏、議、教、令、對策、記、銘凡十一篇。

《隋書·經籍志》：《後漢司空李固集》十二卷。梁十卷。《唐·經籍志》：《李固集》二卷。《藝文志》十卷。

嚴氏《文編》輯存對策、上疏、上書、議教、奏、記、書、敕凡十九篇。近刻《古逸叢書》、《文館詞林》殘本中有《恤奉高令喪事教》一首、《祀胡母先生教》一首，皆永和中爲泰山太守時作也。

徵士崔琦集十五篇

范書《文苑傳》：崔琦字子瑋，涿郡安平人，濟北相瑗之宗也。少游學京師，以文章博通稱。初舉孝廉，爲郎。河南尹梁冀聞其才，請與交。冀行多不軌，琦數引古今成敗以戒之，冀不能受，乃作《外戚箴》，復作《白鵠賦》以爲風。冀因遣琦歸。後除爲臨濟長，不敢之職，解印綬去。冀遂令刺客陰求殺之，客哀其志，以實告琦，得脫。冀後竟捕殺之。所著賦、頌、銘、誄、箴、弔、論、九咨、七言凡十五篇。

《隋書·經籍志》：《後漢徵士崔琦集》一卷。梁二卷。《唐·

經籍志》:《崔琦集》二卷。①《藝文志》同。

嚴氏《文編》:崔琦有集一卷,今搜輯羣書,有《七蠲》、《四皓頌》、《外戚箴》三篇。《琦傳》有《白鵠賦》篇,亡。

按琦嘗舉孝廉,爲郎,除臨濟長,不知《隋志》何以題爲徵士。

侍中楊厚集二卷

范書本傳:厚字仲桓,廣漢新都人也。祖父春卿,善圖讖學,傳子統。厚少學統業,精力思述。鄧太后除爲中郎,免歸。順帝徵拜議郎,三遷爲侍中。每有災異,輒上消救之法。而閹宦專政,言不得信。固稱病求退,歸家。修黃老,教授門生,上名錄者三千餘人。年八十二,卒於家,鄉人諡曰“文父”。門人爲立廟,郡文學掾史春秋饗射常祠之。

《華陽國志》:楊序字仲桓,統仲子也。道業侔父,三司及公車連徵辟,拜侍中。上言四方及荆、揚、交州當兵起,人民疫蝗,洛陽大水,宮殿當災,三府當免,近戚謀變,皆效驗。

《唐書·藝文志》:《楊厚集》二卷。

嚴氏《文編》:楊厚,《華陽國志》作“楊序”,今惟《厚傳》及《天文志》注引《災異對》一篇。

按《隋志》:《吳人楊厚集》二卷,梁又有《錄》一卷。《唐·經籍志》二卷,並列在吳人中,惟《藝文志》移在漢人劉珍、張衡之閒,今從之。

司徒掾桓麟集二十一篇

范書《桓榮傳》:榮,沛郡龍亢人也。玄孫彬,彬父麟,字元鳳,早有才惠。桓帝初,爲議郎,入侍講禁中,以直道忤左右,出爲許令,病免。會母終,麟不勝喪,未祥而卒,年四十一。所

---

① “集”,原作“志”,據《補編》本、殿本《舊唐書》改。

著碑、誄、贊、說、書凡二十一篇。

章懷太子曰："按摯虞《文章志》，麟文見在者十八篇，有碑九首，誄七首，《七說》一首，《沛相郭府君書》一首。"

《文心雕龍·雜文篇》曰："自桓麟《七說》以下，左思《七諷》以上，枝附景從十有餘家，或文麗而義睽，或理粹而辭駁。"

《隋書·經籍志》：梁有司徒掾《桓鱗集》二卷，《錄》一卷，亡。

《唐·經籍志》：《栢驎集》二卷。《藝文志》：《桓驎集》二卷。

嚴氏《文編》輯存《七說》八條，《大尉劉寬碑》一首。馮氏《詩紀》輯存《答客詩》一首。

　按范書附傳不言爲司徒掾，或略之也。《隋志》作"鱗"，誤。《舊唐志》以宋本避諱，作"恒"，而轉寫譌爲"栢"，"驎"與"麟"通。

陳相邊韶集十五篇

范書《文苑傳》：邊韶字孝先，陳留浚儀人也。以文學知名，教授數百人。桓帝時，爲臨潁侯相，徵拜太中大夫，著作東觀，再遷北地太守，入拜尚書令。後爲陳相，卒官。著詩、頌、碑、銘、書、策凡十五篇。

《隋書·經籍志》：梁有《陳相邊韶集》一卷，《錄》一卷，亡。

《唐·經籍志》：《邊韶集》二卷。《藝文志》同。

嚴氏《文編》輯存《塞賦》、《上言四分曆之失》、《對嘲河激頌》、《老子銘》，凡五篇。

益州刺史朱穆集二十篇

范書《朱暉傳》：暉，南陽宛人也。子頡，頡子穆字公叔。年五歲，便有孝稱。及狀耽學，銳意講誦。初舉孝廉。順帝末，梁冀辟之，使典兵事，數奏記以勸戒冀，舉高第爲侍御史。穆常感時澆薄，慕尚敦篤，乃作《崇厚論》。又著《絕交論》，亦矯時之作。永興元年，擢爲冀州刺史。徵詣廷尉，輸作左校。太學書生劉陶等數千人上書訟穆，乃赦之。居家數年，徵拜尚書。深疾宦官，憤懣發疽，延熹六年卒，時年六十四。公卿共表穆，宜旌寵，策詔襃述，追贈益州太守。惠氏《補注》：《朱公叔鼎銘》載詔曰："今使權謁者中郎楊賁，贈益州刺史印綬。"所著論、策、奏、教、書、詩、記、嘲凡二十篇。初，穆父卒，穆與諸儒攺依古義，謚曰"貞宣先生"。及穆卒，蔡邕復與門人共述其體行，謚爲"文忠先生"。

范書傳論曰："朱穆見比周傷義，偏黨毀俗，志抑朋游之私，遂著《絕交》之論。蔡邕以爲穆貞而孤，又作《正交》而廣其志焉。"

章懷太子曰："袁山松書曰：'穆著論甚美，蔡邕嘗至其家自寫之。'"

惠棟《後漢書補注》：張璠《漢記》曰："邕嘗至穆家寫書。及穆卒，邕及門人共謚穆曰忠文。"《朱公叔碑》作"忠文公"，一作"忠文子"。又《朱公叔鼎銘》曰："再拜博士高第，作侍御史。矯枉董直，罔肯阿順，以黜其位，潛于郎中。羣公並表，乃遷議郎，登於東觀，纂業前史。"按穆爲侍御史，以不肯阿順免官，復爲郎中，及遷議郎，與邊韶、崔寔、曹壽增修《漢記》，范史皆不載也。

《隋書·經籍志》：梁有《益州刺史朱穆集》二卷，《錄》一卷，亡。《唐·經籍志》：《朱穆集》二卷。《藝文志》同。

嚴氏《文編》輯存《鬱金賦》、疏、奏、奏記、《與劉伯宗絕交書》、《崇厚論》、《絕交論》，凡十一篇。

南郡太守馬融集二十一篇　融始末見經部易類。

范書本傳：永初時，鄧太后臨朝，騭兄弟輔政。而俗儒世士，以爲文德可興，武功宜廢，遂寢蒐狩之禮，息戰陳之法，故猾賊縱橫，乘此無備。融乃感激，以爲文武之道，聖賢不墜，五才之用，無或可廢。元初二年，上《廣成頌》以諷諫，重述蒐狩之義。頌奏，忤鄧氏，滯於東觀，十年不得調。安帝東巡岱宗，上《東巡頌》，帝奇其文。善鼓琴，好吹笛，所著賦、頌、碑、誄、書、記、表、奏、七言、琴、歌、對策、遺令，凡二十一篇。初，融懲於鄧氏，不敢復違忤勢家，遂爲梁冀草奏李固，又作《大將軍西第頌》，以此頗爲正直所羞。

司馬彪《續漢書》曰：“融在東觀十年，窮覽典籍，上《廣成頌》。陽嘉二年，詔舉敦樸，徵詣公車。融對策於北宮端門。”陽嘉以下三語，據范書校補。

《御覽》五百八十八引《文章流別傳》曰：“頌詩之美者也，若馬融《廣成》、《上林》之屬，純爲今賦之體，而謂之頌，失之遠矣。”

《文心雕龍·才略篇》曰：“馬融鴻儒，思洽識高，吐納經範，華實相扶。”又《頌讚篇》云：“馬融之《廣成》、《上林》，雅而似賦，何弄文而失質乎？”《雜文篇》云：“馬融《七厲》，植義純正。”原作崔瑗《七厲》，文有脫誤。傅玄《七謨序》云馬融作《七厲》，今據以是正。又曰：“唯《七厲》敘賢，歸於儒道。雖文非拔羣，而意實卓爾矣。”

《隋書·經籍志》：《後漢南郡太守馬融集》九卷。《唐·經籍志》：《馬融集》五卷。《藝文志》同。

張氏《百三家·馬季長集》輯本一卷，凡賦、疏、頌、書十二篇，而繫以《忠經》序及經。

嚴氏《文編》輯存《琴賦》、《長笛賦》、《圍棋賦》、《搗蒲賦》、《龍虎賦》、《陽嘉二年舉樸敦對策》、《飛章誣李固》、《上疏乞自效》、《上書請赦龐參梁懂》、《延光四年日蝕上書》，又《上書陳星孛》、《奏馬賢事》、《與竇伯尚書》、《與謝伯世書》、《書序》、《廣成頌》、《東巡頌》、《竇大將軍西第頌》、遺令、自敘，凡二十篇。又曰：張溥本有《忠經序》。按《忠經》及《序》皆宋人依託，不錄。按《鄭玄傳》云范升、陳元、李育、賈逵之徒爭論古今學，後馬融答北地太守劉瓖，及玄答何休，義據通深，由是古學遂明。則馬氏有《答劉瓖論古學書》，當在是集，今不可攷。

京兆尹延篤集二十篇　篤始末見經部春秋類。

范書本傳：篤從馬融受業，博通經傳及百家之言，能著文章，有名京師。所著詩、論、銘、書、應訊、表、教、令凡二十篇。注：訊，問也。蓋答客難之類。

《隋書‧經籍志》：《後漢京兆尹延篤集》一卷。梁二卷，《錄》一卷。《唐‧經籍志》：《延篤集》二卷。《藝文志》同。

嚴氏《文編》輯存《答張奐書》、《與張奐書》、《與高彪書》、《與段紀明書》、《與劉祐書》、《與李文德書》、《仁孝論》凡七篇。

五原太守崔寔集十五篇　寔始末見子部法家類。

范書《崔寔附傳》：所著碑、論、箴、銘、答、七言、詞、文、表、記、書凡十五篇。

《文心雕龍‧才略篇》曰：“傅毅、崔駰，光采比肩，瑗、寔踵武，能世厥風者矣。”又《書記篇》：“崔寔奏記於公府，則崇讓之德音矣。”《雜文篇》云：“崔寔客譏，整而微質。”

《隋書‧經籍志》：梁有《五原太守崔寔集》二卷，《錄》一卷，亡。《唐日本國人見在書目》：《崔寔集》二卷。

嚴氏《文編》輯存《大赦賦》、《答譏》、《諫議大夫箴》、《大醫令箴》，凡四篇。

太傅胡廣集二十二篇　廣始末具史部正史類。

謝承書曰：廣有雅才，學究五經，古今術藝皆畢覽之。

范書本傳：廣舉孝廉。到京師，試以章奏，安帝以廣爲天下第一。順帝時，尚書史敞等薦廣博物洽聞，探賾窮理，六經典奧，舊章憲式，無所不覽。其所著詩、賦、銘、頌、箴、弔及諸解詁凡二十二篇。

《文心雕龍·章表篇》曰："胡廣章奏，天下第一，當時之傑筆也。觀伯始謁陵之章，足見其典文之美焉。"

《隋書·經籍志》：梁有《後漢太傅胡廣集》二卷，《錄》一卷，亡。《唐·經籍志》：《胡廣集》二卷。《藝文志》同。

嚴氏《文編》輯存《上書駁左雄察舉議》、《諫探策立后疏》、《王隆漢官篇解詁敘》、《百官箴敘》、《侍中箴》、《邊都尉箴》、《陵令箴》、《印衣銘》、《綬笥銘》、《徵士法高卿碑》、《弔夷齊文》，凡十二篇。

司農卿皇甫規集二十七篇

范書本傳：規字威明，安定朝那人也。爲郡功曹，舉上計掾。沖、質之閒，舉賢良方正，對策。梁冀忿其刺己，以規爲下第，拜郎中。託疾免歸，以《詩》、《易》教授，門徒三百餘人。積十四年，梁冀誅，拜太山太守。延熹四年冬，三公舉規爲中郎將，持節監關西兵。明年冬，徵還拜議郎。坐繫廷尉，論輸左校，赦歸家。徵拜度遼將軍。永康元年，徵爲尚書。遷弘農太守，封壽成亭侯，讓封不受。再轉爲護羌校尉。熹平三年，以疾召還，未至，卒於穀城，年七十一。所著賦、銘、碑、讚、禱文、弔、章、表、教、令、書、檄、箋、記凡二十七篇。

《隋書·經籍志》：梁有《司農卿皇甫規集》五卷，亡。《唐·經籍志》：《皇甫規集》五卷。《藝文志》同。

張澍二酉堂輯本序曰："司農卿《皇甫規集》五卷，《七錄》、《隋》、《唐志》卷數同，本傳言所著凡二十七篇，今輯得十一篇。而趙壹報書、蔡邕薦章並綴諸末。"

嚴氏《文編》輯存《建康元年對策》、《永康元年對詔》、《求自效疏》、《上疏言羌事》、《上疏自訟》、《上書薦張奐自代》、《上言宜豫黨錮》、《與劉司空箋》、《與馬融書》、《追謝趙壹書》、《女師箴》，凡十一篇。

按本傳，規終官護羌校尉，其前亦未嘗爲司農卿，疑熹平三年以大司農召還，范氏以其未上而略之歟？

上計掾秦嘉集

唐林寶《元和姓纂》曰："《後漢上計掾秦嘉集敘》，下邳皮仲固撰。"

嚴氏《文編》曰："秦嘉字士會，隴西人。桓帝時，仕郡舉上計掾，入洛，除黃門郎。病卒於津鄉亭。"按《續漢·郡國志》，南郡江陵縣有津鄉，當是其鄉之亭。

《北堂書鈔》、《藝文類聚》、《太平御覽》引《秦士會與婦書》、《秦嘉與妻徐淑書》、《重報妻書》各數條。

按嘉官黃門郎，《七錄》載其妻《徐淑集》，亦稱嘉爲黃門郎，而林寶云上計掾，似其本集原題如此，今從之。

孝廉酈炎集二卷錄一卷 炎始末見經部小學類。

范書《文苑傳》：炎有文才，解音律，言論給捷，多服其能理。有志氣，作詩二篇。

惠棟《後漢書補注》：《炎集》炎自謂賦、頌、誄，自少爲之。又曰："我二十七而作《七平》矣。"注云：《七平》，蓋《七發》之類。

《盧植集》載《酈文勝誄》曰："自齔未成童，著書十餘箱，文體思奧，爛有文章，箴縷百家。"按惠氏此注據《古文苑》章樵注及《北堂書鈔》。

鍾嶸評漢孝廉酈炎詩云："文勝託詠靈芝，觀懷寄不淺。"

《隋書·經籍志》：梁又有《酈炎集》二卷，《錄》二卷。《唐·經籍志》：《酈炎集》二卷。《藝文志》同。

嚴氏《文編》輯存《對事》、《遺令書》二篇。馮氏《詩紀》輯存《見志詩》二首。

按炎遺令自言爲郡諸曹掾、督郵、察孝廉，爲州從事、祭酒。

《七錄》不署其官，今從鍾氏《詩品》題孝廉云。

尚書郎桓彬集三篇

范書《桓榮傳》：榮，沛郡龍亢人。子郁，郁中子焉，焉兄孫彬，字彥林，許令麟之子也。少與蔡邕齊名。初舉孝廉，拜尚書郎。時中常侍曹節女壻馮方亦爲郎，彬厲志操，與左丞劉歆、右丞杜希同好交善，未嘗與方共酒食之會，方深怨之，遂章言彬等爲酒黨。彬遂以廢。光和元年，卒於家，年四十六。諸儒莫不傷之。所著《七說》及書凡三篇，蔡邕等共論序其志，僉以爲彬有過人者四：夙智早成，岐嶷也；學優文麗，至通也；仕不苟祿，絕高也；辭隆從窊，潔操也。乃共樹碑而頌焉。

嚴氏《文編》曰：“《北堂書鈔》酒食總篇、飯篇、膾篇、肉篇引桓彬《七說》，凡四條。”

太常卿張奐集二十四篇　奐始末具經部書類。

范書本傳：所著銘、頌、書、教、誡、述、志、對策、章、表二十四篇。

《隋書·經籍志》：梁有《太常卿張奐集》二卷，《錄》一卷，亡。

《唐·經籍志》：《張奐集》二卷。《藝文志》同。

張澍二酉堂輯本序曰：“然明以賢良爲將率，卒使奠鞬、伯德服，乃威化屠各、鮮卑，失其酋豪。非由學該羣籍，兼立志節用，能遝鏤立功、閉門守靜乎？獨其記難、章句不傳於後，弗知仲威之源淵，以爲歎息。按奐學《尚書》於太尉朱寵，寵字仲威，見《鄧騭傳》。《隋》、《唐志》載《太常卿集》二卷，本傳言所著二十四篇，今采輯羣書都爲一卷。其子伯英、文舒書、銘亦附於末。”奐長子芝字伯英，芝弟昶字文舒，范書並附見《奐傳》末。

嚴氏《文編》曰：“張奐有《扶蘂賦》、《應詔上書言災應》、《上言東羌事》、《奏記謝段熲》、《與延篤書》、《與陰氏書》、《與宋季文書》、《與許季師書》、《報崔子玉書》、《與崔子真書》、《與張公超書》、《與孟季衛書》、《與屯留君書》、《誡兄子書》、《遺命諸子》，凡十五篇。芝有書四篇，昶有碑銘一篇。”

野王令劉梁集二卷　錄一卷

范書《文苑傳》：劉梁字曼山，一名岑，東平寧陽人也。梁宗室子孫，而少孤貧，賣書於市以自資。常疾世多利交，以邪曲相黨，乃著《破羣論》。時之覽者，以爲“仲尼作《春秋》，亂臣知懼，今此論之作，俗士豈不媿心”。其文不存。又著《辯和同之論》。桓帝時，舉孝廉，除北新城長。特召入拜尚書郎，累遷。後爲野王令，未行。光和中平卒。

《隋書·經籍志》：《後漢野王令劉梁集》三卷。梁二卷，《錄》一卷。《唐·經籍志》：《劉梁集》二卷。《藝文志》同。

嚴氏《文編》輯存《告新城縣人教》、《七舉》、《辯和同論》三篇，附以《劉梁碑》。

外黃令張升集六十篇

范書《文苑傳》：張升字彥真，陳留尉氏人，富平侯放之孫也。放，湯六代孫。少好學，多閱覽，而任情不羈。仕郡爲綱紀，以能出守外黃令。遇黨錮去官，後竟見誅，年四十九。著賦、誄、頌、碑、書，凡六十篇。

《文心雕龍·哀弔篇》曰：“蘇愼、張升，并述哀文，雖發其情，華而未極心實。”注“愼”疑作“順”。

《隋書·經籍志》：梁又有《外黃令張升集》二卷，《錄》一卷，亡。《唐·經籍志》：《張升集》二卷。《藝文志》同。

嚴氏《文編》：“張升有《白鳩賦》、《與任彥堅書》、《友論》凡三篇。其《友論》，一作‘反論’，一作‘反論語’，皆誤。又或引作‘張叔皮論’，尤誤。”

外黃令高彪集二卷　錄一卷

范書《文苑傳》：高彪字義方，吳郡無錫人也。家本單寒，至彪
爲諸生，游太學。有雅才。後郡舉孝廉，試經第二，除郎中，
校書東觀，數奏賦、頌、奇文，因事諷諫，靈帝異之。時京兆第
五永爲督軍御史，使督幽州，百官大會，祖餞於長樂觀。議郎
蔡邕等皆賦詩，彪乃獨作箴，邕等甚美其文，以爲莫尚也。後
遷內黃令，帝敕同僚臨送，祖於上東門，詔東觀畫彪像以勸學
者。彪到官，有德政，上書薦縣人申屠蟠等。病卒於官，文章
多亡。子岱，亦知名。惠氏《補注》：《外黃令高君碑》曰：“光和七年六月丙申
卒。”又曰：“碑作外黃，傳稱內黃者，傳之誤。”宗按申屠蟠等，陳留外黃人，亦足證實
爲外黃，非內黃。

《隋書·經籍志》：梁有《外黃令高彪集》二卷，《錄》一卷，亡。

《唐·經籍志》：《高彪集》二卷。《藝文志》同。

嚴氏《文編》：①高彪有《遺馬季長書》、《督軍御史箴》、《清誡》
凡三篇。

諫議大夫劉陶集百餘篇　陶始末見經部書類。

范書本傳：陶著書數十萬言，又作《七曜論》、《匡老子》、《反韓
非》、《復孟軻》，及上書言當世便事，條教、賦、奏、書、記、辯
疑，凡百餘篇。

《文心雕龍·誄碑篇》曰：“至如崔駰諫趙，劉陶誄黃，並得憲
章，工在簡要。”

《隋書·經籍志》：《後漢諫議大夫劉陶集》三卷。梁二卷，
《錄》一卷。《唐·經籍志》：《劉陶集》二卷。《藝文志》：《劉
白集》二卷。白是陶之刊誤。

嚴氏《文編》輯存《上疏陳事》、《與樂松袁貢連名上疏言張角

---

① “編”原作“篇”，據《補編》本改。

疏》、《陳要急八事》、《詣闕上書》、《訟朱穆改鑄大錢議》，凡
五篇。

公車徵士侯瑾集數十篇　瑾始末見史部史鈔類。

范書《文苑傳》：瑾作《矯世論》以譏切當時。以莫知於世，故
作《應賓難》以自寄。餘所作雜文數十篇，多亡失。

《隋書・經籍志》：梁又有《侯瑾集》二卷，亡。《唐・經籍志》：
《侯瑾集》二卷。《藝文志》同。

嚴氏《文編》輯序《箏賦》、《皇德頌敘》各一篇。

上計趙壹集十六篇

范書《文苑傳》：趙壹字元叔，漢陽西縣人也。體兒魁梧，望之
甚偉。而恃才倨傲，為鄉黨所擯。後屢抵罪，幾至死，友人救
得免。壹乃貽書謝恩，為《窮鳥賦》一篇，又作《刺世疾邪賦》
以舒其怨憤。光和元年，舉郡上計。河南尹羊陟、司徒袁逢
共稱薦之，名動京師，士大夫望想其風采。及西還，州郡爭致
禮命，十辟公府，並不就。終於家。著賦、頌、箴、誄、書、論及
雜文十六篇。

鍾嶸《詩品》曰：“元叔散憤蘭蕙，指斥囊錢，苦言切句，良亦勤
矣。斯人也而有斯困，悲夫。”

《文心雕龍・才略篇》曰：“趙壹之辭賦，意繁而體疏。”

惠棟《後漢書補注》：《文士傳》曰：“壹肩高二尺，高自抗竦，為
鄉黨所擯。今集中有《解擯賦》。”

《隋書・經籍志》：梁有《上計趙壹集》二卷，《錄》一卷，亡。
《唐・經籍志》：《趙壹集》二卷。《藝文志》同。

嚴氏《文編》輯存《迅風賦》、《解擯賦》、《刺世疾邪賦》、《窮鳥
賦》、《報羊陟書》、《報皇甫規書》、《非草書》，凡七篇。

別部司馬張超集十九篇

范書《文苑傳》：張超字子並，河閒鄭人也。惠氏《補注》："鄭"當作"鄴"。留侯良之後。有文才。靈帝時，從車騎將軍朱儁征黃巾，爲別部司馬。著賦、頌、碑文、薦、檄、箋、書、謁文、嘲凡十九篇，超又善於草書，妙絕時人，世共傳之。

《隋書·經籍志》：梁又有《別部司馬張超集》五卷，亡。《唐·經籍志》：《張邵集》五卷。《藝文志》同。《玉海·藝文》謂此即《張超集》，而誤爲"邵"。《宋史·藝文志》：《張超集》三卷。

嚴氏《文編》曰："超有集五卷，今引見諸書有《誚青衣賦》、《與某公箋》、《與太尉朱儁書》、《尼父頌》、《楊四公頌》、《靈帝河閒舊廬碑》，凡六篇。

九江太守服虔集十餘篇　　虔始末見經部春秋類。

范書《儒林傳》：虔有雅才，善著文論，所著賦、碑、誄、書、記、連珠、九憤凡十餘篇。

司空荀爽集三卷　錄一卷

《隋書·經籍志》：《後漢司徒荀爽集》一卷。梁三卷，《錄》一卷。《唐·經籍志》：《荀爽集》二卷。《藝文志》同。

嚴氏《文編》輯存《延熹九年舉至孝對策陳便宜》，又《奏記讓孝廉》，又《貽李膺書》，又《與郭叔都書》，又《女誡》，凡五篇。

按徐幹《中論》引荀爽《壽夭論》。又范書《朱穆傳》注云："穆子野，字子遼，見荀爽薦文。"則又有薦朱野文。本傳云："司空袁逢舉有道，不應。及逢卒，爽制服三年，當世往往化以爲俗。時人多不行妻服，雖在親憂，猶有弔問喪疾者，又私諡其君父及諸名士，爽皆引據大義，正之經典，雖不悉變，亦頗有改。"袁山松書亦云："蔡邕議諡朱穆爲文忠先生，荀爽聞而非之。"則又有宜爲舉主行服，宜爲妻行服，不宜在親憂弔問，不宜爲君父名士私諡諸論議，凡斯之類，皆當在是集中也。

尚書盧植集六篇　植始末見經部書類。

范書本傳：植嘗懷濟世志，不好辭賦，素善蔡邕。邕前徙朔方，植獨上書請之。所著碑、誄、表、記凡六篇。

《隋書·經籍志》：梁有《盧植集》二卷，亡。《唐·經籍志》：《盧植集》二卷。《藝文志》同。

嚴氏《文編》曰：“盧植有集二卷，今見諸書所引有《始立太學石經上書》、《日食上封事》、《奏事獻書規竇武》、《酈文勝誄》，凡五篇。”

左中朗將蔡邕集百四篇　邕始末具經部禮類。

范書本傳：邕閒居玩古，不交當世。感東方朔《客難》及楊雄、班固、崔駰之徒設疑以自通，乃斟酌羣言，韙其是而矯其非，作《釋誨》以自戒屬。又曰：“所著詩、賦、碑、誄、銘、讚、連珠、箴、弔、論、議、《獨斷》、《勸學》、《釋誨》、《敘樂》、《女訓》、《篆勢》、祝文、章表、書、記，凡百四篇傳於世。”

《文心雕龍·才略篇》曰：“張衡通贍，蔡邕精雅，文史彬彬，隔世相望，是則竹柏異心而同貞，金玉殊質而皆寶也。”小說家言衡後身卽爲蔡邕，故劉勰總云然。又《銘箴篇》曰：“蔡邕銘思，獨冠古今。橋公之鉞，吐納典謨；朱穆之鼎，全成碑文，溺所長也。”又《誄碑篇》云：“自後漢以來，碑碣雲起，才鋒所斷，莫高蔡邕。觀楊賜之碑，骨鯁訓典。陳、郭二文，詞無擇言。周、胡眾碑，莫非精允。其敘事也該而要，其綴采也雅而澤。清詞轉而不窮，巧義出而卓立。察其爲才，自然而至。”《雜文篇》云：“蔡邕《釋誨》，體奧而文炳。”

《隋書·經籍志》：《後漢左中郎將蔡邕集》十二卷。梁有二十卷，《錄》一卷。《唐日本國人見在書目》：《蔡邕集》廿卷。《唐·經籍志》：《蔡邕集》二十卷。《藝文志》同。《崇文總目》：《蔡

邕文集》五卷。《宋史・藝文志》:《蔡邕集》十卷。《通志・藝
文略》:《蔡邕外文》一卷。

晁氏《讀書志》:《蔡中郎集》十卷,所著文章百四篇,今錄止存
九十篇,而銘墓居其半。或曰碑銘,或曰神誥,或曰哀讚,其
實一也。嘗自云爲郭有道碑,獨無媿辭,則其他可知已。

陳氏《書錄解題》:"《蔡中郎集》十卷,《唐志》二十卷。今本缺
亡之外纔六十四篇。其閒有稱建安年號及爲魏宗廟頌述者,
非邕文也。卷末有天聖癸亥歐陽靜所書,辨證甚詳,以爲好
事者雜編他人之文相混,非本書。"

《四庫提要》曰:"《蔡中郎集》六卷。此本爲雍正中陳留所刊,
文與詩共得九十四首。證以張溥《百三家集》刻本,多寡增
損,互有出入。卷首歐陽靜序,論姜伯淮、劉鎮南碑斷非邕
作。以年月攷之,其說良是。張本又載《薦董卓表》,而陳留
本無之。其事范書不載,或疑爲後人贋作。然劉克莊《後村
詩話》已排詆此表,與揚雄《劇秦》、《美新》同稱,則宋本實有
此文。後漢諸史,自范、袁二家以外,尚有謝承等諸家,今皆
散佚,亦難以史所未載斷其事之必無。或新本刻於陳留,以
桑梓之情,欲爲隱諱,故削之以滅其蹟歟?"

嚴可均《文編》序目曰:"《蔡邕集》,宋時得殘本,重加編次爲
十卷,《外傳》一卷。一明初九行仿北宋本,一明錫山重刻本,
一影寫蘭雪堂活字本,一明徐子器六卷本,一陳留六卷本,又
張溥輯《百三家集》二卷本。"按嚴氏《全後漢文編》輯本十二卷,今盛行聊
城楊氏仿宋本。

太尉崔烈集四篇

范書《崔寔傳》:寔從兄烈,有重名於北州,歷位郡守、九卿。
靈帝時,開鴻都門榜賣官爵。烈時因傅母入錢五百萬,得爲
司徒,於是聲譽衰減。後拜太尉。其子鈞,爲西河太守。獻

帝初，鈞與袁紹俱起兵山東，董卓以是收烈，付郿獄錮之，鋃鐺鐵鎖。卓既誅，拜烈城門校尉。及李傕入長安，爲亂兵所殺。烈有文才，所著詩、書、教、頌等凡四篇。《獻帝本紀》：初平三年五月，董卓部曲將李傕、郭汜、樊稠、張濟反攻京師。六月戊午，陷長安城。太常种拂、太僕魯旭、大鴻臚周奐、城門校尉崔烈、越騎校尉王頎並戰歿，吏民死者萬餘人。

惠棟《後漢書補注》：摯虞《文章志》曰：“烈字威考，駰之孫，瑗之兄子。自司徒遷太尉，封陽平亭侯。”《世系》曰：“駰子盤，生烈。”棟按，博陵太守孔彪碑陰，有“司徒掾博陵崔烈字威攷”也。

江夏太守韓說集

范書《方術傳》：韓說字叔儒，會稽山陰人也。博通五經，尤善圖緯之學。舉孝廉。與議郎蔡邕友善。數陳災眚，及奏賦頌、連珠。稍遷侍中。光和元年十月，說言於靈帝，云其晦日必食，乞百官嚴裝。帝從之，果如所言。中平二年二月，又上封事，剋期宮中有災。至日南宮大火。遷說江夏太守，公事免。年七十，卒於家。

范書《蔡邕傳》：熹平四年，乃與議郎張馴、韓說等奏求正定六經文字。又曰：“邕前在東觀，與盧植、韓說等撰補《後漢記》。”

《續漢書·曆志》：光和三年，太常就耽上選侍中韓說等於太常府議月食術，耽以說等議奏聞，詔書可。按此稱上選侍中，或以侍中選上，未報許可之稱。

議郎廉品集二卷

《隋書·經籍志》：梁又有《議郎廉品集》二卷，亡。

嚴氏《文編》曰：“廉品爲議郎，有集二卷。《太平御覽》五百三十引廉品《大儺賦》。”

按《魏志·杜恕傳》有樂安廉昭，以才能好言事，官尚書郎。似廉氏樂安人，昭或品之子弟輩歟？

尚書令士孫瑞集二卷

范書《王允傳》：允見卓禍毒方深，篡逆已兆，密謀共誅之。乃上執金吾士孫瑞爲南陽太守，將兵出武關道，以討袁術爲名，實欲分路征卓，而後拔天子還洛陽。卓疑而留之，允乃引內瑞爲僕射。又曰：士孫瑞，字君策，扶風人，頗有才謀。瑞以允自專討董卓之勞，故歸功不侯，所以獲免於難。免催、汜、稠、濟陷長安殺王允之難也。後爲國三老、光祿大夫。每三公缺，楊彪、皇甫嵩皆讓位於瑞。興平二年，從駕東歸，爲亂兵所殺。《獻帝本紀》：興平二年十一月庚午，李催、郭汜等追乘輿，戰於東澗，王師敗績，殺衛尉士孫瑞。裴松之注《魏志·獻帝紀》曰："時尚書令士孫瑞爲亂兵所害。"

《魏志·董卓傳》："初平三年四月，司徒王允、尚書僕射士孫瑞、卓將呂布共謀誅卓，遂殺卓，夷三族。"裴松之注：《三輔決錄注》曰："瑞字君榮，扶風人。世爲學問，瑞少傳家業，博達無所不通，仕歷顯位。卓既誅，遷大司農，爲國三老。每三公缺，瑞嘗在選中。天子都許，追論瑞功，封瑞子萌澹津亭侯。"

《隋書·經籍志》：梁又有《尚書令士孫瑞集》二卷，亡。《唐·經籍志》：《士孫瑞集》二卷。《藝文志》同。

嚴氏《文編》輯存《理王允等事》一篇，《日蝕行冠禮議》一篇，《劍銘》一篇。或引作博士孫瑞，衍"博"字。又或引作後漢孫瑞，妄刪"士"字。

大司農鄭玄集二卷　錄一卷　玄始末具經部易類。

《隋書·經籍志》：梁又有《鄭玄集》二卷，《錄》一卷，亡。《唐·經籍志》：《鄭玄集》二卷。《藝文志》同。

鄭珍《鄭學錄》曰："《鄭玄集》，《唐志》二卷。按康成平生雜著，必皆萃此集中。自佚其書，而注釋以外文字十不存一，惜哉！乾隆閒，盧氏見曾刻《周易鄭注》，後附《康成集》，其首爲《相風賦》。考此賦，《藝文類聚》卷六十八所載，是晉傅玄作，不知何以誤歸康成，或因名同，一時失檢歟？"

嚴氏《文編》輯存《皇后敬父母議》、《戒子益恩書》、《周易敘》、《尚書大傳敘》、《詩譜敘》、《孝經注敘》、《論語敘》、《自序》，凡八篇，附以《六藝論》三十八條。

按范書本傳言玄答何休論古學書，《御覽》五百八十八引《別傳》有嘉禾、嘉瓜表頌，《鄭志》載兩答甄子然難禮，凡斯之類，皆當在是集中。

太常趙岐集　　岐始末具史部雜傳記類。

范書本傳：岐逃難四方，北海孫嵩賓石藏岐複壁中數年，岐作《厄屯歌》二十三章。及出，擢拜荊州刺史，撰次《禦寇論》。及留荊州，自爲《壽藏讚頌》，多所述作。

嚴氏《文編》輯存《藍賦》、《與友書》、《遺令敕兄子》、《臨終敕其子》、《三輔決錄序》、《孟子題辭》、《孟子篇敘》，凡七篇。

泰山太守應劭集四卷　　劭始末具史部正史類。

《隋書·經籍志》：《後漢泰山太守應劭集》二卷。梁四卷。《唐·經籍志》：《應劭集》四卷。《藝文志》同。

嚴氏《文編》輯存《貢藥物表》、《奏上刪定律令》、《駁韓卓募兵鮮卑議》、《鮮卑胡市議》、《追駁尚書陳忠活尹次史玉議》、《舊名諱議》、《營陵令到官移書申約吏民》、《風俗通義序》，凡八篇。

處士禰衡集二卷　　錄一卷　　衡始末具史部雜傳記類。

范書《文苑傳》：衡少有才辨。興平中，避難荊州。建安初，來游許下。唯善魯國孔融，及弘農楊修。劉表及荊州士大夫服其才名，甚賓禮之，文章言議，非衡不定。江夏太守黃祖亦善待焉，衡爲作書記，輕重疏密，各得體宜。祖長子射，爲章陵太守，尤善於衡。時有獻鸚鵡者，射舉卮於衡曰：“願先生賦之。”衡攬筆而作，文無加點，辭采甚麗。其文章多亡云。

《文心雕龍·才略篇》曰：“禰衡思銳於爲文，有偏美焉。”《哀弔篇》云："禰衡之弔平子，縟麗而輕清。"《書記篇》云："禰衡代書，親疏得宜，斯又尺牘之偏才也。"

《隋書·經籍志》：梁有《後漢處士禰衡集》二卷，《錄》一卷，亡。《唐·經籍志》：《禰衡集》二卷。《藝文志》同。

嚴氏《文編》輯存《鸚鵡賦》、《書》、《魯夫子碑》、《顏子碑》、《弔張衡文》，凡五篇。

九江太守邊讓集

范書《文苑傳》：邊讓字文禮，陳留浚儀人也。少辯博，能屬文。作《章華賦》，雖多淫麗之辭，而終之以正，亦相如之諷也。大將軍何進聞讓才名，署令史。讓善占射，能辭對，時賓客滿堂，莫不羨其風。府掾孔融、王朗並修刺候焉。議郎蔡邕深敬之。後以高才擢進，屢遷，出爲九江太守。初平中，王室大亂，去官歸家。恃才氣，不屈曹操，多輕侮之言。建安中，其鄉人有構讓於操，操告郡就殺之。文多佚失。《魏志·武紀》注：《曹瞞傳》曰："及在兗州，陳留邊讓言議頗侵太祖，太祖殺讓，族其家。"

嚴氏《文編》輯存本傳所載《章華臺賦》并序，亦見《文選·曹植贈丁儀王粲詩》注、《謝惠連詠牛女詩》注。

少府孔融集二十五篇　融始末具經部春秋類。

范書本傳：魏文帝深好融文辭，募天下有上融文章者，輒賞以金帛。所著詩、頌、碑文、論、議、六言、策文、表、檄、教、令、書、記凡二十五篇。

《魏志·王粲傳》注引文帝《典論》曰："孔融體氣高妙，有過人者。然不能持論，理不勝辭，至於雜以嘲戲。及其所善，揚、班之儔也。"又《荀攸傳》注引《荀氏家傳》云："濟陰太守祈與孔融論肉刑，丞相祭酒惜與孔融論聖人優劣，並在《融集》。"

《文心雕龍·才略篇》曰："孔融氣盛於爲筆。"又《誄碑篇》云："後漢碑碣，莫高蔡邕。孔融所創，有慕伯喈。張、陳兩文，辯給足采，亦其亞也。”《詔策篇》云：“孔融之守北海，文教麗而罕於理，乃治體乖也。”《論說篇》云：“孔融孝廉，但談嘲戲。”《章表篇》云：“文舉之薦禰衡，氣揚采飛。”《書記篇》云：“文舉屬章，半簡必錄。”

《隋書·經籍志》：《後漢少府孔融集》九卷。梁十卷，《錄》一卷。《唐·經籍志》：《孔融集》十卷。《藝文志》同。

《四庫提要》曰：“《孔北海集》一卷，漢孔融撰。按魏文帝《典論·論文》稱‘孔氏卓卓，信含異氣。筆墨之性，殆不可勝’。其集十卷。《宋史》始不著錄。此本乃明人所掇拾，共三十七篇。張溥《百三家》亦載是集，而較此本少二篇。大抵捃拾史傳類書，多斷簡殘章，首尾不具。不但非隋、唐之舊，卽蘇軾《孔北海贊序》稱讀其所作《楊氏四公贊》，今本亦無之。則宋人所及見者，今已不具矣。然人旣國器，文亦鴻寶。雖缺佚之餘，彌可珍也。其六言詩見於本傳。今所傳三章，詞多凡近，又皆盛稱曹操功德。斷以融之生平，可信其義不出此。卽使舊本有之，亦必黃初閒購求遺文，贗託融作以頌曹操，未可定爲真本也。”

嚴氏《文編》輯本一卷，凡疏、議、教、書、論、碑、銘三十九篇。

馮氏《詩紀》輯存詩八首。

處士周不疑集四篇

《魏志·劉表傳》注：《零陵先賢傳》曰：“周不疑字元直，幼有異才，聰明敏達，太祖欲以女妻之，不疑不敢當。太子愛子倉舒夙有才智，謂可與不疑爲儔。及倉舒卒，太祖心忌不疑，欲除之。文帝諫以爲不可，太祖曰：‘此人非汝所能駕御也。’乃遣刺客殺之。”又摯虞《文章志》曰：“不疑死時年十七，著文論四首。”

《太平御覽》五百八十八引《零陵先賢傳》曰：“周不疑字文直。

曹公時有白雀瑞,儒林並已作頌,不疑見操,受紙筆,立令復作,操奇焉。"

　　按《魏志·武文世王公列傳》,鄧哀王沖字倉舒,建安十三年亡。則不疑被殺在是年之後。裴注及《御覽》所引同一書,而"元直"、"文直"其字互異,未詳孰是。

討虜長史張紘集十餘篇

《吳志》：張紘字子綱,廣陵人。少游學京都,還本郡,舉茂才,公府辟,皆不就,避難江東。孫策創業,遂委質焉。表爲正議校尉。建安四年,策遣紘奉章至許宮,留少侍御史。少府孔融等皆與親善。策薨,曹公表權爲討虜將軍,領會稽太守,曹公欲令紘輔權內附,出紘爲會稽東郡都尉。後權以紘爲長史。紘建計宜出都秣陵,權從之。令還吳迎家,道病卒,時年六十。著詩、賦、銘、誄十餘篇。按《吳志》權徙治秣陵,城石頭,改秣陵爲建業,在建安十六、七年。紘之卒,當在此兩年中。

裴松之注：《吳書》曰："權初承統,每有異事密計及章表、書記與四方交結,常令紘與張昭草創撰作。"又曰："紘見柟榴枕,愛其文,爲作賦。陳琳在北見之,以示人曰：'此吾鄉里張子綱所作也。'紘既好文學,又善楷、篆書,與孔融書,自書。融遺紘書曰：'前勞手筆,多篆書。每舉筆見字,欣然如復覩其人也。'"

《隋書·經籍志》：《後漢討虜長史張紘集》一卷。梁二卷,《錄》一卷。《唐書·經籍志》：《張紘集》一卷。《藝文志》同。

嚴氏《文編》曰："張紘有集二卷。紘,《吳志》有傳,而《隋志》及《類聚》、《御覽》皆列於後漢,今從之。諸書所引有《瓌材枕賦》、《瓌材枕箴》、《書鈔》引作銘。《爲孫會稽責袁術僭號書》、《與孔融書》、《臨困授子靖留箋》凡五篇。《瓌材枕賦》,未知卽是《柟榴枕賦》否,俟致。"按傳注引《吳書》,紘又有《與陳琳書》,今亡。

丞相倉曹屬阮瑀集數十篇

《魏志·王粲附傳》：陳留阮瑀，字元瑜，少受學於蔡邕。建安中，都護曹洪欲使掌書記，瑀終不爲屈。太祖以瑀爲司空軍謀祭酒，管記室，軍國書檄，多瑀所作。徙爲倉曹掾屬。著文、賦數十篇。以建安十七年卒。文帝書與元城令吳質曰："元瑜書記，翩翩致足樂也。"

裴松之注曰："按魚氏《典略》、摯虞《文章志》並云瑀建安初辭疾避役，不爲曹洪屈。得太祖召，卽投杖而起。又《典略》載太祖征荆州，使瑀作書與劉備，及征馬超，又使瑀作書與韓遂，此二書今具存。"按瑀子籍，《晉書》有傳，陳留尉氏人也。

鍾嶸《詩品》曰："魏倉曹屬阮瑀詩，平典不失古體。"

《文心雕龍·才略篇》曰："琳、瑀以符檄擅聲。"又《哀弔篇》云："胡、阮之弔夷齊，褒而無聞；仲宣所制，譏呵實工。然則胡、阮嘉其清，王子傷其隘，各其志也。"胡謂胡廣，王爲王粲也。

《隋書·經籍志》：《後漢丞相倉曹屬阮瑀集》五卷。梁有《錄》一卷，亡。《唐·經籍志》：《阮瑀集》五卷。《藝文志》同。

張氏《百三家·阮元瑜集》輯本一卷，凡賦、論、書、箋、文、詩十九篇。

嚴氏《文編》輯本有《紀征賦》、《止欲賦》、《箏賦》、《鸚鵡賦》、《謝曹公箋》、《爲曹公與孫權書》、《爲曹公與劉備書》、《文質論》、《弔伯夷》，凡九篇。馮氏《詩紀》輯存樂府詩十篇。

魏國郎中令路粹集二卷　錄一卷　郎中令，疑是祕書令之譌。

《魏志·王粲傳》注：《典略》曰："路粹字文蔚，陳留人。少學於蔡邕。初平中，隨車駕至三輔。建安初，以高才擢拜尚書郎。後爲軍謀祭酒,與陳琳、阮瑀等典記室。及孔融有過,太祖使粹爲奏,承指數致融罪,融誅之。後人覩粹所作,無不嘉其才而畏其筆也。至十九年,粹轉爲祕書令,從大軍至漢中,坐違禁賤請驢伏法。太子素與粹善,聞其死,爲之歎息。及卽位,特用其子爲長史。"《後漢書·孔融傳》注亦引之。

《文心雕龍·奏啟篇》:"觀孔光之奏董賢,則實其姦回。路粹之奏孔融,則誣其釁惡。名儒之與憸士,固殊心焉。"

《隋書·經籍志》:梁有《魏國郎中令路粹集》二卷,《錄》一卷,亡。按《隋志》此條,似有脫誤,"魏國郎中令"五字當屬下文《袁渙集》之首。《唐·經籍志》:《路粹集》二卷。《藝文志》同。

嚴氏《文編》輯存《枉狀奏孔融》一篇、《爲曹公與孔融書》一篇。

魏國郎中令行御史大夫袁渙集五卷　錄一卷

《魏志》本傳:渙字曜卿,陳郡扶樂人也。郡命爲功曹,後辟公府,舉高第,遷侍御史。除譙令,不就。劉備之爲豫州,舉渙茂才。後避地江、淮閒,爲袁術所命。頃之,呂布擊術於阜陵,渙往從之,遂復爲布所拘留。布破,渙得歸太祖,拜爲沛南部都尉。遷梁相,以病去官。後徵爲諫議大夫、丞相軍祭酒。魏國初建,此處當有"以"字。郎中令,行御史大夫事。居官數年卒,太祖爲之流涕。按魏國初建在建安十八年,《魏志·武紀》:是年秋七月,始建魏社稷宗廟。冬十月,分魏郡爲東西部,置都尉。十一月,初置尚書、侍中、六卿。《魏氏春秋》曰:"以王粲爲侍中。"

《隋書·經籍志》:梁有《行御史大夫袁渙集》五卷,《錄》一卷,亡。按上文"魏國郎中令"五字當在此集之首,轉寫亂之。《唐·經籍志》:《袁渙集》五卷。《藝文志》同。

嚴氏《文編》曰:《魏志》、《魏書》、袁《紀》、《選注》引渙《與主簿孫徽等教》、《說曹公》、《與曹子建書》,凡三篇。

魏國奉常王脩集二卷

《魏志》本傳：脩字叔治，北海營陵人也。初平中，北海相孔融召以爲主簿，守高密令。舉孝廉，時天下亂，遂不行。復署功曹，守膠東令。袁譚在青州，辟爲治中從事。袁紹又辟脩，除卽墨令。紹、譚死，遂詣太祖，乃辟爲司空掾，行司金中郎將，遷魏郡太守。魏國旣建，爲大司農郎中令，徙奉常，病卒官。

《隋書·經籍志》：梁有《魏國奉常王脩集》二卷，亡。《唐·經籍志》：《王脩集》三卷。《藝文志》同。

嚴氏《文編》曰：“王脩有集二卷，《通典》引脩《四孤議》一篇，《魏略》載《奏記曹公陳黃白異議》一篇，《類聚》、《御覽》引脩《誡子書》一篇。”

尚書右丞潘勗集二卷　錄一卷

《魏志·武紀》注：潘勗字元茂，陳留中牟人，後漢尚書左丞。又《衛顗附傳》：建安末，尚書右丞河南潘勗亦與顗以文章顯。

裴松之注：《文章志》曰：“勗字元茂，初名芝，改名勗。或曰：勗獻帝時爲尚書郎，遷右丞，詔以勗前在二千石曹，才敏兼通，明習舊事，勑幷領本職，數加特賜。二十年，遷東海相，未發，留拜尚書左丞。其年病卒，時年五十餘。魏公九錫策命，勗所作也。”

《太平御覽》五百九十三引《殷洪小說》曰：“魏國初建，潘勗爲策命文，自漢武以來未有此制，勗乃依商周憲章、唐虞辭義，溫雅與典誥同風。”

《文心雕龍·才略篇》曰：“潘勗憑經以騁才，故絕羣於錫命。”又《銘箴篇》云：“潘勗符節，要而失淺。”

《隋書·經籍志》：《後漢尚書右丞潘勗集》二卷。梁有《錄》一卷，亡。《唐·經籍志》：《潘勗集》二卷。《藝文志》同。

嚴氏《文編》輯存《玄達賦》、—作《玄遠賦》。《冊魏公九錫文》、《擬連珠》、《尚書令荀彧碑》，凡四篇。

魏國侍中王粲集六十篇　　粲始末具經部書類。

《魏志》本傳：粲善屬文，舉筆便成，無所改定，時人常以爲宿構；然正復精意覃思，亦不能加也。著詩、賦、論、議垂六十篇。文帝書與元城令吳質曰：“仲宣獨自善於辭賦，惜其體弱不起。其文至於所善，古人無以遠過也。”

裴松之注：《典論》曰：“如粲之《初征》、《登樓》、《槐賦》、《征思》，雖張、蔡不過也。”又《典略》曰：“粲才既高，辯論應機。鍾繇、王朗等雖各爲魏卿相，至於朝廷奏議，皆閣筆不能措手。”

《太平御覽》五百九十引《文章流別傳》曰：“後世器銘之佳者，有王莽《鼎銘》、崔瑗《機銘》、朱公叔《鼎銘》、王粲《硯銘》，咸以表顯功德。天子銘嘉量，諸侯大夫銘太常，勒鍾鼎之義。所言雖殊，而令德一也。”王粲《硯銘》見《初學記》二十一、《類聚》五十八。

鍾嶸《詩品》曰：“魏侍中王粲詩，其源出於李陵。發愀愴之詞，文秀而質羸。在曹、劉閒，別構一體。方陳思不足，比魏文有餘。”

《文心雕龍·詮賦篇》曰：“仲宣靡密，發端必遒。”《雜文篇》云：“仲宣《七釋》，致辯於事理。”《才略篇》云：“仲宣溢才，捷而能密，文多兼善，辭少瑕累。摘其詩賦，則七子之冠冕乎？”

《隋書·經籍志》：《後漢侍中王粲集》十一卷。《唐·經籍志》：《王粲集》十卷。《藝文志》同。《宋史·藝文志》八卷。

晁氏《讀書志》曰：“《王粲集》八卷。粲著詩、賦、論、議垂六十篇，今集有八十一首。按《唐志》粲集十卷，今亡兩卷。其詩文反多於史所紀二十餘篇。”按史所言篇數，或以卷分，或以類分，晁氏以首數爲篇數，非是。

張氏《百三家·王侍中集》輯本一卷，凡賦、書、檄、七記、連珠、贊、銘、祭文、樂府、詩，綜五十六篇。

嚴氏《文編》輯本二卷，凡賦、書、檄、七釋、頌、贊、《論荆州文學》、《官志》、傲連珠、銘、弔，綜四十六篇。馮氏《詩紀》輯存樂府詩十二篇。

> 按《王粲集》中有《尚書問》二卷，見《唐書·元行沖傳》，晁《志》稱今亡兩卷者，葢卽《尚書問》也。集中又有《贈澹津亭侯士孫萌詩》及萌答詩，萌，瑞之子也。見《魏志·董卓傳》注。

魏太子文學徐幹集數十篇　幹始末見子部儒家類。

《魏志·王粲附傳》：著文賦數十篇。

裴松之注：《典論》曰："今之文人，北海徐幹。如幹之《玄猨》、《漏巵》、《團扇》、《橘賦》，雖張、蔡不過也。然於他文，未能稱是。"

鍾嶸評魏文學徐幹詩曰："偉長與公幹往復，雖曰以莛扣鍾，亦能閒雅矣。"

《文心雕龍·才略篇》曰："徐幹以賦論標美。"《詮賦篇》云："偉長博通，時逢壯采。"《哀弔篇》云："建安哀辭，惟偉長差善。《行女》一篇，時有惻怛。"

《隋書·經籍志》曰："《魏太子文學徐幹集》五卷。梁有《錄》一卷，亡。"《唐·經籍志》：《徐幹集》五卷。[①]《藝文志》同。

嚴氏《文編》輯本有《齊都賦》、《西征賦序》、《征賦》、《哀別賦》、《嘉夢賦》、《冠賦》、《團扇賦》、《車渠椀賦》、《七喻》、《雜文》，凡十篇。馮氏《詩紀》輯存詩五篇。

丞相軍謀掾陳琳集數十篇

《魏志·王粲附傳》：廣陵陳琳，字孔璋，前爲何進主簿，後避

---

① "集"，原作"志"，據《補編》本及殿本《舊唐書》改。

難冀州，袁紹使典文章。袁氏敗，琳歸太祖，太祖謂曰："卿昔
爲本初移書，便可罪狀孤而已，惡惡止其身，何乃上及父祖
耶？"琳謝罪，太祖愛其才而不咎。以爲司空軍謀祭酒，管記
室。軍國書檄多琳所作。徙門下督。著文、賦數十篇。建安
二十二年卒。文帝書與元城令吳質曰："孔璋章表殊健，微爲
繁富。"注又引《典論》曰："琳、瑀之章表、書記，今之儁也。"

《吳志·張紘傳》注：《吳書》曰："紘見陳琳作《武庫賦》、《應譏
論》，與琳書，深歎美之。"

《文心雕龍·檄移篇》曰："陳琳之檄豫州，壯有骨鯁。雖姦閹
攜養，章密太甚，發丘摸金，誣過其虐。然抗辭書釁，曒然露
骨矣。敢指曹公之鋒，幸哉，免袁黨之戮也。"《書記篇》云：
"陳琳諫辭，稱掩目捕雀，引俗說而爲文辭者也。"

《隋書·經籍志》：《後漢丞相軍謀掾陳琳集》三卷。梁十卷，
《錄》一卷。《唐·經籍志》：《陳琳集》十卷。《藝文志》同。
《宋·藝文志》同。

陳氏《書錄解題》曰："《陳孔璋集》十卷，魏丞相軍謀掾廣陵陳
琳孔璋撰。魏文帝《典論》以孔融、王粲、徐幹、陳琳、阮瑀、應
瑒、劉楨七人所謂建安七子者也。今諸家詩文散見於《文選》
及諸類書，其以集傳者，仲宣、孔璋而已。"按此稱魏丞相軍謀掾，殊
誤。此丞相即曹操也。"魏"當作"漢"。

張氏《百三家·陳記室集》輯本一卷，凡賦、上書、書、箋、檄、
版文、設難、樂府、詩二十二篇。

嚴氏《文編》輯本一卷，凡《大暑賦》、《止欲賦》、《武庫賦》、《神
武賦》、《神女賦》、《大荒賦》、《迷迭賦》、《馬瑙勒賦》、《柳賦》、
《鸚鵡賦》、《諫何進召外兵》、《答東阿王箋》、《更公孫瓚與子
書》、《答張紘書》、《爲曹洪與魏太子書》、《爲袁紹檄豫州》、

《檄吳將校部曲文》、《應譏》、《韋端碑》，凡一十九篇。馮氏《詩紀》輯存樂府詩三篇。

魏太子文學應瑒集數十篇　瑒始末具子部雜藝術類。

《魏志·王粲附傳》：瑒著文賦數十篇。建安二十二年卒。文帝書與吳質曰：“德璉常斐然有述作意，其才學足以著書，美志不遂，良可痛惜。”注又引《典論》曰：“應瑒和而不壯，劉楨壯而不密。”

《文心雕龍·才略篇》曰：“應瑒學優以得文。”又《序志篇》云：“詳觀近代之論文者，若應瑒文論，華而疏略。”

《隋書·經籍志》：《魏太子文學應瑒集》一卷。梁有五卷，《錄》一卷，亡。《唐·經籍志》：《應瑒集》二卷。《藝文志》同。張氏《百三家》：《應德璉集》輯本一卷，凡賦、書、論、雜文、詩二十篇。

嚴氏《文編》輯本有《愁霖賦》、《靈河賦》、《正情賦》、《撰征賦》、《西征賦》、《西狩賦》、《馳射賦》、《校獵賦》、《神女賦》、《車渠椀賦》、《愍迷迭賦》、《楊柳賦》、《鸚鵡賦》、《繁驥賦》、《報龐惠恭書》、《釋賓文》、《質論》、《奕勢》，凡一十八篇。馮氏《詩紀》輯存詩五篇。

魏太子文學劉楨集數十篇　楨始末見經部詩類。

《魏志·王粲附傳》：楨著文賦數十篇。

裴松之注：《魏略》曰：“建安二十三年，太子又與吳質書曰：‘孔璋表殊健，微爲繁富。公幹有逸氣，但未遒耳。至其五言詩，妙絕當時。’”

鍾嶸《詩品》曰：“魏文學劉楨詩，其源出於古詩，仗氣愛奇，動多振絕，真骨凌霜，高風跨俗。但氣過其文，雕潤恨少。然自陳思以下，楨稱獨步。”

《文心雕龍·才略篇》曰："劉楨情高以會采。"《書記篇》云："公幹箋記，麗而規益，子桓弗論，故世所共遺。若略取名，實則有美於爲詩矣。"

《隋書·經籍志》：《魏太子文學劉楨集》四卷，《錄》一卷。《唐·經籍志》：《劉楨集》二卷。《藝文志》同。

張氏《百三家·劉公幹集》輯本一卷，凡賦、書、碑、詩十七篇。

嚴氏《文編》輯本有《大暑賦》、《黎陽山賦》、《魯都賦》、《遂志賦》、《清慮賦》、《瓜賦》、《與曹植書》、《諫曹植書》、《答魏太子丕借廓落帶書》、《處士國文甫碑》，凡十篇。馮氏《詩紀》輯存詩八篇。

丞相主簿繁欽集十卷　錄一卷

《魏志·王粲附傳》：穎川繁欽，亦有文采。

裴松之注：繁，音婆。《典略》曰："欽字休伯，以文才機辯，少得名於汝、穎。欽長於書記，又善爲詩賦。其所與太子書，記喉轉意，率皆巧麗。爲丞相主簿。建安二十三年卒。"

《文選·繁休伯與魏文帝箋》注：《文章志》曰："繁欽字休伯，穎川人。少以文辨知名，以豫州從事稍遷至丞相主簿，病卒。《文帝集序》云：'上西征，余守譙，繁欽從。時薛訪車子能喉轉，與笳同音。欽箋還與余，而盛歎之。雖過其實，而其文甚麗。'"

《隋書·經籍志》：《後漢丞相主簿繁欽集》十卷。梁《錄》一卷，亡。《唐·經籍志》：《繁欽集》十卷。《藝文志》同。

嚴氏《文編》輯本有《暑賦》、《抑檢賦》、《明□賦》、《愁思賦》、一作《秋思》。《弭愁賦》、《述征賦》、《述行賦》、一作《遂行》。《避地賦》、《征天山賦》、一作《撰正賦》。① 《建章鳳闕賦》、《三胡賦》、《桑

---

① "正"，《補編》本作"征"。

賦》、《柳賦》、《與魏太子箋》、《爲史叔良作移零陵檄》、《川里先生訓》、《硯頌》、《硯讚》、《尚書箴》、《威儀箴》、《嘲應德璉文》、《丘雋碑》，凡二十二篇。馮氏《詩紀》輯存詩六篇。

丞相主簿楊脩集十五篇 <small>脩始末見子部雜藝術類。</small>

范書《楊震附傳》：脩所著賦、頌、碑、讚、詩、哀辭、表、記、書凡十五篇。

《文心雕龍·才略篇》曰："路粹、楊脩，頗懷筆記之工。"

《隋書·經籍志》：《後漢丞相主簿楊脩集》一卷。梁二卷，《錄》一卷。《唐·經籍志》：《楊脩集》二卷。《藝文志》同。

嚴氏《文編》輯存《節游賦》、《出征賦》、《許昌宮賦》、《神女賦》、《孔雀賦》、《答臨淄侯箋》、《司空荀爽述讚》，凡七篇。

尚書丁儀集二卷　錄一卷

黃門郎丁廙集二卷　錄一卷

《魏志·王粲附傳》：自潁川邯鄲淳、繁欽、陳留路粹、沛國丁儀、丁廙、弘農楊脩、河內荀緯等，皆有文采，而不在此七人之例。<small>謂此亦七人，而不在文帝所論建安七子之列。"例"似"列"之寫誤。七子者，孔融、陳琳、王粲、徐幹、阮瑀、應瑒、劉楨也。邯鄲淳、荀緯兩人卒於魏世，故其集編入《三國藝文志》。</small>

《魏志·陳思王植傳》：植既以才見異，而丁儀、丁廙、楊脩等爲之羽翼。太祖狐疑，幾爲太子者數矣。及植寵日衰，太祖既慮終始之變，以楊脩頗有才策，而又袁氏之甥，於是以罪誅脩。文帝即王位，誅丁儀、丁廙并其男口。

裴松之注：《魏略》曰："丁儀字正禮，沛郡人也。父沖，宿與太祖稱善。太祖嘗德之，聞儀爲令尹，辟爲掾。與臨淄侯親善，數稱其奇才。太祖既有意欲立植，而儀又共贊之。及太子立，欲治儀罪，轉儀爲右刺姦掾，欲儀自裁而儀不能。乃對中領軍夏侯尚叩頭求哀，尚爲涕泣而不能救。後遂因職事收付獄,殺之。廙字敬禮,儀之弟也。"《文士傳》曰:"廙少有姿才,博學洽聞。初辟公府,建安中爲黃門侍郎。"馮氏《詩紀》引《文士傳》,作丁冀。

《文心雕龍·才略篇》曰:"丁儀、邯鄲,亦含論述之美。"

《隋書·經籍志》:《後漢尚書丁儀集》一卷。梁二卷,《錄》一卷。又曰:《後漢黃門郎丁廙集》一卷,梁二卷,《錄》一卷。

《唐·經籍志》:《丁儀集》二卷,《丁廙集》二卷。《藝文志》同。

嚴氏《文編》輯存丁儀《厲志賦》、《周成漢昭論》、《刑禮論》,凡三篇。《魏志·劉廙傳》:廙與丁儀共論刑禮,傳於世。丁廙《蔡伯喈女賦》、《彈棊賦》二篇。

扶風太守傅幹集

范書《傅燮傳》:燮字南容,北地靈州人也。靈帝時,爲漢陽太守,賊圍漢陽,燮固守。子幹,年十三,從在官舍,燮呼幹小字曰:"別成,吾必死於此,汝有才智,勉之。"燮臨陣戰歿。幹知名,位至扶風太守。章懷太子注曰:"《幹集》曰:'幹字彥林。'"《靈帝本紀》:中平四年夏四月,金城賊韓遂寇漢陽,漢陽太守傅燮戰歿。

《魏志·武紀》建安十九年注:《九州春秋》曰:"參軍傅幹字彥材,北地人,終於丞相倉曹屬。有子曰玄。"

嚴氏《文編》曰:"《九州春秋》引幹《諫曹公南征》,《藝文類聚》引幹《肉刑議》、《王命敍》、《皇后箴》,《初學記》、《御覽》引幹《與張叔威書》,綜凡五篇。"

按章懷注《傅燮傳》引《幹集》云云,則幹有集審矣。《九州春秋》言終於丞相倉曹屬,則卒於建安時。《晉書·傅玄傳》云"父幹,魏扶風太守",則嘗仕於魏。今從司馬彪言,錄之於末簡。嚴鐵橋先生編《後漢文》,亦列之漢末。

曹大家集十六篇 曹大家見史部雜傳記類。

范書《列女傳》:每有貢獻異物,輒詔大家作賦頌。又曰:"所著賦、頌、銘、誄、問、注、哀辭、書、論、上疏、遺令，凡十六篇。
子婦丁氏爲撰集之，又作《大家讚》焉。"

《隋書·經籍志》：梁有《班昭集》三卷，亡。《唐·經籍志》：
《曹大家集》二卷。《藝文志》同。

嚴氏《文編》輯本有《東征賦》、《鍼縷賦》、《大雀賦》、《蟬賦》、
《爲兄超求代疏》、《上鄧太后疏》、《欹器頌》、《女誡》，凡八篇。

黃門郎秦嘉妻徐淑集一卷　秦嘉別有集，見前。

嚴氏《文編》曰："徐淑，隴西人，黃門郎秦嘉妻，有集一卷。
《御覽》四百四十一引杜預《女記》：'淑喪夫守寡，兄弟將嫁
之，誓而不許。'《史通》云：'徐氏毀形不嫁，哀慟傷生。'《通
典》六十九：'晉咸平五年，散騎侍郎駕嶠妻于氏上表，云漢代
秦嘉早亡，其妻徐淑乞子而養之。淑亡後，子還所生。朝廷
通儒移其鄉邑，錄淑所養子，還繼秦氏之祀。'"又曰："《書
鈔》、《類聚》、《御覽》有徐淑《答夫秦嘉書》，又《報嘉書》三條，
又《爲誓書與兄弟》。"

鍾嶸《詩品》曰："漢上計秦嘉妻徐淑詩，夫妻事既可傷，文亦
悽怨。爲五言者，不過數家，而婦人居二。徐淑敘別之作，亞
於團扇矣。"

《隋書·經籍志》：梁又有婦人《後漢黃門郎秦嘉妻徐淑集》一
卷，亡。

馬芝　申情賦一篇

范書《列女傳》：汝南袁隗妻者，扶風馬融之女也，字倫。隗既
寵貴當時，倫亦有名於世。倫妹芝，亦有才義，少傷喪親，長
而追感，乃作《申情賦》云。

蔡文姬集一卷　蔡文姬見經部樂類。

范書《列女傳》：陳留董祀妻者，同郡蔡邕之女也。祀爲屯田
都尉，犯法當死，文姬詣曹操請之，乃追原祀罪。操因問曰：

"聞夫人家先多墳籍，猶能憶識之不？"文姬曰："昔亡父賜書
四千許卷，流離塗炭，罔有存者。今所誦憶，裁四百餘篇耳。"
操曰："今當使十吏就夫人寫之。"文姬曰："妾聞男女之別，禮
不親授。乞給紙筆，真草唯命。"於是繕寫送之，文無遺誤。
後感傷亂離，追懷怨憤，作詩二章。

《隋書·經籍志》：梁又有《後漢董祀妻蔡文姬集》一卷，亡。

傅石甫妻孔氏集一卷

《隋書·經籍志》：梁又有《傅石甫妻孔氏集》一卷，亡。

右別集類，凡九十三家，九十三部。張氏《百三家集》錄荀悅《漢紀》、《申
鑒》、《中序論》爲《荀侍中集》一卷。張氏《二酉堂叢書》錄范書《段頴傳》所載奏疏爲
《段太尉集》一卷，皆前史所無，今並不錄。史傳所載諸文，或據名臣奏，或據臺閣故
事，或采自家傳、別傳及附傳，他詩文集中未必各有其集，凡此之類，今並從略焉。

連珠集

《太平御覽》五百九十引傅玄《敘連珠》云："連珠者，班固、賈
逵、傅毅三才子受詔作之。固喻美辭壯，文體宏麗，最得其
體。賈逵儒而不豔，傅毅文而不典。"

按傅玄《敘連珠》所言，則三人承詔合作而奏御者，當時別
有此一編，可知也。

永平神雀頌五篇

范書《賈逵傳》：永平中，有神雀集宮殿官府，冠羽有五采色。
《玉海》卷六十引《東觀記》云永平十四年，范書本紀在十七年。帝異之，以問臨
邑侯劉復，復不能對，薦逵博物多識。帝乃召見逵，問之，對
曰："昔武王終父之業，鸑鷟在岐。宣帝威懷戎狄，神雀乃集。
此胡降之徵也。"帝勅蘭臺給筆札，使作《神雀頌》。

《論衡·佚文篇》：[①]永平中，神雀羣集，孝明詔上《神雀頌》。

---

① "篇"，原作"編"，據《補編》本改。

百官上頌，文比瓦石。惟班固、賈逵、傅毅、楊終、侯諷五頌金玉，孝明覽焉。

鴻都篇賦

范書《蔡邕傳》：初，帝好學，自造《皇羲篇》五十章，因引諸生能爲文賦者。本頗以經學相招，後諸爲尺牘及工書鳥篆者，皆加引召，遂至數十人。侍中祭酒樂松、賈護，多引無行趣勢之徒，並待制鴻都門下，憙陳方俗閭里小事，帝甚悅之，待以不次之位。光和元年，遂置鴻都門學，畫孔子及七十二弟子像。其諸生皆敕州郡三公舉用辟召，或出爲刺史、太守，入爲尚書、侍中，乃有封侯賜爵者，士君子皆恥與爲列焉。邕《上封事》曰：“夫書畫辭賦，才之小者，匡國理政，未有其能。陛下卽位之初，先涉經典，聽政餘日，觀省篇章，聊以游意，當代博弈，非以教化取士之本。而諸生競利，作者鼎沸。其高者頗引經訓風喻之言；下則連偶俗語，有類俳優；或竊成文，虛冒名氏。臣每受詔於盛化門，差次錄第，其未及者，亦復隨輩皆見拜擢。旣加之恩，難復收改，但守奉祿，於義已弘，不可復使理人及仕州郡。”又《對特詔問》曰：“尚方工技之作，鴻都篇賦之文，可且消息。”

按范書《酷吏傳》：陽球拜尚書，奏罷鴻都文學，曰“伏承有詔中尚方爲鴻都文學樂松、江覽等三十二人圖像立贊，以勸學者”云云。則鴻都篇賦之文，大抵皆此三十二人所作爲多。蔡邕嘗承詔，數於盛化門差次錄第之。

曹大家　幽通賦注一卷

《漢書·敘傳》曰：“有子曰固，弱冠而孤，作《幽通》之賦，以致命遂志。”劉德曰：“致，極也。陳吉凶性命，遂明己之志。”李善《文選注》曰：“幽通，謂與神遇也。”

《唐書·經籍志》：《幽通賦》一卷，班固撰，曹大家注。《藝文志》：曹大家注班固《幽通賦》一卷。

嚴氏《文編》曰："《北堂書鈔》一百二十二引班固《幽通賦序》，《漢書·敘傳》、《文選》及《藝文類聚》二十六並載其文。"

按范書《列女傳》載大家所著十六篇中，有問及注兩種。今問不可攷，注即是書及《列女傳》之類，疑此一卷是本集佚存本。李善注《文選》似即據其本而補益之。

蔡邕　典引篇注一卷

李善《文選注》：蔡邕曰："《典引》者，篇名也。典者，常也，法也。引者，伸也，長也。"《尚書疏》："堯之常法，謂之《堯典》。漢紹其緒，伸而長之也。"

《隋書·經籍志》：梁有班固《典引》一卷，蔡邕注，亡。

按蔡氏注《典引》，今見《文選》第四十八卷中，《隋志》云亡者，但據《七錄》單行本言之。

無名氏注思玄賦一卷

李善《文選注》："張平子，名衡。和帝時爲侍中。順、和二帝之時，按此稱和帝、順和二帝，皆誤。當云順帝及安、順二帝。國政稍微，專恣內豎。平子欲言政事，又爲奄豎所讒蔽，意不得志，欲游六合之外，勢既不能，義又不可，但思其玄遠之道而賦之，以申其志耳。"又曰："《思玄賦》，舊注未詳注者姓名，摯虞《流別》題曰衡注。詳其義訓，甚多疏略。而注又稱'愚以爲'，疑非衡明矣。但行來既久，故不去。"

汪師韓《文選理學權輿》曰："《思玄賦》舊注，《文章流別集》以爲平子自注，李氏辨其非。"

按此舊注遠在摯虞、仲治之前，或當漢時所有，今姑錄之於末簡。

右總集類，凡六家六部。

按《隋·經籍志》以詩文家之解釋評論者，附之總集篇，今

用其例,前三家總集之屬,後三家解釋之屬也。若評論,則
未有其書,故亦不具。

附錄二種

四十二章經一卷　永平十年丁卯於白馬寺與法蘭共譯,初出。《舊錄》云:孝明
皇帝四十二章經》,其本見在,第一譯。《別錄》云:後漢天竺沙門迦葉摩騰共竺法蘭
譯。凡此所注,皆《開元釋教錄》,下並同。

梁會稽嘉祥寺沙門慧皎《高僧傳》:攝摩騰,本中天竺人。善
風儀,解大小乘經。常游化爲任。漢永平中,至雒邑,明帝甚
加賞接,於城西門外立精舍以處之。漢地有沙門之始也。後
卒於雒陽。有記云騰譯《四十二章經》一卷,初緘在蘭臺石室
第十四閒中。騰所住處,今雒陽城西雍門外白馬寺是也。

唐西京崇福寺沙門智昇《開元釋教錄》:沙門迦葉摩騰,或云
竺葉摩騰,亦云攝摩騰,印度人。幼而聰敏,博學多聞,思力
精拔,特明經律。明帝以永平七年夢見金人,身長丈六,項佩
日輪,光明赫奕,飛在殿前,明旦,博問羣臣,通人傅毅進曰:
"臣聞西域有得道者,號之曰'佛',陛下所夢,得毋是乎?"帝
以爲然。詔遣郎中蔡愔、郎將秦景、博士弟子王遵等一十八
人,往天竺尋訪佛法,於大月支國與摩騰相遇,遂與同來。明
帝甚加賞接。所將佛經及畫像,駄以白馬,因起伽藍,名白馬
寺。出《四十二章經》,初緘蘭臺石室第十四閒內,即是漢地
經法之祖也。《舊錄》云:"此經本是外國經鈔,元出大部,撮
要引俗,似《孝經》。"騰以大化初傳,人未深信,蘊其妙解,不
即多翻,且撮經要以導時俗。騰後終於洛陽。

《隋書·經籍志》曰:"推尋典籍,自漢以上中國未傳。或云久
以流布,遭秦之世,所以埋滅。其後張騫使西域,蓋聞有浮屠
之教。哀帝時,博士弟子秦景使伊存口授浮屠經,中土聞之,
未之信也。後漢明帝遣郎中蔡愔及秦景使天竺,得佛經四十

二章。"又曰："其經緘於蘭臺石室。"

按慧皎《高僧傳》云《四十二章經》，可二千餘言也。漢地諸經，惟此爲始。《牟子理惑論》云："於是遣羽林將軍秦景等十二人之大月氏國，寫取佛經四十二部，在蘭臺石室。"袁宏《後漢紀》云："有經書數千卷。"《法苑珠林·感應錄》引《漢明帝内記》云："鈔聖教六十萬五千言，以白馬馱還。"是其來也，實有四十二部。此四十二章者，摩騰等以華言述其大要耳。亦見《文獻通攷》。今亦有刊入叢書者。

十地斷結經八卷　或四卷，亦云"十住"。初出，與竺佛念《十住斷結經》同本。永平十三年出，見朱士行《漢錄》及《高僧傳》、長房《錄》等。《別錄》云：後漢天竺三藏竺法蘭于白馬寺譯，第一譯。"地"之與"住"，其義大同。

法海藏經一卷　一本無"藏"字。初出，與《法海經》等同本。見《高僧傳》及長房《錄》等。《別錄》云第一譯。

佛本行經五卷　永平十一年出，見《高僧傳》及長房《錄》等。《別錄》云：《小乘經》單譯缺本。

佛本生經一卷　見《高僧傳》及長房《錄》等。《別錄》云《小乘經》單譯缺本。右四部一十五卷，其本並缺。

慧皎《高僧傳》：竺法蘭，中天竺人。自言誦經論數萬章，爲天竺學者之師。時蔡愔既至彼國，蘭與摩騰共契游化，遂相隨而來。既達雒陽，與騰同止。少時，便善漢言。愔於西域獲經，卽爲翻譯，所謂《十地斷結》、《佛本生》、《法海藏》、《佛本行》、《四十二章》等五部。移都寇亂，四部失本不傳。蘭後卒於雒陽，春秋六十餘矣。

《開元釋教錄》：沙門竺法蘭，中印度人。既達洛陽，與摩騰共譯《四十二章經》。騰卒，蘭自譯《十地斷結經》等四部。

《隋書·經籍志》曰："永平中，竺法蘭又譯《十住經》，其餘傳譯多未能通。章帝時，楚王英以崇敬佛法聞西域，沙門齎佛經而至者甚眾。"

道行般若波羅蜜經十卷　題云《摩訶般若波羅蜜道行經》，亦云《般若道行品經》。或八卷。初出，與《明度小品》及《大般若第四會》同本。光和二年七月八日出，見敏、祐二錄。《別錄》云：後漢月支三藏支婁迦讖譯。

無量清淨平等覺經二卷　亦直云《無量清淨經》。第二出，與《大阿彌陀》及《寶積無量壽會》等並同本，見《吳錄》。《別錄》云第二譯。

阿閦佛國經二卷　建和元年譯。或一卷。初出，與《寶積不動如來會》等同本，見朱士行《漢錄》及僧祐《錄》。亦云《阿閦佛剎諸菩薩學成品經》。或無"國"字。《別錄》云第一譯。

佛遺日摩尼寶經一卷　安公云出《方等部》。初出，與《寶積普明菩薩會》等同本。一名《古品遺日說般若》，一名《大寶積經》，一名《摩訶衍寶嚴經》，見僧祐、長房二錄。《別錄》云第一譯。

兜沙經一卷　見僧祐《錄》及《吳錄》。是《華嚴名號品》異譯。

般舟三昧經三卷　一名《十方現在佛悉在前立定經》。《舊錄》云《大般舟三昧經》。或一卷。光和二年譯，初出，與《大集賢護經》等同本，見聶道真《錄》及《吳錄》。《別錄》云或二卷，第一譯。

伅真陀羅所問經二卷　初云《伅真陀羅所問寶如來三昧經》，《舊錄》云《伅真陀羅尼王經》。或三卷。初出，與《大樹緊那羅經》同本，安《錄》無，見朱士行《漢祿》及僧祐《錄》。《別錄》云第一譯。

阿闍世王經二卷　初出，與《普超三昧經》等同本，見僧祐《錄》。安公云出《長阿含》者，非也。《別錄》云第一譯。

內藏百寶經一卷　亦云《內藏百品》。初出，與世高譯者小異。安公云出《方等部》，見僧祐《錄》。《別錄》云第一譯。

文殊師利問菩薩署經一卷　亦直云《問署經》。見僧祐《錄》及吳《錄》。安公云出《方等經》。

雜譬喻經一卷　凡十一事，祐云失譯，房云見《別錄》。以上十一部二十六卷，見在。

大方等大集經二十七卷　初出，與《曇無讖》等出者同本。見李廓《錄》。《別錄》云第一譯。

般舟三昧經一卷　是後十品重翻。祐有此一卷，無三卷者，見靜泰《錄》。或加"大"字。第三出。祐《錄》云光和二年十月八日出。《別錄》云第三譯。

梵般泥洹經二卷 或一卷。初出,與《大涅槃經》等同本,見朱士行《漢録》及僧祐《録》。舊云《胡般新》,改爲《梵》。《別録》云第一譯。

象液經一卷 初出,見法上《録》。《別録》云第一譯。

諸法勇王經一卷 初出,見法上《録》。《別録》云第一譯。

光明三昧經一卷 初出,祐云出《別録》。安《録》無,房云亦見《吳録》。《別録》云第一譯。

孛本經二卷 初出,見僧祐《録》。《別録》云第一譯。

首楞嚴經二卷 中平三年二月八日出,第一譯。又云三卷,見朱士行《漢録》及僧祐《録》、吳《録》。

大方便報恩經一卷 見吳《録》。

阿闍世王問五逆經一卷 亦云《阿闍世王經》。初出,見長房《録》。《別録》云第一譯。

禪經一卷 初出,房云見《別録》。《別録》云第一譯。

阿育王太子壞目因緣經一卷 佛涅槃後一百餘年,育王方出,故非佛說。或無“經”字。初出,見長房《録》。《別録》云第一譯。 以上一十二部四十一卷,缺本。

慧皎《高僧傳》:支婁迦讖,亦直云支讖,本月支人。操行純深,性度開敏,稟持法戒,以精勤著稱,諷誦羣經,志在宣法。漢靈帝時,游於雒陽,以光和、中平之間傳譯梵文,出《般若道行》、《般舟》、《首楞嚴》等三經。又有《阿闍世王》、《寶積》等十餘部經,歲久無録。安公校定《古今精尋文體》云:“似讖所出,凡此諸經,皆審得本旨,了不加飾,可謂善宣法要宏道之士也。”後不知所終。

《開元釋教録》:沙門支婁迦讖,亦云支讖,月支國人。桓、靈之代,游於洛陽。從桓帝建和元年丁亥,至靈帝中平三年景寅,唐諱丙,故曰景。於洛陽譯《道行》等經二十三部,審得本旨,曾不加飾。河南清信士孟福、張蓮筆受。

《隋書·經籍志》曰:“靈帝時有月支沙門支讖、天竺沙門竺佛朔等,並翻佛經。而支讖所譯《泥洹經》二卷,學者以爲大得本旨。"

大乘方等要慧經一卷　　初出,與《寶積·彌勒問入法會》同本,見長房《錄》。

《別錄》云後漢安息三藏安世高譯。第一譯。

太子慕魂經一卷　　初出,出《六度集》中,異譯,見長房《錄》。《別錄》云《太子慕魂

經》或作《沐魂》,第一譯。

長者子制經一卷　　一名《制經》。初出,與《逝童子經》同本,見長房《錄》。《別錄》

云第四譯。按當是第一譯。

寶積三昧文殊問法身經一卷　　一名《遺日寶積三昧文殊師利菩薩問法身

經》。初出,與《入法界體性經》同本,見房《錄》。《別錄》云第一譯。

自誓三昧經一卷　　題下注云:"《獨證品》第四,出《比丘淨行》中。"初出,與法護出

者大同小異,見長房《錄》。《別錄》云第一譯。

溫室洗浴眾僧經一卷　　亦直云《溫室經》。初出,見長房《錄》。《別錄》云第

一譯。

明度五十校計經一卷　　或直云《明度校計》,亦云《五十校計》。元嘉元年出。

見朱士行《漢錄》。

佛印三昧經一卷　　見長房《錄》。

八大人覺經一卷　　見寶唱《錄》。

舍利佛悔過經一卷　　亦直云《悔過經》。初出,見長房《錄》。《別錄》云第一譯。

人本欲生經一卷　　元嘉二年,出《長阿含》第十卷,異譯,道安注解。見朱士行《漢

錄》及僧祐《錄》。

尸迦羅越錄向拜經一卷[①]　　或云《尸迦羅越六方禮經》。出《長阿含》第十一

卷,異譯。見長房《錄》。《別錄》云《中阿含》卅卷中亦有此經。[②]

長阿含十報法經二卷　　一名《多增道章經》,或直云《十報經》。出《長阿含》第

九卷,異譯。《舊錄》亦云出《長阿含》。見僧祐《錄》。

一切流攝守因經一卷　　出《中阿含》第二卷,異譯。《舊錄》云《一切流攝經》,吳

---

① "錄",《補編》本作"六"。

② "卅"下,《補編》本有"三"字。

《錄》云《流攝守因經》，亦云《受因》，亦直云《流攝》，亦云《一切流攝守》。見朱士行及僧祐二錄。

四諦經一卷　　出《中阿含》第七卷，異譯。見僧祐《錄》。安公云出《長阿含》者，或誤也。

本相倚致經一卷　　出《中阿含》第十卷，異譯。吳《錄》云《大相倚致》，與《緣本致經》同本，或作"猗"字。見《漢錄》。

是法非法經一卷　　出《中阿含》第二十一卷，異譯。見士行、僧祐二錄。

漏分布經一卷　　出《中阿含》第二十七卷，異譯。見士行、僧祐二錄。安公云出《長阿含》者，或誤也。

婆羅門子命中愛念不離經一卷[①]　　出《中阿含》第六十卷，異譯。見長房《錄》。

十支居士入城人經一卷　　出《中阿含經》第六十卷，異譯。見長房《錄》。《別錄》云亦云《十支經》。

普法義經一卷　　亦名《普義經》，一名《具法行經》。出《中阿含》，元嘉二年出。與《廣義法門經》同本。見士行、僧祐二錄。《別錄》云第一譯。

婆羅門避死經一卷　　出《增一阿含》第二十三卷，異譯。見長房《錄》。《別錄》云出《增一阿含·增上品》。

阿那邠邸化七子經一卷　　出《增一阿含》第四十九卷，異譯。見長房《錄》。《別錄》云出《非常品》。

阿難同學經一卷　　題出《增一阿含》，檢無。見長房《錄》。《別錄》云出《增一阿含》中。

七處三觀經一卷　　出《雜阿含中》，或二卷。元嘉元年出。見士行、僧祐二錄。

五陰譬喻經一卷　　或無"譬"字。一名《水沫所漂經》，出《雜阿含》第十卷，異譯。見士行、僧祐二錄。

轉法輪經一卷　　或云《法輪轉經》。出《雜阿含》第十五卷，異譯。與其本經後同前異。見僧祐《錄》。

入正道經一卷　　出《雜阿含》第二十八卷，異譯。見士行、僧祐二錄。

---

①　"中"，《補編》本作"終"。

摩鄧女經一卷　或云《摩鄧女》，一名《阿難爲蠱道女惑經》。見長房《錄》。初出，
與《摩鄧伽經》等同本。《別錄》云第一譯。

鬼問目蓮經一卷　初出，與《餓鬼報應經》等同本。見長房《錄》。《別錄》云第
一譯。

阿難問事佛吉凶經一卷　或云《阿難問事經》，亦云《事佛吉凶經》。見長房
《錄》。初出，與《阿難分別經》等同本。《別錄》云第一譯。

奈女祇域因緣經一卷　初出，或無"因緣"字。亦云《奈女經》。見長房《錄》。
《別錄》作"耆域"，云第一譯。

罪業報應教化地獄經一卷　初出，或云《地獄報應經》。見長房《錄》。《別錄》
云第一譯。

堅意經一卷　初出，一名《堅心正意經》，亦名《堅心》。見長房《錄》。《別錄》云第
一譯。

大安般守意經二卷　或一卷，或無"守意"字，或直云《安般經》。安公云"小安
般"，兼注解。見士行、僧祐、李廓三錄。

陰持入經二卷　或一卷。祐云《除持入》，誤也。亦云《住陰持入》。安公注解。
見士行、僧祐二錄。

處處經一卷　見長房《錄》。

罵意經一卷　見長房《錄》。

分別善惡所起經一卷　見長房《錄》。

出家緣經一卷　一名《出家因緣經》。見長房《錄》。

阿含正行經一卷　一名《正意經》。見長房《錄》。

十八泥犂經一卷　或云《十八地獄經》。見長房《錄》。

法受塵經一卷　見僧祐《錄》。

禪行法想經一卷　見僧祐《錄》、寶唱《錄》。

長者子懊惱三處經一卷　一名《長者懊惱三處經》，亦直云《三處惱經》。見長
房《錄》。

犍陀國王經一卷　或無"國"字。見長房《錄》。

父母恩難報經一卷　亦云《難報》。見長房《錄》。房云出《中阿含》，檢無。

九横經一卷 或云出《雜阿含》，檢無。見長房《錄》。

禪行三十七經一卷 或加"品"字。見寶唱《錄》。

犯戒報應輕重經一卷 出《目連問毘尼經》，亦云《犯戒罪報輕重》，或云《目連問經》。見長房《錄》。

大比丘三千威儀經二卷 或四卷，亦云《大僧威儀經》。房云見《別錄》。

道地經一卷 初出。或加"大"字，是《修行經》鈔，元外國略本。道安注解。見僧祐《錄》。羣錄並云二卷，準安公序云："凡有七章，此之一卷，文亦備矣。"《別錄》云第二譯。安法師序云："沙門眾護撰述經要，以爲一部二十七章，世高析護所集者七章，以爲漢文。"

迦葉結經一卷 初出。見長房《錄》。《別錄》云第一譯。

阿毘曇五法行經一卷 或無"行"字，亦云《阿毘曇苦慧經》。見僧祐《錄》。

以上五十四部五十九卷，見存。

無量壽經二卷 初出，與《寶積無量壽會》等同本。房云見《別錄》。《別錄》云第一譯。

如幻三昧經二卷 或一卷。初出，與《寶積善住意會》等同本。見長房《錄》。《別錄》云第一譯。

月鐙三昧經一卷 出《大月鐙經》第七，異譯。見長房《錄》。《別錄》云第一別譯。

十二因緣經一卷 初出，亦云《聞城十二因緣經》。見僧祐《錄》。《別錄》云第一譯。

內藏經一卷 第二出。一名《內藏百品》，或云《百寶》。元嘉二年十月出。見朱士行《漢錄》。《別錄》云第二譯。

四不可得經一卷 初出，或無"可"字。見長房《錄》。

藥王藥上菩薩觀經一卷 初出。見長房《錄》。《別錄》云第一譯。

空淨天感應三昧經一卷 《舊錄》云《空淨三昧經》。初出。見長房《錄》。《別錄》云第一譯。

卒逢賊結衣帶咒經一卷 見長房《錄》。

呪賊經一卷 一名《辟除賊害呪》。見長房《錄》。

十四意經一卷 《舊錄》云《菩薩十四意經》。見僧祐《錄》。

法律三昧經一卷 初出。見法上《錄》。《別錄》云第一譯。

道意發行經二卷　或一卷。見道安及僧祐《錄》。房云出《長阿含》。

大十二門經二卷　或一卷。出《長阿含》，安公注解。見寶唱及僧祐《錄》。

小十二門經一卷　出《長阿含》，安公注解。見寶唱及僧祐《錄》。

七法經一卷　《舊錄》云《阿毘曇七法行經》，或直云《七法行經》。見僧祐《錄》。房云出《長阿含》。

多增道章經一卷　《舊錄》無"道"字，云異出《十報法》。見長房《錄》，云出《長阿含》。

義決律經一卷　或無"經"字，亦云《義決律法行經》。安公云出《長阿含》。

雜四十四篇經二卷　或云《雜經四十四篇》，既不顯名，未知何經，安公云出《增一阿含》。見僧祐《錄》。

百六十品經一卷　《舊錄》云出《增一阿含》百六十章經。見僧祐《錄》。

舍頭諫經一卷　見《舊錄》。第二出。亦云《舍頭諫太子明二十八宿經》，亦云《虎耳經》。《別錄》云第二譯。

瑠璃王經一卷　或云《流離》。房云出《增一》，檢無。見長房《錄》。《別錄》云第二譯。

太子夢經一卷　初出。見長房《錄》。《別錄》云第一譯。

禪經二卷　第二出。房云見《別錄》。《別錄》云第二譯。

恆水經一卷　初出。亦云《恆水不說戒經》。見法上《錄》、寶唱《錄》：《恆水誡經》。《別錄》云第一譯。

悔過法經一卷　見長房《錄》。《別錄》云《小乘經》單譯缺本。

五法經一卷　見僧祐《錄》。《別錄》云《小乘經》單譯缺本。

五行經一卷　見長房《錄》。《別錄》云《小乘經》單譯缺本。

小般泥洹經一卷　房云見《別錄》，云或名《泥洹後變記經》，或云《泥洹後諸比丘經》，或云《泥洹後比丘世變經》，或云《佛般泥洹後比丘世變經》。《別錄》云《小乘經》單譯本。

正齋經一卷　見長房《錄》。《別錄》云單譯本。

分明罪福經一卷　見長房《錄》。《別錄》云單譯本。

難提迦羅越經一卷　見僧祐《錄》。《別錄》云單譯本。

禪定方便次第法經一卷　見長房《錄》。《別錄》云單譯本。

禪法經一卷　見長房《錄》。《別錄》云祐《錄》無"經"字，單譯本。

當來變滅經一卷　見長房《錄》。《別錄》云第二譯，單譯本。

修行道地經一卷　或六卷。初出。或云《順道行經》。漢永康元年譯，支敏度製序。見寶唱《錄》及《別錄》。《別錄》云第一譯。

五門禪要用法經一卷　初出。見長房《錄》。《別錄》云第一譯。

思惟要略經一卷　或直云《思惟經》。初出。見僧祐《錄》。《別錄》云第一譯。

法句經四卷　初出。見長房《錄》。《別錄》云第一譯。

請賓頭盧法一卷　初出。見《內典錄》。《別錄》云第一出。

阿毘曇九十八結經一卷　見僧祐《錄》。《別錄》云單譯本。以上四十一部五十六卷，缺本。

慧皎《高僧傳》：安清字世高，安息國王正后之太子也。幼以孝行見稱。志業聰敏，刻意好學。外國典籍及七曜、五行、醫方、異術，乃至鳥獸之聲，無不綜達。故儔異之聲，早被西域。王薨，嗣父位。乃深惟苦空，厭離形器。行服既畢，遂讓國與叔，出家修道。博曉經藏，尤精《阿毘曇》學，諷持禪經，備盡其妙。既而游方宏化，徧歷諸國。以漢桓之初，始到中夏。才悟機敏，一聞能達，至止未久，即通習華言。於是宣譯眾經，改梵爲漢，出《安般守意》、《陰持入經》、《大》、《小十二門》及《百六十品》。初，外國三藏眾護撰述經要爲二十七章，高乃剖析護所集七章，譯爲漢文，即《道地經》也。其先後所出經論凡三十九部，義理明析，文字允正，辨而不華，質而不野，凡在讀者，皆亹亹而不倦焉。

《開元釋教錄》：世高本既王子，名高外國，所以西方賓旅，猶呼安侯，至今爲號焉。天竺自稱書爲天書，語爲天語，音訓詭謇，與漢殊異。先後傳譯，多致謬濫，惟世高所出爲羣譯之首。安公以爲若及面禀，不異見聖，列代明德，咸讚而思焉。

道安《錄》、僧祐《出三藏記》、惠皎《高僧傳》等止云高譯三十九部，費長房《錄》便載一百七十六部。今以房《錄》所載多是別生，從大部出，未可以爲翻譯正數，今隨次刪之。按刪去八十五部八十五卷，錄中亦并具其目。高以桓帝建和二年戊子至靈帝建寧三年庚戌，二十餘載譯《大乘》、《要慧》等經九十五部一百一十五卷。

《隋書·經籍志》曰："至桓帝時，有安息國沙門安靜齎經至洛，翻譯最爲通解。"

道行經一卷　光和二年十月八日出。見經後記、朱士行《漢錄》、僧祐《錄》等。安公云《道行品》者，《般若》鈔也。外國高明者所撰，安爲之序并注。《別錄》云後漢天竺沙門竺佛朔譯。

般舟三昧經二卷　光和二年十月八日出。見經後記、《高僧傳》等。二經同時啟奏，故出日同也。《舊錄》云："《大般舟三昧經》或一卷，第二出，與《大集賢護經》等同本。"《別錄》云第二譯。　右二部三卷，其本並缺。

慧皎《高僧傳》：時有天竺沙門竺佛朔，亦漢靈之時，齎《道行經》來適雒陽，即轉梵爲漢。譯人時滯，雖有失旨，然棄文存質，深得經意。朔又以光和二年於雒陽出《般舟三昧》云。

《開元釋教錄》：沙門竺佛朔，印度人也。識性明敏，博綜多能。以靈帝光和之初，齎《道行經》等來洛陽，轉梵爲漢。月支沙門支讖傳語，河南孟福字元士、張蓮字少安筆受，並見經後記。

《隋書·經籍志》曰："靈帝時，有月支沙門支讖、天竺沙門竺佛朔並翻佛經。"

法鏡經二卷　安公云出《方等》部。初出，與《寶積·郁伽長者會》等同本。或一卷。沙門嚴佛調、康僧會注，見僧祐《錄》。《別錄》云後漢安息優婆塞安玄共沙門嚴佛調譯，第一譯。

阿含口解十二因緣經一卷　亦云《斷十二因緣經》，亦直云《阿含口解》。《別錄》云單本。　右二部三卷，其本並在。

慧皎《高僧傳》：時又有優婆塞安玄，安息國人。志性貞白，深沈有理致，博誦羣經，多所通習。亦以漢靈之末，游賈雒陽，以功號曰騎都尉。性虛靖溫恭，常以法事爲己任。漸解漢言，志宣經典。常與沙門講論道義，世所謂都尉者也。玄與沙門嚴佛調共出《法鏡經》，玄口譯梵文，佛調筆受，理得音正，盡經微旨，郢匠之美，見述後代。

《開元釋教錄》：玄以光和四年辛酉，與沙門嚴佛調共出《法鏡》等經。祐云《法鏡》佛調出者，據其共譯以說。又稱《阿含口解》世高譯者，此乃姓同相濫也。謂梁釋僧祐《三寶記》以《法鏡經》出佛調，《阿含口解》出安世高，故智昇辨之云。

成具光明定意經一卷　或云《成具光明三昧經》，或直云《成具光明經》。第二出。見朱士行、支敏度、僧祐等三錄及《高僧傳》。《別錄》云後漢西域三藏支曜譯，第二譯。

阿那律八念經一卷　或直云《八念經》，一名《禪行斂意經》。《舊錄》云《禪行檢意》，出《中阿含經》第十八卷，異譯。

馬有三相經一卷　亦云《善馬有三相經》。出《雜阿含經》第三十三卷，異譯。房云見《吳錄》。

馬有八態譬人經一卷　亦直云《馬有八態經》，一名《馬有八弊惡態經》。出《雜阿含經》第三十三卷，異譯。房云見《吳錄》。

小道地經一卷　房云見《吳錄》。以上五部五卷，見存。

聞城十二因緣經一卷　第二出。與世高譯《十二因緣經》同本。房云見《吳錄》。《別錄》云第二譯。

大摩耶經一卷　或無“大”字，或二卷。初出。與《摩訶摩耶經》同本。房云見《吳錄》。《別錄》云第一譯。

賴吒和羅經一卷　出《中阿含》第三十一卷，異譯。房云見《吳錄》。安云出《方等部》者，或恐誤也。

小本起經二卷　或云《修行本起》，或云《宿行本起》，近加“小”字耳。初出。與《瑞應本起經》等同本。見《舊錄》及《高僧傳》。《別錄》云第一譯。

墮落優婆塞經一卷　或云《優披塞》。房云見《吳錄》。《別錄》云單譯本。以上五部六卷，缺本。

慧皎《高僧傳》：又有沙門支曜譯《成具定意經》及《小本起》等。

《開元釋教錄》：沙門支曜，西域人。博通羣典，妙解幽微。以靈帝中平二年乙丑於洛陽譯《成具光明》等經十部一十一卷。

問地獄事經一卷　見朱士行《漢錄》及《高僧傳》。《別錄》云後漢外國沙門康臣譯，單譯本。

慧皎《高僧傳》：又有沙門康巨譯《問地獄事經》。

《開元釋教錄》：沙門康臣，或作康巨，未詳孰是，西域人。心存游化，志在弘宣。以靈帝中平四年丁卯，於洛陽譯《問地獄經》，言直理詣，不加潤飾。

頓首菩薩無上清淨分衛經二卷　一名《決了諸法如幻化三昧經》。初出。與《大般若那伽室利分》等同本。或一卷。見長房《錄》。《別錄》云後漢臨淮沙門嚴佛調譯，第一譯。

慧上菩薩問大善權經二卷　初出。與《寶積·大乘方便會》等同本。或無“菩薩”字，或一卷。見長房《錄》。《別錄》云第一譯。

古維摩詰經二卷　初出。與唐譯《無垢稱經》等同本。見《古錄》、《漢錄》。《別錄》云第一譯。

思意經一卷　亦云《益意經》。初出。見長房《錄》。《別錄》云第一譯。　以上四部十卷，本缺。

菩薩内習六波羅蜜經一卷　安公云出《方等部》。或云《内六波羅蜜經》，亦云《内外者》。見長房《錄》。　此一部一卷，見在。

慧皎《高僧傳》：沙門嚴佛調，本臨淮人。綺年穎悟，敏而好學。世稱安侯、謂安清。都尉、謂安玄。佛調三人傳譯，號爲難繼。安公稱佛調出經“省而不煩，全本巧妙”。

《開元釋教錄》：沙門嚴佛調，亦云浮調。費長房《錄》稱清信士者，非也。臨淮郡人。出家修道，通譯經典，見重於時。以靈帝中平五年戊辰，於洛陽譯《頓首菩薩》等經五部。

嚴可均《全後漢文編》曰：“嚴佛調，或作浮調，臨淮人。官都尉。見支謙《法句經序》。靈帝末出家，通譯佛經，與安世高、安玄齊名。按此與慧皎、智昇稱安玄爲騎都尉異。《法句經序》今未得見。或佛調亦嘗爲騎都尉歟？

舍利佛摩訶目犍連游四衢經一卷 出《增一阿含》第四十一卷，異譯。見《别錄》。《别錄》云出《阿含經·馬王品》，後漢外國三藏康孟詳譯。

興起行經二卷 亦名《嚴誡宿緣經》，題云出《雜藏》。見《吳錄》。 以上二部三卷，見在。

梵網經二卷 初出。或三卷，見《吳錄》。《别錄》云第一譯。

四諦經一卷 興平元年出。第二譯。出《中阿含》第七卷，異譯。與世高出者小異，見竺道祖《漢錄》。

太子本起瑞應經二卷 亦云《瑞應本起》。第二出，與《過現因果經》等同本。《别錄云》第二譯。

報福經一卷 或云《福報》。《别錄》云單譯本。

慧皎《高僧傳》：又有沙門支曜、康巨、康孟詳等，並以漢靈、獻之閒有慧學之譽，馳於京雒。

《開元釋教錄》：沙門康孟詳，其先康居國人。以獻帝興平元年甲戌至建安四年己卯於洛陽譯《游四衢》等經六部。安公云："孟詳所翻奕奕流便，足騰玄趣也。"

修行本起經二卷 一名《宿行本起》。第三出，與《瑞應舊本起經》同本。見《始興錄》。《别錄》云後漢西域沙門竺大力共康孟詳譯，第三譯。右一部二卷，其本見在。

《開元釋教錄》：沙門竺大力，西域人。情好遠游，無憚艱險。以獻帝建安二年丁丑三月於洛陽譯《修行本起經》，其經梵本並是曇果與康孟詳於迦維羅衛國齎來，康孟詳度語。

中本起經二卷 或云《太子中本起經》，見《始興錄》。經初題云出《長阿含》。《别錄》云後漢西域沙門曇果共康孟詳譯。右一部二卷，其本見在。

慧皎《高僧傳》：先是沙門曇果於迦維羅衛國得梵本《中本起經》及《修行本起經》，孟詳共竺大力譯爲漢文。

《開元釋教錄》：沙門曇果，西域人。學該內外，解通真俗。於迦維羅衛國齎經梵本，屆於洛陽。以獻帝建安十二年丁亥譯《中本起經》，康孟詳度語。《內典錄》中以曇果與孟詳共出，遂與孟詳《太子本起瑞應》合爲一本者，非也。二經全異，不可合之。祐云《中本起》康孟詳出者，據其共譯故耳。

　　右後漢緇素一十二人，共翻譯經律集一百五十一部二百三十七卷，於中七十八部一百二卷見在，七十三部一百三十五卷缺本。

摩訶衍寶嚴經一卷　　一名《大迦葉品》，第二出。與《寶積·普明菩薩會》同本。祐云《摩訶乘寶嚴經》。

後出阿彌陀佛偈經一卷　　或無"經"字。第二出。

未曾有經一卷　　初出。與唐譯《甚希有經》等同本。

作佛形像經一卷　　一名《優填王作佛形像經》，一名《作像因緣經》，與《造立形像福報經》同本。

安宅神咒經一卷　　亦云《安宅呪法》，祐云《安宅呪》。

受十善戒經一卷

苦陰經一卷　　出《中阿含經》第二十五卷，異譯。

魔嬈亂經一卷　　一名《弊魔試目連經》，一名《魔王入目犍蘭腹經》。出《中阿含經》第三十卷，異譯。

沙彌尼戒經一卷　　或無"經"字。

優波離問佛經一卷　　或云《優波離律》。

分別功德論四卷　　或云《分別功德經》，或三卷、五卷。

禪要呵欲經一卷　　題云《禪要經呵欲品》。

內身觀章句經一卷　　或無"句"字。

雜譬喻政一卷[①]　　一名《菩薩度人經》。

---

①　"雜譬喻政一卷"，《補編》本作"雜譬經二卷"。

六菩薩名一卷　　《房人藏》云《六菩薩名》亦當誦持。

大方便佛報恩經七卷　　以上一十六部二十六卷，見存。

般舟三昧念佛章經一卷　　是《行品》別翻，第四出。

阿彌陀佛偈一卷　　初出。

賢劫千佛名經一卷　　祐云唯有《佛名》，與曇無蘭所出《四諦經千佛名》異。出《賢劫經》中，異譯。

梵本經四卷　　舊云"胡本"，新改爲"梵"。似長安中出。

泥洹後千歲變經四卷　　一名《千歲變經》。祐云《泥洹後千歲中變記》一卷。

諸佛經名二卷　　今疑是《不思議功德經》。

三千佛名經一卷

稱揚百七十佛名經一卷　　直亦名《百七十佛名》。今疑出《我揚功德經》。

南方佛名經一卷　　舊云一名《治城寺經》者，非也。此乃題寺爲記，非是經之異名。

滅罪得福佛名一卷　　按"滅罪"是"滅罪"之誤。

觀世音所說行法經一卷　　是呪經。

薩陀波崙菩薩求深般若圖像經一卷

受持佛名不墮惡道經一卷

五龍呪毒經一卷

取血氣神呪經一卷　　《舊錄》：《血呪》。

呪賊呪法一卷　　房云異出本，祐直云《呪賊》。

七佛安宅神呪經一卷

菩薩受戒法經一卷　　祐《錄》無"經"字，房云異出本。

受菩薩戒次第十法一卷

菩薩懺悔法一卷

初發意菩薩常晝夜六時行五事一卷

頂生王因緣經一卷　　《舊錄》云《頂生王經》。

長者賢首經一卷

梵志喪女經一卷

檪狗齧王經一卷　　《舊錄》云《檪狗經》。

勤苦泥犂經一卷

地獄經一卷

十一因緣章經一卷　　《舊錄》云《十一因緣經》，或云"十二"。

沙門爲十二頭陀經一卷

僧名數事行一卷

比丘諸禁律一卷

摩訶僧祇律比丘要集一卷　　一名《摩訶僧祇部比丘隨用要集法》。

沙彌十戒經一卷　　《舊錄》云《沙彌戒》。

比丘尼十戒經一卷

賢者五戒經一卷

優婆塞威儀經一卷

庾伽三摩斯經一卷　　譯言《修行略》。一名《達摩多羅禪法》，或言《達摩多羅菩薩撰禪經要集》。

梵音偈本一卷　　舊云胡音。

讚七佛偈一卷

怛和尼百句一卷

五言詠頌本起一卷　　一百四十二首。

道行品諸經梵音解一卷　　舊云《胡音》。

法句譬喻經一卷　　祐《錄》云凡十七事，或無"喻"字。以上四十三部五十卷，缺本。《開元釋教錄》曰："右五十九部七十六卷，並見僧祐《失譯錄》。按長房等《錄》後漢失譯，總有一百二十五部一百四十八卷。今以餘六十六部七十一卷仔細譬校，非是失譯，或翻譯有憑，或別生疑僞，今並刪也。"按所刪六十六部名目，智昇並附載於篇。其云失譯者，失傳譯人姓名也。

拔陂菩薩經一卷　　或爲"拔波"，或云《颮拔陀》。安公云出《方等部》。是《般舟經》第四品異譯，第五出。

栴檀樹經一卷

阿鳩留經一卷

菩薩道地經一卷　　安公云出《方等部》。

魔王入目犍蘭腹經一卷　　亦云《弊魔試目連經》、《魔王入目連腹中經》，出《中

阿含》第三十卷。

佛有五百比丘經一卷

凡人有三事愚癡不足經一卷

佛語諸比丘經一卷　　言我以天眼視天下人生死、好醜、尊者、卑者。安公云上三

經出《中阿含》。

自見自知爲能盡結經一卷

有四求經一卷

佛本行經一卷

河中大聚沫經一卷　　或云《水沫所飄經》，或云《聚沫譬經》。《眾經錄》出《雜阿含》。

便賢者阮經一卷　　阮字或作“旃”。

所非汝所經一卷

兩比丘得割經一卷

道德舍利日經一卷

舍利日在王舍國經一卷

獨居思維自念止經一卷

問所明種經一卷

欲從本相有經一卷　　或云《欲從本經》。

獨坐思惟意中生念經一卷

佛說如是有諸比丘經一卷

比丘所求色經一卷

道有比丘經一卷

色爲非常念經一卷

色比丘念本起經一卷

善惡意經一卷

比丘一法相經一卷

有二力本經一卷

有三力經一卷

有四力經一卷

人有五力經一卷

不聞者類相聚經一卷　　《舊錄》云《類相聚經》，與《相應相可經》同本。

天上釋爲故世在人中經一卷　　或作"無上"，誤也。

爪頭土經一卷

身爲無有反復經一卷

師子畜生王經一卷

阿須倫子披羅門經一卷

披羅門子名不侵經一卷

生聞披羅門經一卷　　《舊錄》云《生聞梵志經》。

有㼿竭經一卷

署杜乘披羅門經一卷

佛在拘薩國經一卷

佛在優墮國經一卷　　經作"優隨"。

是時自梵守經一卷

有三方便經一卷　　《舊錄》云《三方便經》。《法經錄》云出《七處三觀》。

披羅門不信重經一卷

佛告舍日經一卷

四意止經一卷　　《舊錄》云《四意止本行》。《法經錄》云出《中阿含》。

說人自說人骨不知腐經一卷　　《色比丘念》下二十五經，安公云並出《雜阿含》。

雜阿含三十章經一卷　　《法經錄》云出《雜阿含》，異本。

五十五法誡經一卷　　或云《五十五法行》。

一切義要一卷

說善惡道經一卷

愛欲聲經一卷　　一本云《愛欲一聲經》。

摩訶遮曷淀經一卷

天王下作豬經一卷

始造浴佛時經一卷

十二賢者經一卷

佛併父弟調達經一卷　　《五十五法》下九經。安公云出《阿毘曇》。

憂墮羅迦葉經一卷

四部本文經一卷　　安公云上二經出《長阿含》,一本云出《阿毘曇》。

讓德經一卷

有賢者法經一卷

摩訶厥彌難問經一卷　　或云《大厥彌經》。

大本藏經一卷

說阿難持戒經一卷

阿難問何因緣持戒見世間貧亦現道貧經一卷

給孤獨四姓家問應受施經一卷

曉所諍不解經者經一卷　　今疑上“經”字錯。

奇異道家難問住處經一卷

奇異道家難問法本經一卷

賢者手力經一卷

入法行經一卷

憂多羅經一卷　　或作“夏”字。

旃檀調佛經一卷

惡人經一卷

難提和難經一卷　　或云《難提和羅經》。

四姓長者難經一卷　　《舊錄》云《四姓長者經》。

折佛經一卷

道地經中要語章一卷　　或云《小道地經》。今疑支曜出者，是。

數練意章一卷　　《舊錄》云《數練經》。安公云上二經出《生經》。祐按今《生經》無
此章名。

《開元釋教錄》曰："右八十二部八十三卷，《初拔陂》等三經見在，餘者
並缺。並是僧祐《錄》中集。安公《古典經》既云古典，明是遠
代，今者編於漢末，通前舊《失譯經》云五十九部七十六卷，總
一百四十一部一百五十八卷，並爲漢代失源云。"

《釋教錄》曰："又後漢劉氏都洛陽，從明帝永平十年丁卯至獻
帝延康元年庚子，凡一十一帝一百五十四年，緇素一十二人，
所出經律並新、舊集、失譯諸經，總二百九十二部三百九十五
卷。於中九十七部一百三十一卷見在，一百九十五部二百六
十四卷缺本，以爲後漢《經錄》云。"

按《法苑珠林》翻譯部云："後漢朝傳譯道俗一十二人，所出
經律集等三百三十四部四百一十六卷，失譯經一百二十五
部一百四十八卷。"此葢據道宣大唐《內典錄》所載之數。
《內典錄》今未得見，其分別釐訂，似不及智昇《開元釋教
錄》所次之密，今故取以爲志。

右翻譯之屬。

支曜鈔首至問佛十四事經一卷

《開元釋教錄》：《沙門支曜傳》云："費長房等《錄》又有《首至
問佛十四事經》，或無'佛'字。余親見其本，乃是經鈔，未可
以爲翻譯正數，已編《別生錄》內，此刪不載。"

嚴佛調鈔迦葉詰阿難經一卷

《開元釋教錄》：《沙門嚴佛調傳》云："及長房等《錄》更有《迦
葉詰阿難經》，亦云佛調所譯。余親見其本，乃是諸經之鈔，
有數條事。既是別生鈔經，不爲翻譯正數，今亦刪之。"

嚴佛調撰　沙彌十慧經一卷

慧皎《高僧傳》：調又撰《十慧》，亦傳於世。

《開元釋教錄》：《沙門嚴佛調傳》云：“又有《沙彌十慧經》，云佛調自撰，并注序。”既非聖言，又缺其本，今並刪之。

嚴可均《全後漢文編》曰：“嚴佛調《沙彌十慧章句序》見釋藏跡字號十，又見僧祐《出三藏記》第十卷。”

　　右鈔錄撰著之屬。

右佛經，凡二門，綜二百九十五部。

戴孟　太微黃書十餘卷

葛洪《神仙傳》：戴孟本姓燕，名濟，字仲微，漢明帝時人也。入華山及武當山，受裴君《玉佩金璫經》，及受石精金光符，復有《太微黃書》。能周游名山。

侯氏《志》曰：“《御覽》六百六十二引《三洞珠囊》曰：‘戴公柏有《太微黃書》十餘卷，壺公之師也。’康按據此則戴公柏卽戴孟，蓋又有別名。《御覽》六百七十三引《太微黃書經》。”

張陵道書

《華陽國志·漢中志》：漢末，沛國張陵學道於蜀鶴鳴山。造作《道書》，自稱太清玄元，以惑百姓。陵死，子衡傳其業。衡死，子魯傳其業。魯字公祺，以鬼道見信於益州牧劉焉。《太平廣記》引《神仙傳》云：“張道陵者，本太學書生，博通五經，著作《道書》二十四篇。”

范書《劉焉傳》：焉爲益州牧，沛人張魯母有姿色，兼挾鬼道，往來焉家，遂任魯以爲督義司馬。遂與別部司馬張修將兵掩殺漢中太守蘇固，斷絕斜谷，殺使者。魯既得漢中，遂復殺張修而并其眾。魯字公旗，初，祖父陵順帝時客於蜀，學道鶴鳴山中，造作符書，以惑百姓。受其道者，輒出米五斗，故謂之米賊。按《漢中志》作“米道”，亦稱“五斗米道”。陵傳子衡，衡傳於魯，魯遂自號師君。其來學者，初名爲鬼卒，後號祭酒，祭酒各領部眾,眾多者名曰理頭,皆校以誠信,不聽欺妄,有病但令首過而已。諸祭酒各起義舍於路,同亭傳縣,置米肉以給行,旅食者量腹取足,過多則鬼能病之。犯法者三原,然後行刑,不置長吏,以祭酒爲理,民夷信向。朝廷不能討,遂就拜魯鎮夷中郎將,領漢寧太守,通其貢獻。魯自在漢川垂三十年,曹操征之,魯降,拜鎮南將軍,封閬中侯,邑萬戶。將還中國,待以客禮,封魯五子皆爲列侯。魯卒,諡曰原侯。子富嗣。

　　按《通志‧藝文略》有張道陵《中山玉櫃神氣訣》一卷、《剛子丹訣》一卷、《神仙得道靈藥經》一卷、《峨眉山神異記》三卷。白雲霽《道藏目錄》洞神部本文類云:"桓帝永壽元年正月七日,太上降蜀臨卭,授天師張道陵《北斗延生經》一卷。又有《南斗度人經》、《東斗護命經》、《西斗護身經》、《中斗保命經》,其卽世俗道流所謂《五斗金章壽生經》者歟?"又太元部有《太上三天正法經》一卷,亦云太上道君授天師張道陵,此皆陵所作道書之散見者,其真僞莫得而詳已。

陰長生書九篇

《神仙傳》:陰長生者,新野人也,漢皇后之親屬。聞馬鳴生得度世之道,乃尋求之。鳴生不教其度世之法,但日夕與之高談,論當世之事,治農田之業。如此十餘年,長生不懈。同時共事鳴生者十三人,皆悉歸去,惟長生執禮彌肅。鳴生告之曰:"子真能得道矣。"乃將入青城山中,煮黃土爲金以示之,立壇西面,乃以《太清神丹經》授之。鳴生別去,長生乃歸。所合之丹成,服半劑不盡卽昇天。著書九篇,云:"上古仙者多矣,不可盡論,但漢興以來得仙者四十五人,連余爲六矣。二十人尸解,餘並白日昇天。"《通志‧藝文略》道家外丹類有《赤龍金虎中鉛鍊七返丹砂訣》一卷,馬明生撰。又有馬明君《龍虎傳》一卷,不知是否卽此馬鳴生。附識於此,不別出。

《太平御覽》六百六十四引陰君自序曰:"漢延光元年,新野山北之子受仙君神丹要訣,道成去世,付之名山。又著詩三篇,以示將來也。"

又九百八十五引《抱朴子》曰:"漢末,新野陰君合太清丹得仙。其人本儒生,有才思,著詩及丹經讚并序,述初學道陵師本末,引以所知識之得仙者四十餘人,甚分明也。"據此所云,則葛稚川嘗見其書矣。

陰長生　修真君五精論一卷

《通志·藝文略》道家內丹類:《修真君五精論》一卷,陰長生撰。

陰長生　修三皇經一卷

《通志·藝文略》道家外丹類:《三皇經》一卷,陰長生修。《宋史·藝文志》:陰長生《三皇經》一卷。

陰長生　注金丹訣一卷

《通志·藝文略》道家外丹類:《注金丹訣》一卷,陰長生撰。

《宋史·藝文志》:陰真君《還丹歌》一卷。

白雲霽《道藏目錄》洞神部眾術類:《上清液神丹經》,正一天師張道陵序,上卷言《金液神丹經》文本上古書,義不可解,陰君作漢字顯出之,合有五百四字言。《神丹》中卷,長生陰真人撰,鍊各丹法。

樊英　石壁文三卷　英始末見經部易類。

《抱朴子·遐覽篇》曰:"樊英《石壁文》三卷。"

白雲霽《道藏目錄》洞神部眾術類:《太清石壁記》三卷,楚澤先生編,言丹法及丹經祕要口訣。

按英南陽魯陽人。南陽屬荊州刺史部,其地近楚,故稱楚澤先生,其卽英之別號歟?

太平清領書一百七十卷

范書《襄楷傳》：楷好學博古，善天文、陰陽之術。桓帝時，宦官專朝，政刑暴濫，又比失皇子，災異尤數。延熹九年，楷上疏言："臣前上琅邪宮崇受于吉神書，不合明聽。"復上書云"前者宮崇所獻神書，專以奉天地，順五行爲本，亦有興國廣嗣之術。其文易曉，參同經典，而順帝不行"云云。

《襄楷傳》又云："初順帝時，琅邪宮崇詣闕，上其師于吉於曲陽泉水上所得神書百七十卷，皆縹白素朱介青首朱目，號《太平清領書》。其言以陰陽五行爲家，而多巫覡雜語。有司奏崇所上妖妄不經，迺收藏之。後張角頗有其書焉。"范書《劉焉傳》注引《典略》曰："熹平中，妖賊大起，漢中有張修爲太平道，張角爲五斗米道，使病者家出五斗米以爲常，故號五斗米師也。"

章懷太子曰："神書卽今道家《太平經》也。其經以甲、乙、丙、丁、戊、己、庚、辛、壬、癸爲部，每部一十七卷也。"

《宋史·藝文志》：襄楷《太平經》一百七十卷。

《文獻·經籍攷》曰："按道家之說皆昉於後漢桓帝之時，今世所傳經典符籙，以爲張道陵天師永壽年閒受於老君者是也。而《太平經》正出於此時，范史所書甚明。然隋以來《藝文志》道書中並不收入，至宋中興，史志方有之。然以爲襄楷撰，則非也。今此經世所不見，獨章懷太子所注《漢書》略及其一二，如楷疏中所謂'奉天地，順五行'者。經中所言，亦淺易，無甚高論。至所謂'興國廣嗣之術'，則不過房中鄙褻之談耳。楷好學博古，於君昏政亂之時，能詣闕上書，明成瑨、李雲之冤，指常侍黃門之過，不可謂非高明傑特之士。而疏中獨再三尊信此書，遂以來違背經誼，假託神靈之劼，幾不免獄死，惜哉，然此經流傳最古，卷帙最多，故附見於此。于吉者，後爲孫策所殺。按順帝至孫策據江東之時，垂七十年，而吉於順帝時已爲宮崇之師，則必非稚齒，度其死時當過百歲，必有長生久視之術。然亦不克晦跡山林，①以全其天年，而乃招集徒眾，制作符水，襲黃巾米賊之爲以取誅戮，則亦不足稱也。"

按《太平經》見白雲霽《道藏目錄》太平部之首，外受傅訓入五字號中。是其書至明代嘗編入《道藏》，今藏中或亦有之。馬氏端臨謂世所不見，但就其所見聞而言，非真亡佚也。

魏伯陽　周易參同契二卷
魏伯陽　周易五相類一卷

後蜀彭曉序曰："魏伯陽，會稽上虞人。修真潛默，養志虛無，博瞻文詞，通諸緯候。乃約《周易》，撰《參同契》三篇，復作《補塞遺脫》一篇，所述多以寓言借事隱顯異文。桓帝時傳授同郡淳于叔通，遂行於世。參，雜也。同，通也。契，合也。謂與《周易》理通而義合也。"《抱朴子·對俗篇》曰："得道之高，莫過伯陽。伯陽有子名宗，仕魏，爲將軍，有功封於段干也。" 按老子之子宗爲魏將，封於段干，見《史記·老子列傳》，非此魏伯陽也。蓋因老子字伯陽，神仙家遂傳訛如是。 《續漢·五行志》注引干寶《搜神記》曰："桓帝卽位，有大蛇見德陽殿上，雒陽市令淳于翼曰：'蛇有鱗，甲兵之象也。見於省中，將有椒房大臣受甲兵之誅也。'乃棄官遁去。"《開元占經》一百二十引《會稽典錄》曰："淳于翼，字叔通，除洛陽市長。"

宋俞琰曰："《參同契》文'委時去害，與鬼爲鄰'，委鬼，魏字也。'百世一下，遨游人閒'，百一之下爲白，人乃其旁之立人，合之則伯字也。'湯遭阸際，水旱隔并'，湯遭旱而無水，易字也。阸之阸際爲阝，合之則陽字也。此自解魏伯陽三字也。"

《唐書·經籍》曰："五行類《周易參同契》二卷，魏伯陽撰。

---

① "克"，《補編》本作"能"。

《周易五相類》一卷，魏伯陽撰。"《藝文志》：魏伯陽《周易參同契》二卷，又《周易五相類》一卷。《宋·藝文志》道家：魏伯陽《周易參同契》三卷。

《四庫提要》曰："葛洪《神仙傳》稱'魏伯陽作《參同契》、《五行相類》凡三卷。其說是《周易》，其實假借爻象以論作丹之意。世之儒者不知神丹之事，多作陰陽注之，殊失其旨'云云。今按其書多借納甲之法，言坎離水火龍虎鉛汞之要，以陰陽五行昏旦時刻爲進退持行之候。後來言鑪火者，皆以是書爲鼻祖。《隋志》不著錄，《唐·經籍志》始有《易參同契》二卷，《周易五相類》一卷。而入之五行家，殊非其本旨。至鄭樵《通志·藝文略》始別立參同契一門，載注本一十九部，今亦多佚亡。"

徐從事　注周易參同契三卷

後蜀彭曉序曰："魏伯陽撰《參同契》，密示青州徐從事，徐乃隱名而注之。"

《通志·藝文略》道家陰陽統略：《周易參同契》三卷，徐從事注。《宋·藝文志》：徐從事注《周易參同契》三卷。

陰長生　注金碧五相類參同契三卷

白雲霽《道藏目錄》洞神部眾術類：《金碧五相類參同契》三卷，陰長生撰。言外丹法。又太元部：《周易參同契》三卷，陰真人注。按此蓋即洞神部中所錄之三卷。

《通志·藝文略》：陰真君《周易參同契》三卷，《金碧五相類參同契》一卷，陰真君撰。

《經義攷》曰："羅欽順云《參同契》有彭曉、陳顯微、儲華谷、陰真人、俞琰、陳致虛六家注，皆能得其微旨。"按此序陰真人於宋人中，豈宋別有陰真人，白雲霽誤爲陰長生歟？抑此注實宋人作，附託陰長生者？今姑錄之於此。

魏伯陽　大丹記一卷

《通志·藝文略》道家外丹類：《大丹記》一卷，魏伯陽撰。

白雲霽《道藏目錄》洞神部眾術類：《大丹記》，魏伯陽撰，內《太素真人口訣》、《用藥斤兩訣》、《火候訣》、《真鉛真汞訣》、《用藥訣》、《鼎器訣》、《肘後訣》。

魏伯陽　七返丹砂訣一卷

《通志·藝文略》道家外丹類：《七返靈砂歌》一卷，後漢魏伯陽撰，黃君注。

白雲霽《道藏目錄》洞仙部眾術類：魏伯陽《七返丹砂歌》，黃童君注解，內歌十首，言丹砂藥物。

魏伯陽　內經一卷

《抱朴子·遐覽篇》曰："魏伯陽《內經》　卷。"

魏伯陽　大丹九轉歌訣一卷

魏伯陽　火鑑周天圖一卷

魏伯陽　龍虎丹訣一卷

魏伯陽　感應訣一卷

魏伯陽　蓬萊山東西竈還丹歌一卷

《通志·藝文略》道家外丹類：《大丹九轉歌訣》一卷，魏伯陽撰。《火鑑周天圖》一卷，魏伯陽撰。《龍虎丹訣》一卷，魏伯陽撰。魏伯陽《感應訣》一卷。《蓬萊山東西竈還丹歌》一卷，魏伯陽撰。又有魏真人《還丹歌訣》一卷。《宋志》有魏伯陽《還丹訣》一卷。

魏伯陽　百章集一卷

魏伯陽　注太上金碧經一卷

陳振孫《書錄解題》神仙家：《百章集》一卷，稱魏伯陽。《太上金碧經》一卷，題魏伯陽注。

按以上魏伯陽書十部，其真偽及重複互見，皆不可攷。

甘始　容成陰道十卷

范書《方術傳》：甘始、東郭延年、封君達三人者，皆方士也。率能行容成御婦人術，或飲小便，或自倒懸，愛嗇精氣，不極視大言。皆爲曹操所錄，問其術而行之。

《魏志・華陀傳》注引文帝《典論》曰：“潁川郤儉、甘陵甘始、廬江左慈並爲軍吏。”又引東阿王《辨道論》曰：“陳思王植，魏明帝太和三年徙封東阿。世有方士，吾王悉所招致。甘陵有甘始，能引氣導引，號三百歲，老而有少容。自諸術士咸共歸之。然始辭繁寡實，頗有怪言。始語余：‘吾本師本姓韓字世雄。嘗與師於南海作金，前後數四，投數萬斤金於海。’始若遭秦始皇、漢武帝，則復爲徐市、欒大之徒也。”

王應麟《漢志攷證》曰：“《容成陰道》二十六卷，《神仙傳》曰：‘甘始依容成、玄、素之法，更演益之爲十卷。’”

右道書，凡八 s 家二十三部。

《四庫提要》有曰：“《漢志》錄道家三十七部，神仙家十部，本截然兩途。黃冠者流，惡清淨之不足聳聽，於是以丹方符籙炫燿其神怪。名爲道家，實皆神仙家也。黃老之學，漢代並稱。然言道德者稱老子，言靈異者稱黃帝。名爲述說老子，實皆依託黃帝也。其恍惚誕妄，爲儒者所不道。”又曰：“《隋書》載王儉《七志》，以道佛附見，合爲七門。阮孝緒《七錄》則以佛錄第六，道錄第七，共爲七門。《隋志》則以四部之末附載道經、佛經之總數，而不列其目。《唐志》以下頗載經目”云云。今從《隋志》，附佛經、道經書於四部之後，兼用《唐志》以下之例，備錄其書。

二十五史藝文經籍志考補萃編總目

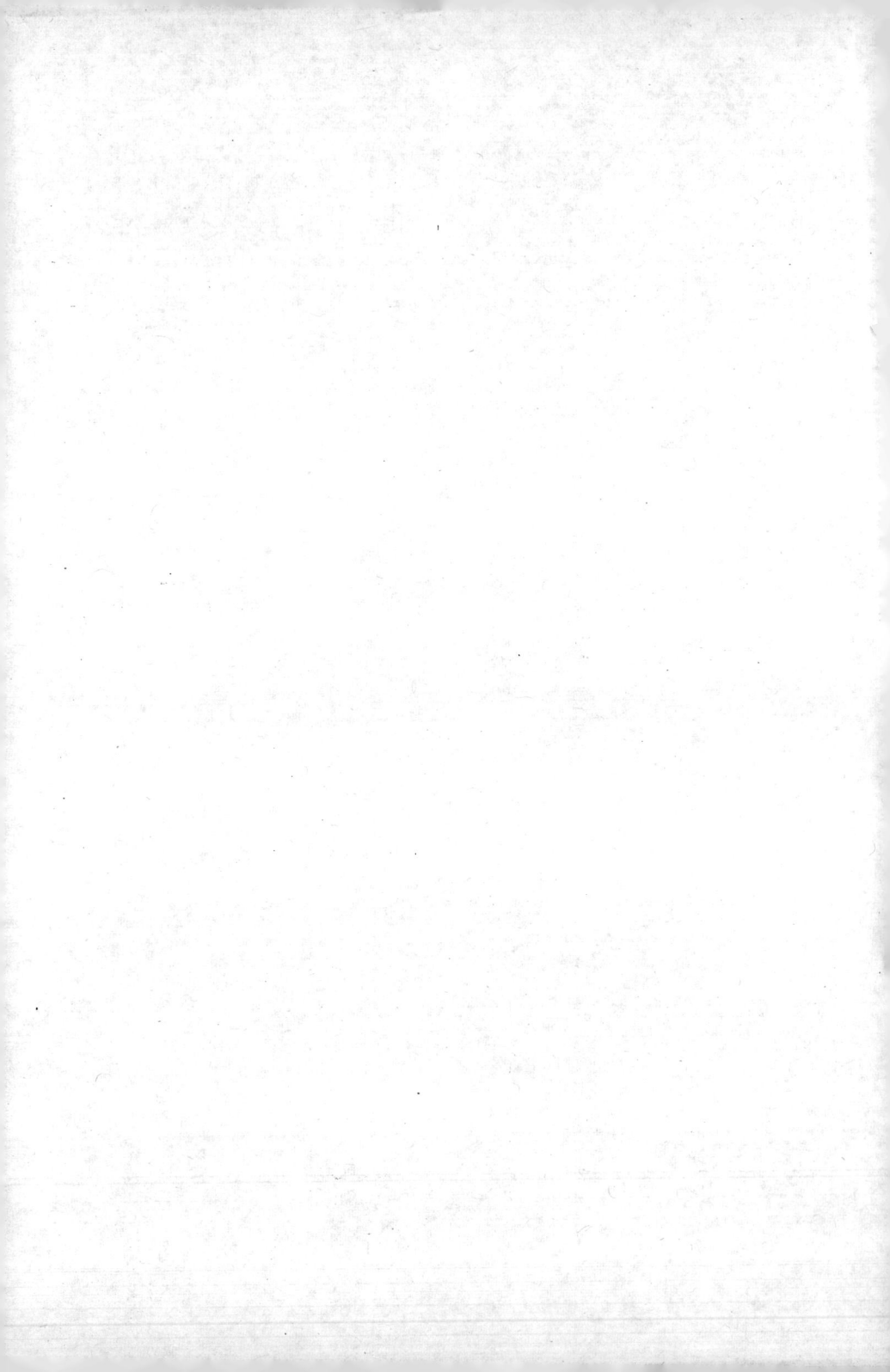